生活リズムを知る

介護を行ううえで，利用者がふだんどのような生活リズムで過ごしているかを知ることは大切です。基本的な生活リズムはありながらも，その人によって習慣などがさまざまであることを意識しながらかかわるようにします。

手洗いと手袋のはずし方

◆ 手洗いの順序

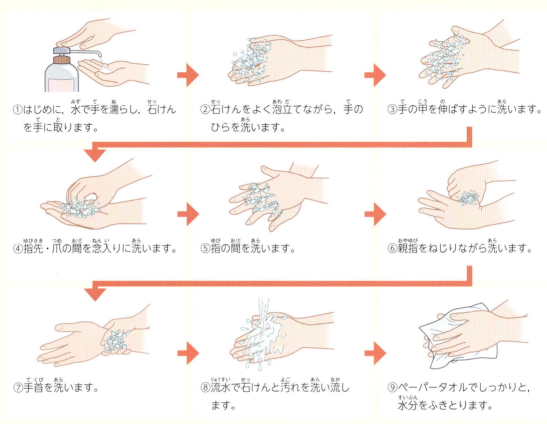

「介護現場における（施設系 通所系 訪問系サービスなど）感染対策の手引き 第2版 2021年3月（厚生労働省）」を参考に作成

◆ 手袋のはずし方

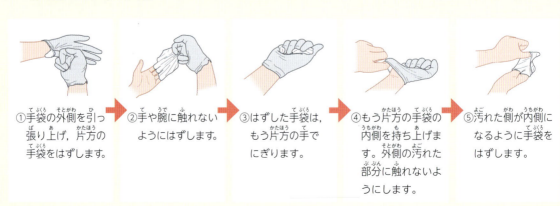

「感染対策普及リーフレット 2021年3月（厚生労働省）」を参考に作成

感染対策の基本

嘔吐物などを処理するときは感染のおそれがあるため，使い捨て手袋・マスク・エプロンを使用するようにします。

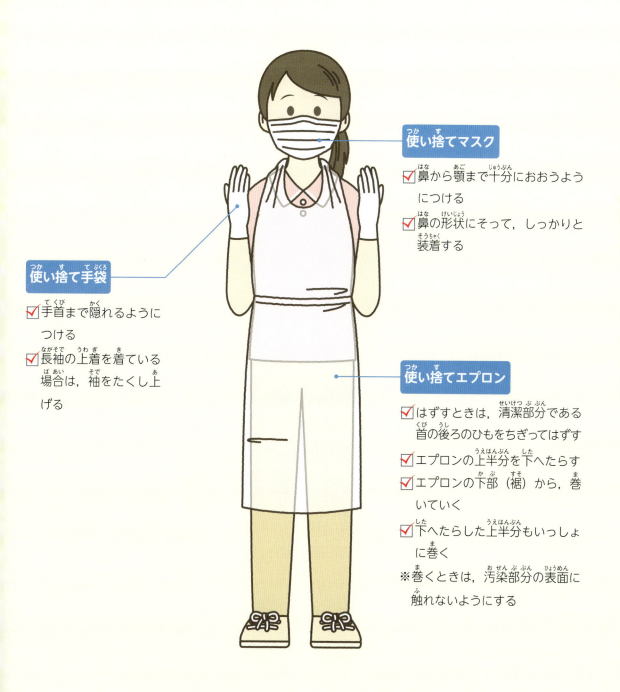

使い捨てマスク
- ☑ 鼻から顎まで十分におおうようにつける
- ☑ 鼻の形状にそって，しっかりと装着する

使い捨て手袋
- ☑ 手首まで隠れるようにつける
- ☑ 長袖の上着を着ている場合は，袖をたくし上げる

使い捨てエプロン
- ☑ はずすときは，清潔部分である首の後ろのひもをちぎってはずす
- ☑ エプロンの上半分を下へたらす
- ☑ エプロンの下部（裾）から，巻いていく
- ☑ 下へたらした上半分もいっしょに巻く
- ※巻くときは，汚染部分の表面に触れないようにする

人生の最終段階における意思決定

◆ アドバンス・ケア・プランニング

もしものときのために，みずからが望む人生の最終段階における医療・ケアについて，前もって考え，くり返し話し合い，共有する取り組みを「アドバンス・ケア・プランニング（ACP）」といいます。

<話し合いの進め方（例）>

● まずはあなたが大切にしていること，自分の生き方，望まない医療やケアなどについて考えてみる。

● それを信頼できる人や医療・ケアチームと話し合う。

● 話し合いの結果を大切な人に伝えて共有する。

心身の状態に応じて意思は変化することがあるため，何度でもくり返し考え，話し合いましょう。

最新
介護福祉士養成講座

編集 介護福祉士養成講座編集委員会

生活支援技術 Ⅱ

第2版

7

中央法規

『最新 介護福祉士養成講座』初版刊行にあたって

　1987（昭和62）年に「社会福祉士及び介護福祉士法」が制定され、介護福祉職の国家資格である介護福祉士が誕生してから30年以上が経ちました。2018（平成30）年11月末現在、資格取得者（登録者）は162万3974人に達し、施設・在宅を問わず地域における介護の中核をになう存在として厚い信頼をえています。

　近年では、世界に類を見ないスピードで進む高齢化に対応する日本の介護サービスは国際的にも注目を集めており、アジアをはじめとする海外諸国から知識と技術を学びに来る学生が増えています。

　もともと介護福祉士が生まれた背景には、戦後の高度経済成長にともなう日本社会の構造的な変化がありました。資格誕生から今日にいたるまでのあいだも社会は絶えず変化を続けており、介護福祉士に求められる役割と期待はますます大きくなっています。そのような背景のもと、今後さらに複雑化・多様化・高度化していく介護ニーズに対応できる介護福祉士を育成するために、2018（平成30）年に10年ぶりに養成カリキュラムの見直しが行われました。

　当編集委員会は、資格制度が誕生した当初から、介護福祉士養成のためのテキスト『介護福祉士養成講座』を刊行してきました。福祉関係八法の改正、社会福祉法や介護保険法の施行など、時代の動きに対応して、適宜記述内容の見直しや全面改訂を行ってきました。そして今般、本講座を新たなカリキュラムに対応した内容に刷新するべく『最新 介護福祉士養成講座』として刊行することになりました。

　『最新 介護福祉士養成講座』の特徴としては、次の事項があげられます。
① 介護福祉士養成のための標準的なテキストとして国の示したカリキュラムに対応
② 現場に出たあとでも立ち返ることができ、専門性の向上に役立つ
③ 講座全体として科目同士の関連性も見える
④ 平易な表現や読みがなにより、日本人学生と外国人留学生がともに学べる
⑤ オールカラー（11巻、15巻）、ＡＲ（拡張現実：6巻、7巻、15巻）の採用などビジュアル面への配慮

　本講座が新しい時代にふさわしい介護福祉士の養成に役立ち、さらには本講座を学んだ方々が広く介護福祉の世界をリードする人材へと成長されることを願ってやみません。

2019（平成31）年3月
介護福祉士養成講座編集委員会

はじめに

　「生活支援技術」は、尊厳の保持や自立支援、生活の豊かさの観点から、本人主体の生活が継続できるよう、根拠に基づいた介護実践を行うための知識・技術を学習する科目です。養成カリキュラムでは「教育に含むべき事項」として11項目があげられていますが、本講座では「応急手当」と「災害時における生活支援」を含む13項目を2冊に分けて解説しています。

　本書『生活支援技術Ⅱ』は、「自立に向けた身じたくの介護」「自立に向けた食事の介護」「自立に向けた入浴・清潔保持の介護」「自立に向けた排泄の介護」「休息・睡眠の介護」「人生の最終段階における介護」の全6章で構成しています。

　第1章「自立に向けた身じたくの介護」では、自立した身じたくの一連の流れを理解したうえで、利用者の状態に応じた身じたくの介助の方法を学びます。第2章「自立に向けた食事の介護」では、介護の基本原則にのっとった食事の介護、利用者の状態に応じた食事の介助、誤嚥の予防のための支援、食後の口腔ケアなどを解説しています。第3章「自立に向けた入浴・清潔保持の介護」では、自立した入浴の一連の流れを理解したうえで、具体的な入浴と清潔保持の介助方法を学びます。第4章「自立に向けた排泄の介護」では、トイレやポータブルトイレでの排泄の介助方法、立位でのパッド交換、おむつを使用した排泄の介助などについて学びます。第5章「休息・睡眠の介護」では、休息・睡眠の重要性や、休息・睡眠環境を整えるためのベッドメイキングの方法などを解説しています。第6章「人生の最終段階における介護」では、人生の最終段階におけるケアの意味や死をむかえる人の介護、亡くなったあとの介護について学びます。

　第2版では、介助手順の「留意点と根拠」の内容をより充実させています。また、食事で使用する自助具や窒息時の対応を追加したほか、人生の最終段階での多職種との連携がわかるように事例を入れるなどの見直しを行いました。

　本書はできる限りわかりやすい表現になるように努め、イラストを多く用いて見やすさにも配慮しています。本書での学びを通じて、専門職にふさわしい生活支援技術を身につけ、介護実践にいかしていただければ幸いです。

　内容面に関しては最善を尽くしていますが、ご活用いただくなかでお気づきになった点は、ぜひご意見をお寄せください。いただいた声を参考にして、改訂を重ねていきたいと考えています。

編集委員一同

最新 介護福祉士養成講座 7 **生活支援技術Ⅱ** 第 2 版

目次

『最新 介護福祉士養成講座』初版刊行にあたって

はじめに

ARマークについて

第 1 章 自立に向けた身じたくの介護

第 1 節 自立した身じたくとは ……………………………………………………… 2
1 自立した身じたくとは … 2
2 自立した身じたくの一連の流れ … 3
3 自立に向けた身じたくの介護をするために介護福祉職がすべきこと … 4

第 2 節 自立に向けた身じたくの介護 …………………………………………… 6
1 利用者の状態や状況を確認する … 6
2 自立に向けた介護を行う際の確認ポイント … 7
3 利用者の状態に応じた身じたくの介助 … 8 **AR**

第 3 節 身じたくの介護における多職種との連携 ……………………………… 67
1 身じたくの介護における多職種連携の必要性 … 67
2 他職種の役割と介護福祉職との連携 … 68
演習1-1 口腔ケアの実践に向けて … 72
演習1-2 着替えの介助 … 72

第 2 章 自立に向けた食事の介護

第 1 節 自立した食事とは ………………………………………………………… 74
1 自立した食事とは … 74
2 自立した食事の一連の流れ … 76
3 自立に向けた食事の介護をするために介護福祉職がすべきこと … 78

最新 介護福祉士養成講座7 **生活支援技術Ⅱ** 第2版

第 **2** 節 **自立に向けた食事の介護** ……………………………………… 79

1 食事の介助を行うにあたって … 79
2 介護の基本原則にのっとった食事の介護 … 84
3 利用者の状態に応じた食事の介助 … 85 `AR`
4 誤嚥の予防のための支援 … 95 `AR`
5 窒息が起きたときの対応 … 98
6 食後の口腔ケア … 99

第 **3** 節 **食事の介護における多職種との連携** ……………………… 100

1 食事の介護における多職種連携の必要性 … 100
2 他職種の役割と介護福祉職との連携 … 101
`演習2-1` 食事の姿勢 … 106
`演習2-2` 1日の水分摂取量 … 106
`演習2-3` 食事の環境 … 106

第 **3** 章 自立に向けた入浴・清潔保持の介護

第 **1** 節 **自立した入浴・清潔保持とは** …………………………………… 108

1 自立した入浴・清潔保持とは … 108
2 自立した入浴の一連の流れ … 109
3 自立に向けた入浴・清潔保持の介護をするために介護福祉職がすべきこと … 110

第 **2** 節 **自立に向けた入浴・清潔保持の介護** ………………………… 112

1 入浴の可否と清潔にする方法の選択 … 112
2 入浴の介助 … 114 `AR`
3 清潔保持の介助 … 128 `AR`
4 入浴・清潔保持のための道具・用具 … 149

第 **3** 節 **入浴・清潔保持の介護における多職種との連携** ………… 151

1 入浴・清潔保持における多職種連携の必要性 … 151
2 他職種の役割と介護福祉職との連携 … 152
3 入浴時の変化と多職種連携 … 156
`演習3-1` からだの洗い方の好み … 160
`演習3-2` 乾いたタオルでからだをふく意味 … 160

第 4 章 自立に向けた排泄の介護

第 1 節 自立した排泄とは ……………………………………………… 162
1 自立した排泄とは … 162
2 自立した排泄の一連の流れ … 163
3 自立に向けた排泄の介護をするために介護福祉職がすべきこと … 165

第 2 節 自立に向けた排泄の介護 ……………………………………… 166
1 排泄方法の選択 … 166
2 トイレでの排泄の介助方法 … 168
3 ポータブルトイレでの排泄の介助方法 … 174
4 立位でのパッド交換の介助 … 179
5 尿器、差しこみ便器での排泄の介助 … 182
6 おむつでの排泄の介助 … 191
7 頻尿、尿失禁、便秘、下痢、便失禁への対応 … 198
8 その他の排泄に関するさまざまな介助 … 204

第 3 節 排泄の介護における多職種との連携 ……………………… 212
1 排泄の介護における多職種連携の必要性 … 212
2 他職種の役割と介護福祉職との連携 … 213
演習4-1 おむつの吸水性 … 218
演習4-2 おむつ体験 … 218

第 5 章 休息・睡眠の介護

第 1 節 休息・睡眠とは ……………………………………………… 220
1 休息・睡眠とは … 220
2 休息・睡眠の効果 … 221
3 快適な睡眠の一連の流れ … 222
4 安眠を阻害する要因 … 223
5 休息・安眠をうながす介護をするために介護福祉職がすべきこと … 226

第 2 節 休息・睡眠の介護 ……………………………………………… 229
1 室内環境の調整 … 229
2 休息・睡眠環境を整える（ベッドメイキング）… 232 `AR`
3 特殊寝台と付属用具 … 246
4 睡眠障害とその支援 … 247

最新 介護福祉士養成講座 7　生活支援技術 II　第 2 版

第 3 節　休息・睡眠の介護における多職種との連携 ····················· 250

1　休息・睡眠における多職種連携の必要性 … 250
2　他職種の役割と介護福祉職との連携 … 250

演習5-1　入眠儀式 … 253
演習5-2　睡眠環境 … 253

第 6 章　人生の最終段階における介護

第 1 節　人生の最終段階の意義と介護の役割 ······················· 256

1　人生の最終段階におけるケアの意味 … 257
2　人生の最終段階におけるアセスメントの視点 … 260

第 2 節　人生の最終段階における介護 ··························· 269

1　死をむかえる人の介護 … 269
2　死をむかえた人の介護 … 278
3　亡くなったあとの介護・グリーフケア … 280

第 3 節　人生の最終段階の介護における多職種との連携 ············· 284

1　人生の最終段階における多職種連携の必要性 … 284
2　他職種の役割と介護福祉職との連携 … 286

演習6-1　死が近づいたときの日常生活の変化 … 291
演習6-2　自己決定の支援 … 291
演習6-3　地域ごとの埋葬慣習 … 291

索引 ··· 293

執筆者一覧

本書では学習の便宜をはかることを目的として、以下のような項目を設けました。

● 学習のポイント … 各節で学ぶべきポイントを明示
● 関連項目 ………… 各節の冒頭で、『最新 介護福祉士養成講座』において内容が関連する他巻の章や節を明示
● 重要語句 ………… 学習上、とくに重要と思われる語句について色文字のゴシック体で明示
● 補足説明 ………… 専門用語や難解な用語・語句をゴシック体で明示するとともに、側注でその用語解説や補足的な説明を掲載
● 演　習 ………… 節末や章末に、学習内容を整理するふり返りや、理解を深めるためのグループワークなどの演習課題を掲載

ARマークについて

スマートフォンやタブレットをかざして動画を見よう！

スマートフォンやタブレットで「ARマーク」のついている図や写真を読み込むと、実施手順や留意点を動画で学ぶことができます。

ARアプリのインストールと使い方

 無料アプリをインストール

App Store (iOS) /Google Play (Android) から「COCOAR」または「ココアル」と検索し、アプリをインストールしてください。右のQRコードから各ストアへ移動することができます。

iOS　　　　Android OS

 アプリを起動して読み込む

COCOARを起動して、「ARマーク」がついている図や写真にかざしてください。アプリが画像を読み込むと、動画が表示されます。

 書籍の解説と合わせて確認

動画と書籍の解説を合わせて確認して、理解を深めましょう。

※ご利用の機種やOSのバージョン、通信環境によっては、アプリが正常に動作しない場合がございます。
※動画の視聴は無料ですが、通信料はお客様のご負担となります。動画の読み込み・閲覧にあたっては、Wi-Fi環境を推奨いたします。
※COCOARは、スターティアラボ株式会社が配信するクラウド型ARアプリケーションサービスになります。アプリの詳細な機能・最新の対応OS等については、各ストア等をご参照ください。
※動画は予告なく終了することがあります。あらかじめご了承ください。
※本AR動画に関するすべての権利は、著作権者に留保されています。理由のいかんを問わず、無断で複写・放送・業務的上映をすること、第三者に譲渡・販売することは法律で禁止されています。

ARの活用方法

ARは次のように活用することができます。ARを効果的に活用することで、「生活支援技術」のより実践的な理解につながります。

1．事前学習として
事前に実施手順を動画で確認しておくことで、授業で学ぶ内容をイメージしやすくなります。

2．授業のふり返りとして
授業のふり返りとして動画を確認することで、「留意点」と「根拠」をふまえた介助方法をしっかり身につけることができます。

3．介護実習前の確認として
介護実習では、実際に利用者とかかわることになります。実習前に動画を確認することで、介護現場での実践のイメージを具体的にもつことにつながります。

ARマークは、介助手順のイラストの左上に付いています。それぞれの学習の場面でぜひ活用してみてください。

実際の動きが見られる！

第 **1** 章

自立に向けた身じたくの介護

第 **1** 節	自立した身じたくとは	
第 **2** 節	自立に向けた身じたくの介護	
第 **3** 節	身じたくの介護における多職種との連携	

※本章のAR動画は『根拠に基づく生活支援技術の基本』（白井孝子、櫻井恵美＝監修／中央法規出版＝発行）の映像を使用しています。

第 1 節

自立した身じたくとは

学習のポイント

■ 生活習慣としての、身じたくの意義と目的について理解する
■ 利用者の生活習慣を知り、状態を観察して、利用者に適した介護技術が展開できる

関連項目 ① 『人間の理解』 ▶ 第1章第2節「自立のあり方」
⑪ 『こころとからだのしくみ』 ▶ 第4章「身じたくに関連したこころとからだのしくみ」

1 自立した身じたくとは

　　身じたくは、利用者の生活のなかの1場面として重要な行為となっています。そもそも、身じたくとは「何かをするために身なりを整える」と定義されています。では、身じたくを整える意義にはどのようなことがあるのかを確認していきます。

（1）生活リズムを整える

　　人は、朝起きて、「今日は出かける日だ」と思うと、その目的にあわせて、何を着て行こうか、髪は整っているかなど身じたくを整えます。反対に予定のない休日には、寝衣のまま過ごすことがあります。身じたくは、活動のための準備になり、そのことは生活リズムを整えることにもなります。

（2）健康の維持

　　人は、「最近、水を飲むと歯にしみるな」などというときには、歯みがきを行っているときなどに口の中や歯の状態を確認します。それでも原因がわからない場合は、「このままだと不安だし、歯医者に行ってみてもらうほうがいいかな」という考えが生じ、歯医者に行くという行為

につながります。それは自分の健康を維持するための行為です。

　また、身じたくで行われる行為としての着脱には、外部環境や危険物から身を守ることや、体温の調整、清潔を保持するという意味があります。

（3）自分らしさの表現、生活のなかの楽しみ

　身じたくには、その人の好みが反映されています。たとえば、衣服には、その人の好きな色やデザインがあります。その日の気分や目的に応じて、会う人や場に応じて衣服は選ばれます。自分らしい衣服を選ぶことは、「自分らしさ」の表現の1つでもあり、また選ぶ行為は、生活のなかの楽しみにもなります。「自分らしさ」を表現することは、意欲の向上や社会参加にもつながります。

2 自立した身じたくの一連の流れ

　身じたくの介護をするうえで、まず、私たちは普段どのように身じたくをしているのかを理解する必要があります。

　たとえば衣服を着るとき、まずはからだで気温を感じます。それから外の様子や天気などを見て、その日の行動も考え、どのような衣服を着るかを考えます。着る服が決まったら着替え、最後に鏡で確認してから出かけます。

　衣服の着脱の一連の動作を見てみると、**表1－1**のようになります。

　具体的にイメージしてみると、**図1－1**のようになります。

表1－1 **衣服の着脱の一連の動作**

① 利用者の頭の中：「今日は外が寒そうだ」「外で人に会うから、少し厚着をしよう」

② タンスの中をのぞいて、セーターを選ぶ。

③ 着替える。上着のボタンを留めるなど。

④ 鏡で全体のバランスを確認する。

⑤ 外出のしたくをして外出する。

⑥ 元気に人とあいさつができる。笑顔で話をしているなど。

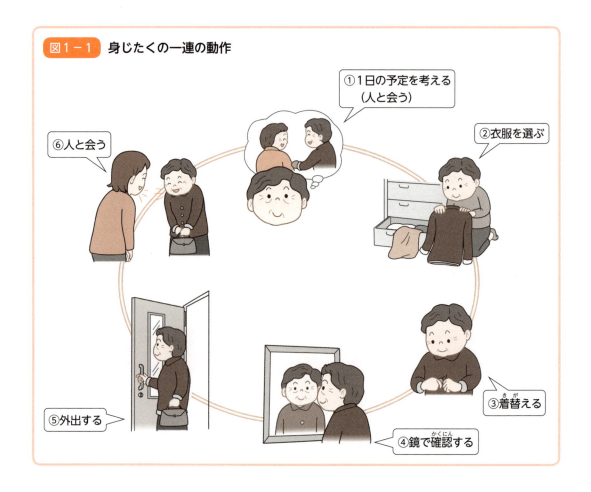

図1−1 身じたくの一連の動作
①1日の予定を考える（人と会う）
②衣服を選ぶ
③着替える
④鏡で確認する
⑤外出する
⑥人と会う

3 自立に向けた身じたくの介護をするために介護福祉職がすべきこと

　加齢や障害等により身体機能に何らかの障害が生じると、身じたくをすることが困難になる場合があります。そのことで、人や社会とかかわることが少なくなる人もいます。そうなると身なりを整える必要性が減るため、身じたくをするという気持ちにも変化が生じます。その変化はよい循環とはなりません。

　介護福祉職は、利用者の身じたくの意義を理解し、加齢や障害などがあっても、その人らしさを表現することのできる支援を行うことが求められます。また、身じたくの一連の動作に何らかの支援が必要な利用者とかかわる介護福祉職は、利用者の状況を勝手に判断して決めつけた介護行為を押しつけてはいけません。安全や健康を明らかに阻害するよう

な行為をしないことは当然のことです。しかし、そこだけに主眼がおかれてしまうと、利用者の立場に立った介護行為、自立に向けた介護行為とはなりません。

たとえば、衣服を選ぶ際の場面を想定してみましょう。これから外出を予定しているので、介護福祉職は、着脱を支援します。まず、利用者に外出することを説明し、衣服の確認をします。利用者が少し薄手の衣服を選んだことに対して「これでは寒いな。風邪をひいてはいけない」と判断し「こちらのほうがよいですね」と利用者が選んだのとは違う衣服に着替えてもらったとします。利用者はなぜ自分の選んだ服ではいけないのだろうかと思うのではないでしょうか。また、着たい服があったのに、「寒い、風邪をひいてはいけない」という介護福祉職の判断で、利用者のその思いを否定してしまいました。利用者は楽しいでしょうか。なぜ選んだ服ではいけないのかと思うのではないでしょうか。

このとき、介護福祉職は利用者の環境に目を向けていたでしょうか。利用者に外が寒いという情報を伝えていたでしょうか。施設の環境は温度設定がなされています。伝えていなければ薄手の衣服を選ぶことが考えられます。

その場合、なぜこの衣服を選んだのか、利用者に一言確認すれば、その理由がわかります。その際に、外は寒いという情報を伝え、それでもその衣服がよいということであれば、下着を工夫したり、寒さ対策に応用できる掛け物を持参するなどの介護行為が考えられます。そうすれば、利用者は好きな衣服を自分で選び、外出ができます。少し寒さを感じても、掛け物などの寒さ対策があれば外出ができます。

介護福祉職は、自立に向けた身じたくを支援するために、利用者の思いという心理面を理解しつつ、利用者の状態や環境を含めて、利用者のできるところ、支援が必要なことを考察し、その人にあった介護方法を行うことが求められます。介護福祉職のもつ知識と技術で、できるようにするための支援方法を提示し、いっしょに行い、利用者が満足できる「自分らしさ」を支援していきます。そのことが、利用者の自信回復にもつながり、生活の維持向上にもつながります。

第2節

自立に向けた身じたくの介護

学習のポイント

- ■ 利用者の思いを確認した介護ができる
- ■ 利用者の健康状態や状況を把握し、利用者にあった介護方法が選択できる
- ■ 身じたくに必要な介護技術の基本が理解できる
- ■ 身じたくに関した介護技術の根拠が理解できる

関連項目 ⑪『こころとからだのしくみ』▶ 第4章「身じたくに関連したこころとからだのしくみ」

1 利用者の状態や状況を確認する

　身じたくの介護は、生命維持活動に直結するものではありませんが、その人らしさを支援するためには重要な介護技術であることを意識して行う必要があります。

　また、介護福祉職は身じたくの介護を通じて、利用者の日ごろの様子や今の様子を確認することで、利用者のこころの状態や身体機能の状態の変化を知ることにもつながります。たとえば、今までは自分できれいに髪を整えていた利用者が、髪の乱れを気にかけなくなったら、なぜかと考え、状況を把握するようにします。その結果、肩に痛みがあって整髪が苦痛であるということがわかれば、医療職と連携し、痛みの緩和にかかわってもらうことで、いつもの状態に戻ることにつながります。

　利用者の現状は情報として重要な事実です。それらの情報を多方面から分析し、なぜなのだろうと考え、解釈することで、その人にあった介護を実践することにつながります。

第 2 節　自立に向けた身じたくの介護

2　自立に向けた介護を行う際の確認ポイント

　運動機能や感覚機能、認知機能が低下した利用者の場合には、できないところを介護福祉職が介護する必要が出てきます。そのためには、利用者の身じたくの習慣がどのようなものであるかを確認しておくことが必要です。習慣を継続するためには、どのような介護が適しているのかを考えることが必要になるからです。そして、それを実践することで、利用者の自立につながります。

　自立に向けた身じたくの介護を行う際には、事前に確認しておきたいポイントがあります。おもなポイントには次のようなことが考えられます。

1　整容の様子

・利用者がどのような身じたくを望んでいるのか。

・今までの習慣はどのようなものであったのか。

・どのような用具を使用して、どこで行ってきたのか。

2　健康状態や、その日の状態や体調

・認知機能の状態、精神機能の状態など

・身じたく行為に関連する運動・感覚機能の状態など

・皮膚・口腔・毛髪・爪の状態など

3　環境因子の状況

・洗面所までの移動距離や環境など

・使用する洗面所などの高さや構造など

・室温、換気、明るさの状況など

7

3 利用者の状態に応じた身じたくの介助

1 洗顔の介助

> **介助のポイント**
> ① 皮膚の役割を意識して介助する
> ② 汚れやすい部位を確認しておく
> ③ 洗面後には、皮膚を保湿する
> ④ 目は目頭から目尻に向かってふく。タオルの同じ面ではふかない

（1）洗顔とは

　朝起きて洗顔をすることで、すっきりとした気分で1日を始めることができます。また、夜に行う洗顔では、日中についた汚れを落とし、すっきりした気分で就寝することができます。洗顔することは一般的な生活習慣です。しかし、温かい湯を使用して洗顔するのが好きな人、冷たい水で洗顔するのが好きな人、朝と夕で使い分けている人など、好みや洗顔方法はその人によって異なります。介護福祉職はその人の好みや習慣を理解し、できないところを介助していきます。

　女性の場合には、洗顔後に化粧をすることがあります。また、日ごろは化粧をしない利用者の場合でも、行事や人と会うなど、TPO（時（time）、場所（place）、場合（occasion）に応じた服装などの使い分け）にあわせて化粧をする場合があります。利用者の生活習慣や状況を知り、それにあわせた介助を行うことも必要です。また、化粧をした場合に、就寝前に化粧を落とすことを忘れてはいけません。皮膚の状態を保つためにも、化粧を落とすことは重要になります。

　男性の場合には、洗顔時にひげそりをいっしょに行うことがあります。利用者の生活習慣や状況を知り、それにあわせた介助を行うことが必要です。

1 目的
　洗顔をすることで、皮脂や汚れを除去し清潔を保つことができます。血流を促進することができます。爽快感をえることができます。

2 環境など
　可能な限り洗面所に移動して行います。車いすなどを利用する場合には、洗面台の下に車いすが入るスペースがあると洗顔しやすくなります。

8

第2節　自立に向けた身じたくの介護

3 事前の確認

・姿勢保持の状態、上肢および手指関節の痛みの有無、握力の状態、可動域、皮膚の状態、その日の体調などについて確認します。

・洗面所までの動線を確認し、不要なものは片づけます。

・洗面所では、立位保持や立位での前傾姿勢が必要になります。前傾姿勢が困難な場合には、いすに腰かけて行ってもらいます。そのことで、転倒防止につながります。

・水道の蛇口は、利用者の状態にあわせて、開閉ができない場合に介助します。

（2）洗面所などでの洗顔の介助

＜必要物品＞

洗顔用石けん、タオル、保湿クリーム、化粧水、必要に応じて蒸しタオル、その他必要と思われる物など

介助手順	留意点と根拠
①利用者に介助の目的・内容を説明し、同意をえます。	①利用者の意向を確認し、自己決定を尊重します。これから行う介助の方法・手順を理解してもらいます。 介助内容を知ることで、利用者が安心・納得して行為を行うことにつながる。
②気分・体調を確認します。	②口頭で確認するだけでなく、顔色・表情なども観察します。 その日の体調や状態にあわせた介助方法を選択することにつながる。
③必要物品を準備します。	③利用者がふだん使用している物品を準備します。 ・自分でできる場合には、用意してもらいます。 ・端座位で行う場合には、オーバーテーブルを利用します。 使い慣れた物品使用は、利用者の行動がスムーズになり、自分らしさの表現にもつながる。

④姿勢を確認します。

(洗面所)
【立位で行う場合】
・前傾姿勢時にふらついても介助者が保持できる位置に立ちます。

【座位で行う場合】
・足底が床についているか、前傾姿勢がとりやすい位置かを確認します。必要があれば浅く座り直してもらいます。

【車いすを使用する場合】
・ブレーキをかけてから行います。麻痺がある場合は、介助者は患側に立ちます。

(ベッド上)
【端座位で行う場合】
・オーバーテーブルとの距離、高さを確認します。

⑤必要物品を確認します。

⑥洗顔を実施します。
・利用者の好みにあわせて、洗面台に水や湯をはります（高温でのやけどに注意）。
・汚れが取れていない場合には、意向を確認して介助します。
・洗顔後の保湿をうながします。

④洗面台との距離は適切かを確認します。

この確認が安全な行為につながる。

患側には力が入らないため、バランスをくずしたときに患側に倒れる。そのため、患側から介助する。

安全な姿勢確保ができる。

⑤利用者の使いやすい位置に置いてあるか確認します。衣服や袖が濡れないように配慮します。
・片麻痺のある場合には、介助者が健側の袖を上げる介助をします。
・前傾姿勢をとることで衣服が濡れない工夫をします。

⑥洗面器を使用する場合は、利用者自身の物を使用します。

・座位で行う場合には、濡れないよう膝上や肩まわりにタオルなどをかけます。

第2節 自立に向けた身じたくの介護

介助手順	留意点と根拠
	・端座位で行う場合、顔を湿らせ石けんをつけたあとに、濡れたタオルで一度石けんをふきとります。その後、洗顔を行うこともあります。水や湯、洗面器を複数十分準備できれば洗面所で行う場合と同じです。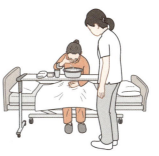・利用者自身に洗顔後の保湿を行ってもらいます。
⑦洗顔後の体調確認をします。	⑦かゆみや痛みがないかなど、皮膚の状態も含めて体調を確認します。口頭で確認するだけでなく、顔色・表情なども観察します。 姿勢を変えて行う行為なので、ふらつきやめまいなどを起こす場合があるため。 ・洗面所から次の場所への移動の見守り、または介助をします。 ・端座位で行った場合には、姿勢をもとに戻します。
⑧後片づけをします。	⑧使用物品を片づけます。利用者ができない部分を介助します。
⑨記録します。	⑨状態や状況を記録します。

(3) 座位が困難な利用者の顔の清拭──ベッド上で行う洗顔

＜必要物品＞

洗顔用石けん、タオル（必要数）、洗面器、湯、鏡、保湿クリーム、化粧水など

介助手順	留意点と根拠
①～③は「（2）洗面所などでの洗顔の介助」と同じです。	

④姿勢を確認します。

⑤必要物品を使いやすい位置に置きます。

⑥清拭を実施します。
・利用者に清拭を始めることを声かけします。
・額→鼻→頬→顎の順に、筋肉の走行にそって3の字を描くようにふきます。
・髪の生え際、目尻、鼻の周囲、口もとも、ていねいにふきます。

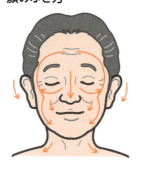

顔のふき方

・タオルの面をかえながらふきます。
・乾いたタオルで水分をふきとります。
・清拭後の保湿を行います。

④介助者が清拭しやすいようにベッドを15度程度上げてもよいでしょう。利用者の状態に応じて行います。
・寝具が濡れないように布団を少し折るような工夫をします。

⑤介助者の使いやすい位置に置いてあるか確認します。
・準備する湯の温度は50〜55℃程度にします。

> 肌に触れたときのタオルの温度が40〜50℃を維持できるようにするため。

⑥利用者の衣服のえりもとが濡れないようにタオルなどで保護します。
・利用者に目を閉じてもらい行う行為なので、不安感を軽減するよう必要に応じて声をかけていきます。声かけは意識状態が低下している場合にも必ず行います。
・タオルの温度を介助者の手で確認します。利用者の意向を確認しながら顔をふきます。利用者の意向がない場合には、蒸しタオルで顔全体を温めてから、左図（顔のふき方）のようにふきます。

> 爽快感につながり、汚れを浮き出させる効果もある。

・皮膚が赤くならないよう、力加減は利用者に確認しながら行います。意思表示がない場合には、皮膚に負担のかからない程度の力でふきます。
・目の周囲、小鼻、耳介・耳の後ろ、額から鼻にかけて、口の周囲などは皮脂や汚れがつきやすいので、ていねいにふきます。目は目頭から目尻に向かってふき、反対の目をふくときには、タオルの面をかえてふきます。
・眼脂（目やに）があるときは、先に取り除いてふきます。

第 2 節　自立に向けた身じたくの介護

タオルの巻き方の例（2種類）

感染防止のため、面をかえてふく。

タオルの端が利用者の顔にあたると、冷たく不快な感じを与えるため、左図（タオルの巻き方の例）のようにタオルを巻く。

【石けんを使用する場合の留意点】
・顔全体を温め、手に石けんをつけてから顔全体になじませます。その後石けんをふきとるように清拭します。
・石けんの量が多いと、衣服を汚すことにもなるので、少量をなじませるように使用します。
・目に石けんが入ると痛みを生じるため、目の周囲は清拭できれいにするようにします。
・石けんの成分が残ると皮膚にかゆみなどが生じるため、十分にふきとります。

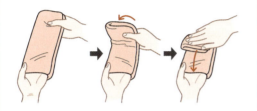
端を折りこんだタオルの巻き方

・終了したことを伝え、手鏡などを使用して利用者に顔全体を確認してもらいます。

見てもらうことで、洗顔が終了したことを意識してもらえる。爽快感が増すことにもなる。

端を出さないタオルの巻き方

⑦洗顔後の体調確認をします。

⑦かゆみや痛みがないかなど、皮膚の状態も含めて体調を確認します。
・かけていたタオルをはずし、衣服が濡れていないかを確認しながら、えりもとを整えます。見るだけでなく手をそえて、確認します。

濡れた衣服は体温を下げることになるため。

・姿勢をもとに戻します。
・衣服や布団の状態を確認します。

⑧後片づけをします。

⑧使用物品を片づけます。

⑨記録します。

⑨状態や状況を記録します。

第 1 章　自立に向けた身じたくの介護

13

2 整髪の介助

> **介助のポイント**
> ① 利用者の習慣や能力に応じて介助する
> ② もつれた髪は、毛先からブラシをかける
> ③ 頭皮を傷つけないようにブラシを使う

（1）整髪とは

　髪を整えること（整髪）は、一般的な生活習慣の１つです。頭髪の長さや、色、スタイルなどはその人らしさを表現するものでもあります。近年は、施設にも出張で理・美容師が来て、利用者の頭髪を整えてくれることが、あたりまえになってきました。自分の好みにパーマをかけてもらう、髪を切ってもらうなど、好みにあわせて整髪してもらった利用者は、笑顔で居室に戻っていくようにも感じます。

　朝起きて自分らしく頭髪を整えることで、すっきりとした気分で１日を始めることができます。介護福祉職は利用者の１日の整髪を支援することで、利用者の生活リズムを整えることになります。

　髪はおもに、外界のさまざまな汚染物質から頭皮を守る、保温するという機能をもっています。健康な頭皮には、皮脂腺から分泌される皮脂と水分が含まれています。皮脂膜は頭皮や頭髪を保護し生理機能を高めるはたらきがあります。毛髪の成長には周期があるので、一定の抜け毛は定期的にあります。頭皮の異常（発赤、強いかゆみ）、抜け毛が通常より多い場合には、医療職に報告します。

　加齢にともない分泌される皮脂が不足して頭皮は乾燥してきます。乾燥により細菌感染が起こりやすい状態になります。このことでフケが発生したりします。整髪では、頭皮や毛髪に付着したフケやほこりなどの汚れを取り除くとともに、ブラシなどの刺激で頭皮の血行を促進することができます。整髪時に注意したいこととして、ブラシなどの力加減があります。強い力で行うと頭皮や毛髪を傷めることになり、感染やかゆみなどの原因となるので注意します。

1 目的

　頭髪を整えることで、清潔を保つことができるほか、満足感をえることができます。また、自分らしさを表現できます。

2 事前の確認

　上肢および手指関節の痛みの有無、可動域、髪の状態、その日の体調などについて確認します。また、利用者の整髪習慣、好みや希望も確認しておきます。

第2節　自立に向けた身じたくの介護

（2）洗面所などで行う整髪の介助

<必要物品>

ブラシ・くし、ケープ（タオル）、整髪剤、使用している髪どめなど

介助手順	留意点と根拠
①利用者に整髪の目的・介助内容を説明し、同意をえます。	①利用者の意向を確認し、自己決定を尊重します。これから行う介助の方法・手順を理解してもらいます。 介助内容を知ることで、利用者が安心・納得して行為を行うことにつながる。
②気分・体調を確認します。	②口頭で確認するだけでなく、顔色・表情なども観察します。頭皮にかゆみなどがないかも確認しておきます。 その日の体調や状態にあわせた介助方法を選択することにつながる。
③必要物品を準備します。	③利用者がふだん使用している物品を準備します。 使い慣れた物品使用は、利用者の行動がスムーズになり、自分らしさの表現にもつながる。
④座位姿勢を確認します。	④足底が床についているか、いすに深く座れているか、洗面台との距離は適切かを確認します。 ・姿勢が不安定な場合には、座位保持の姿勢を介助します。麻痺がある場合には、介助者は患側に立ちます。 姿勢の確認が安全な行為につながる。患側には力が入らないため、バランスをくずしたときに患側に倒れる。そのため、患側から介助する。

第1章　自立に向けた身じたくの介護

15

⑤必要物品を確認します。

⑤利用者の使いやすい位置に置いてあるか確認します。

・利用者がケープ（タオル）をかけることができなければ、同意をえて介助します。

> ケープ（タオル）をかけることで、抜け毛やフケの飛散を防ぐことができる。

⑥整髪を実施します。
・好きな髪どめなどを使用します。

⑥整髪時の体位の安定を確認し、整髪中の表情や顔色を確認します。
・生え際からつむじに向けて全体をブラッシングしたあと、整髪します。力加減に注意して頭皮を傷つけないようにします。
・髪がもつれている場合は、毛先からもつれをときながらとかすよう助言します。必要に応じて、整髪剤や湯などで湿らせると、とかしやすくなることを伝えます。

⑦整髪後の体調確認をします。

⑦頭皮の様子、頭髪の汚れ具合、かゆみの有無なども含めて体調を確認します。口頭で確認するだけでなく、顔色・表情なども観察します。

⑧後片づけをします。

⑧ケープ（タオル）をはずし、使用物品を片づけます。抜け毛等を取り、物品は保管場所に保管します。

⑨記録します。

⑨状態や状況を記録します。

（3）ベッド上で行う整髪の介助

<必要物品>

ブラシ・くし、ケープ（タオル）、整髪剤、使用している髪どめ、オーバーテーブル、手鏡など

第 2 節　自立に向けた身じたくの介護

介助手順	留意点と根拠
①～③は「（2）洗面所などで行う整髪の介助」と同じです。	
④姿勢を整えます。 【座位が可能な場合】 ・利用者の状態にあわせベッドをギャッチアップし、姿勢保持が可能か確認します。 ・姿勢保持がむずかしい場合には、枕などで左右を安定させます。 【座位保持が不可能な場合】 ・仰臥位で、顔の向きを変えながら行います。	④鏡を置くなど、利用者が整髪の様子を確認できるようにします。 整髪の様子を見てもらうことで、利用者の好みの状態に近づけることができる。利用者は見て確認することで満足感が増す。
⑤タオルなどを頭部の下に敷きます。	⑤ 抜け毛やフケの飛散を防ぐことができる。
⑥整髪を実施します。 **柄が長いブラシ** 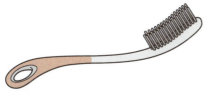 柄が長いブラシを使うことで肩や腕の関節可動域に制限がある人も自分で整髪することができるようになる。	⑥できる部分は利用者に行ってもらいます。 上肢の動きを維持するための行為となるため。 ・介助が必要な場合には、頭皮を傷つけないよう力加減を利用者に確認しながら行います。 頭皮を傷つけるとかゆみや感染の因子となる。 ・髪がもつれている場合は、毛先からもつれをときながらとかします。必要に応じて、整髪剤や湯などで湿らせると、とかしやすくなることを伝えます。 ・座位保持が不可能な場合も、できる部分は利用者に行ってもらいます。顔を左右に向けてもらい、髪を左右半分のブロックに分けて実施します。寝癖を整えるように行い、頭髪のもつれを改善します。
⑦整髪後の状態を確認してもらいます。	⑦とかし残しなどを確認してもらいます。

⑧姿勢を戻します。	⑧もとの状態に戻します。
⑨整髪後の体調確認をします。	⑨頭皮の様子、頭髪の汚れ具合、かゆみの有無なども含めて体調を確認します。口頭で確認するだけでなく、顔色・表情なども観察します。
⑩後片づけをします。	⑩ケープ（タオル）をはずし、使用物品を片づけます。抜け毛等を取り、物品は保管場所に保管します。
⑪記録します。	⑪状態や状況を記録します。

3 ひげの手入れの介助

介助のポイント
----
① 利用者の習慣や能力に応じて介助する
② 汚れたひげは、汚れをふき取ったあとに手入れする
③ 皮膚を傷つけないように介助する

（1）ひげそりとは

　男性にとってひげそりは一般的な生活習慣です。しかし、高齢になったことや障害があることなどで、ひげそりがおろそかになったり、手入れがゆきとどかなくなる場合があります。伸ばしたひげが好きな人、好きな部分だけ残したい人、かみそりを使用してきた人、電気かみそりを使用してきた人など、好みや方法はその人によって異なります。介護福祉職はその人の好みや習慣を理解し、できないところを介助していきます。ただし、利用者に対して、かみそり（Ｔ字型を含む）を使用して行うひげそりは、介護福祉職が行うことはできません。ここでは、電気かみそりを用いたひげそりについて解説します。

■1 目的

　ひげを整えることで、清潔を保つことができます。満足感をえることができます。自分らしさを表現できます。

第2節　自立に向けた身じたくの介護

2 事前の確認

・上肢および手指関節の痛みの有無、握力の状態、可動域、皮膚の状態、その日の体調などについて確認します。

・利用者の好みや習慣に配慮します。ひげを伸ばしている場合には、その人の好みに配慮します。

（2）ひげそりの介助

＜必要物品＞

電気かみそり、シェービングジェル、保湿クリーム、化粧水など

介助手順	留意点と根拠
①利用者にひげそりの目的・介助内容を説明し、同意をえます。	①利用者の意向を確認し、自己決定を尊重します。これから行う介助の方法・手順を理解してもらいます。 介助内容を知ることで、利用者が安心・納得して行為を行うことにつながる。
②気分・体調を確認します。	②口頭で確認するだけでなく、顔色・表情なども観察します。 その日の体調や状態にあわせた介助方法を選択することにつながる。
③必要物品を準備します。	③利用者のふだん使用している物品を準備します。電気かみそりは不特定多数での使用はせず、個人の物を使用します。 使い慣れた物品使用は、利用者の行動がスムーズになり、自分らしさの表現にもつながる。介助者の行為をスムーズに行うことにもつながる。 ・電気かみそりの電池残量、器具の状態などの確認を行います。
④座位姿勢を確認します。	④足底が床についているか、いすに深く座れているか、洗面台との距離は適切かを確認します。

19

	・姿勢が不安定な場合には、座位保持の姿勢を介助します。 ・麻痺がある場合には、介助者は患側に立ちます。 患側には力が入らないため、バランスをくずしたときに患側に倒れる。そのため、患側から介助する。
⑤必要物品を確認します。	⑤利用者の使いやすい位置に置いてあるか確認します。 利用者の自立をうながすことにつながる。
⑥ひげそりを実施します。 【電気かみそりの使い方】 ・皮膚に対して直角に当てる。 ・皮膚に軽く当て、すべらすように動かす。 ・ひげの流れに逆らうようにそる（逆ぞり）。 ・顎の下など湾曲した部分は、皮膚を伸ばしてひげを立たせてからそる。	⑥利用者の好みに応じてシェービングジェルを使用します。 ひげをそりやすくし、皮膚への刺激を少なくするため。ひげの汚れをとるため。 ・片麻痺がある場合は、電気かみそりの動きにあわせて、介助者が皮膚を伸ばすようにします。 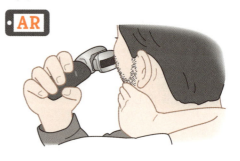 そり残しを少なくすることになる。基本はひげの流れにそった「順ぞり」、そり残しがある場合は「逆ぞり」をしたほうが肌への負担は少ない。
⑦そり残しの確認をします。	⑦そり残しがないか、利用者に確認してもらいます。 ・そり残しがあり介助が必要な場合には、利用者の意向を聞いて介助します。

第 2 節　自立に向けた身じたくの介護

介助手順	留意点と根拠
⑧ひげそり後のケアをします。	⑧保湿用のクリームや化粧水を使います。 ・必要に応じて利用者の手にクリームや化粧水をのせます。
⑨ひげそり後の体調確認をします。	⑨皮膚の状態や顔色なども含めて体調を確認します。口頭で確認するだけでなく、顔色・表情なども観察します。
⑩後片づけをします。	⑩使用物品の清潔と電池の状態などを確認し、保管します。
⑪記録します。	⑪状態や状況を記録します。

（3）ベッド上でのひげそりの介助

＜必要物品＞

電気かみそり、シェービングジェル、保湿クリーム、化粧水、オーバーテーブル、手鏡など

介助手順	留意点と根拠
①～③は「（2）ひげそりの介助」と同じです。	
④姿勢を整えます。ベッドを介助者が介助しやすい高さに上げます。 【半座位（ファーラー位）が可能な場合】 ・介助者が介助しやすい高さにベッドをギャッチアップし、半座位の保持が可能か確認します。 ・半座位を保持するのがむずかしい場合には、クッションなどで左右を安定させます。 【座位保持が不可能な場合】 ・仰臥位で、顔の向きを変えながら行います。	④鏡を置くなど、利用者がひげそりの様子を確認できるようにします。 ひげそりの様子を見てもらうことで、利用者の好みの状態に近づけることができる。利用者は見て確認することで満足感が増す。

⑤ひげそりを実施します。

⑤頭部の下、えりまわりが汚れないようタオルなどで保護します。

・利用者の好みに応じてシェービングジェルを使用します。

> ひげをそりやすくし、皮膚への刺激を少なくするため。

・片麻痺がある場合は、電気かみそりの動きにあわせて、介助者が皮膚を伸ばすようにします。

> そり残しを少なくすることになる。

・片方の手でしわを伸ばすようにしながらそります。

・痛みや不快感がないか確認しながら行います。

⑥そり残しの確認をします。

⑥そり残しがないか、利用者に確認してもらいます。

・そり残しがあり介助が必要な場合には、利用者の意向を聞いて介助します。

⑦ひげそり後のケアをします。

⑦保湿用のクリームや化粧水で保湿します。

・介助が必要な場合には利用者の手にクリームや化粧水をのせます。

⑧姿勢を戻します。

⑧タオルなど使用した物品をはずし、もとの姿勢に戻します。ベッドをもとの高さに戻します。

⑨ひげそり後の体調確認をします。

⑨皮膚の状態や顔色なども含めて体調を確認します。口頭で確認するだけでなく、顔色・表情なども観察します。

⑩後片づけをします。

⑩使用物品の清潔と電池の状態などを確認し、保管します。

第2節　自立に向けた身じたくの介護

⑪記録します。　　　　　　　　　　⑪状態や状況を記録します。

4　爪の手入れの介助

介助のポイント
① 爪の役割を理解し、介助する
② 爪は、入浴後などやわらかい状態で切る
③ 爪は少しずつ切りすすめる

（1）爪の手入れ

1 爪の手入れをする意義

　爪はおもに指先を外力から保護し、指を支え、手足の動きを助けるはたらきがあります。そのため、爪を切ることは生活動作をスムーズに行うためにも重要です。爪の手入れをおこたると、爪の変形の原因になり、物をつかみにくい、歩きにくいなどの生活動作に支障が生じる原因にもなります。また、不適切な爪切りは皮膚や衣服を傷つける原因にもなります。

2 爪の特徴と切り方

　爪は1日に約0.1mmずつ伸びます。手の爪は足の爪より早く伸びるとされています。高齢者の爪は、もろく割れやすいという特徴があります。そのため少しずつ切りそろえるようにします。爪は水分にひたすとやわらかくなるので、入浴（手浴・足浴）後や、蒸しタオルなどで水分を与えると切りやすくなります。

　爪を切るときには、指先から少し上部分の伸びた部分を直線に切り、その後、角を少し切ります。その後やすりをかけて仕上げます（**スクエアオフ**）（**図1－2**）。

　巻き爪の原因になりやすい切り方として、**バイアス切り**があります（**図1－2**）。この切り方は、爪を斜め方向から切ることで、爪を内側に巻きこみ、巻き爪になりやすいとされています。深爪は、爪を短く切りすぎた状態です（**図1－2**）。この状態だと、本来、爪でおおわれていなければならない指先が保護されない状態となり、指先が傷つきやすい状態になります。

3 医療職との連携

　爪の手入れをおこたると、**爪白癬**（爪の水虫）（**表1－2**）を引き起こしやすくなります。また糖尿病や閉塞性動脈硬化症がある場合には、小さな傷や病変がきっかけで悪化しやすいという特徴があります。糖尿病のある利用者の場合、もしくは爪そのものや爪周囲に異常が認められる場合には、医療職が爪切りを行います。

23

図1−2 爪の切り方

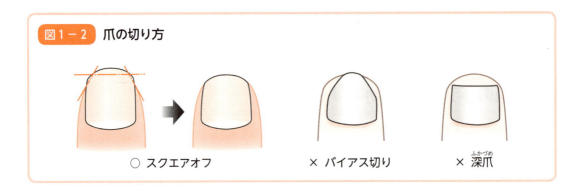

○ スクエアオフ　　×バイアス切り　　×深爪

表1−2 爪の異常

巻き爪（陥入爪）	おもに足の爪の縁部分が異常に皮膚に食いこんだ状態。痛みのない場合もあるが、靴をはくときの痛みや歩行痛を起こす場合がある。炎症を起こした場合は治療が必要となる。原因として、靴の圧迫、爪白癬による爪の肥厚などがある。
爪肥厚	爪が異常に厚くなること。原因として物理的圧迫、爪白癬、遺伝などがある。足の爪によくみられる。
爪白癬	白癬菌による爪の感染症。爪の肥厚や変形、色の変化（白色から黄色に変化）がみられる。爪肥厚があると割れやすくはがれやすくなる。足の爪に好発する。

　介護福祉職が行うことができる爪切りは、爪そのものに異常がなく、爪の周囲の皮膚にも化膿や炎症がなく、かつ、糖尿病等の疾患にともなう専門的な管理が必要でない場合に、その爪を爪切りで切ることおよび爪やすりでやすりがけすることとされています（「医師法第17条、歯科医師法第17条及び保健師助産師看護師法第31条の解釈について」（平成17年7月26日医政発第0726005号）参照）。

　足の爪の手入れやその不足が利用者の心理状態や全身の健康状態に影響を及ぼすことから、高齢者のフットケアが注目されています。これは、爪切りや足浴、足部の清拭など足の健康を保つためのケアの総称です。北欧などでは、石畳などの生活環境により、以前から足の健康に関心が高く、フットケアが行われていました。

4 目的
　爪を適切な長さに切りそろえることです。爪および周囲の皮膚の汚れをとることができます。爪を整えることで、安全を確保できます。

5 事前の確認
　手指関節の可動状態、痛みの有無、爪や皮膚の状態、その日の体調、環境の整備（十分な明るさ）などについて確認します。

第2節　自立に向けた身じたくの介護

6 事前の状態

　入浴できない場合などは、手浴・足浴後または蒸しタオルなどでの保温・保湿後に爪切りを実施するとよいでしょう。

（2）爪の手入れの介助

<必要物品>

　爪切り、爪やすり、ティッシュペーパー、処置用シーツ、足台、必要に応じて爪を保護するクリームやオイルなど。

介助手順	留意点と根拠
①利用者に爪切りの目的・介助内容を説明し、同意をえます。	①利用者の意向を確認し、自己決定を尊重します。これから行う介助の方法・手順を理解してもらいます。 介助内容を知ることで、利用者が安心・納得して行為を行うことにつながる。
②気分・体調を確認します。	②その日の体調を確認します。口頭で確認するだけでなく、顔色・表情なども観察します。
③必要物品を準備します。	③利用者がふだん使用している物品を準備します。爪切りや爪やすりは、個人の物を使用します。 使い慣れた物品使用は、利用者の行動がスムーズになり、自分らしさの表現にもつながる。
④姿勢を整えます。 ・座位姿勢を保持します。 ・足の爪を切る場合は、足台に足を乗せてもらいます。 【座位保持が困難な場合】 ・座位保持が困難な場合には、ベッドをギャッチアップする、枕を利用するなどして座位保持できるようにします。	④いすに座って切る場合には、肘つきいすを用意します。 ・介助者は利用者の目線と同じ位置となるようにします。 ・足を高く上げると、利用者がのけぞるようになるので注意します。

25

⑤爪の状態を確認します。

⑥爪切りを実施します。

爪切りの種類

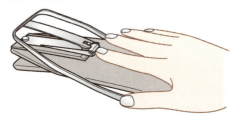
台座つき爪切り

ルーペつき爪切り

⑦爪の状態を確認します。

⑧必要に応じて爪切り後のケアを行います。

⑨姿勢や状態をもとに戻します。

⑤爪と爪周囲の皮膚の状態を確認します。
・爪と皮膚が癒着している場合があるので、皮膚を切らないように注意します。

⑥爪が飛び散らないようにティッシュペーパーや処置用シーツなどを手や足の下に敷きます。
・利用者の指先を保持し、少しずつ切りすすめます。

> 指先の安定を保持することで、皮膚の損傷を防ぐ。

・利用者の表情や状態を確認しながら行います。
・深爪を予防します。
・やすりがけは、一方方向に行います。無駄な力をかけすぎないようにします。

⑦角がないか、周囲に傷はないか確認します。

> 皮膚などの損傷等を防ぐことにつながる。

⑧爪が荒れている場合には、爪用クリームやオイルなどを使用します。

> 爪は皮膚の一部であるため、保湿することで爪の割れなどを防ぐことができる。

⑨ティッシュペーパー等を取り、もとの姿勢や状態に戻します。
・靴下をはく場合には、足台をはずす前にはいてもらうと、姿勢が安定します。
・必要に応じて介助します。

第2節　自立に向けた身じたくの介護

⑩爪切り後の体調確認をします。	⑩皮膚の状態や顔色なども含めて体調を確認します。口頭で確認するだけでなく、顔色・表情なども観察します。
⑪後片づけをします。	⑪使用物品の清潔と破損がないかなどを確認し、保管します。
⑫記録します。	⑫状態や状況を記録します。

5　耳の清潔の介助

介助のポイント
---
① 耳垢は、綿棒でやさしくふき取る
② 耳の穴をふさぐような耳垢は医療職に報告して除去してもらう

耳垢は、外耳道のアポクリン腺から出た脂性の分泌物に、剥離した表皮やほこりなどが混ざって生じます。耳垢は自然に外に排出されるとされています。しかし、量やかたさには個人差があります。うまく排出されないと、耳垢が原因で聴力の低下をきたすことがあります。そのため、介護福祉職は、利用者の清潔介助をする際に、耳の清潔にも注意する必要があります。

とくに耳介の内側や後ろ部分が汚れやすいので、この部分は洗顔時にかたくしぼったタオルなどでふくようにします。

耳の内側にたまった耳垢は無理に除去せず、綿棒でやさしくふき取るようにします。ただし、無理に汚れを取ろうとすると粘膜を傷つける可能性もあります。また、奥まで綿棒を入れることで耳垢を奥に押しこむことになります。そのようなことのないように注意して行います。また、かたく耳穴をふさぐような耳垢（耳垢塞栓）の除去は、医療職に報告し対応してもらいます。介護福祉職に許されているのは、耳垢塞栓の除去以外の耳垢の除去です。

27

6 化粧

> **介助のポイント**
> ① 就寝前は、メーキャップを落とす。肌の状態を整えてからの就寝を支援する
> ② 認知症などにより、利用者本人から習慣を確認できない場合には、家族から情報をえる
> ③ 準備する化粧品などにも利用者の希望や好みを可能な限り入れる

　化粧は、口紅やファンデーションなどを用いたりして、顔を美しく見せようとする行為です。女性の場合、いくつになっても「美しくありたい」と思うものです。介護現場でも利用者の習慣としての化粧を支援することは、利用者の生活意欲の維持や向上のために必要です。

　化粧をそのプロセスでみていくと、皮膚の状態を保ち肌を整える基礎化粧と、メーキャップと呼ばれる、しわやシミ、見せたくない部分を隠すファンデーションなどの化粧があります。習慣としての化粧を支援するためには、利用者の要望を確認することが必要です。女性だから化粧をしなくてはいけない、などの固定観念は利用者の意向を尊重しないことになるので、注意が必要です。

　近年は化粧療法として、美容の専門家が高齢者の肌の状態などに応じた支援を行っています。そのことで、利用者の生活意欲の向上につながる場合も多いので、多職種連携として専門家の知識や技術を伝えてもらうことも必要です。

7 口腔ケア

（1）口腔ケアとは

1 介護福祉職が行う口腔ケアの意義

　口腔は、食物を摂取し消化器に送る「食べる」はたらき、呼吸器の入り口として「呼吸する」はたらき、「話す」というはたらきなど、人が生きていくうえで重要なはたらきをになっています。また、口腔をきれいにする歯みがきは、生活習慣の1つでもあります。生活習慣である口腔ケアが十分でなく、歯の汚れや口臭がある場合には、他者との会話が少なくなったり少し距離をおくようになったりして、かかわりを避けるような行動になる場合もあります。さらに、口腔ケアが不十分だと食べたものをおいしく感じないなど食欲を低下させたり、虫歯や歯周病の原因となったり、誤嚥性肺炎を起こしたりします。

　口腔ケアを行うおもな意義としては次のようなことがあげられます。

第2節　自立に向けた身じたくの介護

① 口腔内をきれいにする。
② 虫歯や歯周病を防ぐ。
③ 感染症や誤嚥性肺炎の予防になる。
④ 口腔内の機能維持や回復をはかる。
⑤ QOL（Quality of Life：生活の質）が向上する。

2 口腔ケアの種類

　口腔ケアは、口腔内刷掃を主とした「器質的口腔ケア」と、口腔内の機能維持や回復をはかる「機能的口腔ケア」の2種類に分けられます（**表1-3**）。介護福祉職がおもに行う口腔ケアは「器質的口腔ケア」と呼ばれる、日常的なものが主となります。具体的には、うがいや歯みがき、口腔清拭、舌や口腔粘膜の清掃、義歯（入れ歯）の清掃となります。ただし、介護現場では、介護福祉職も「機能的口腔ケア」として、口のまわりの運動や、舌の体操、リラクゼーションなどを歯科医師、歯科衛生士などの医療職と連携しながら行っています。介護福祉職が行うことができる口腔ケアは、重度の歯周病などがない場合の日常的な口腔内の刷掃・清拭において、歯ブラシや綿棒または巻き綿子などを用いて、歯、口腔粘膜、舌に付着している汚れを取り除き、清潔にすることとされています（「医師法第17条、歯科医師法第17条及び保健師助産師看護師法第31条の解釈について」（平成17年7月26日医政発第0726005号）参照）。

3 口腔ケアの全身への効果

　口腔ケアを行うことで、口腔内の清潔が保たれます。そのことは、全身の健康管理にも重要な役割があります。口腔内には、さまざまな菌が存在します。介護福祉職の介助が必要な利用者は、免疫機能や正常な口腔機能が低下するといった状態にあります。そのため、細菌を除去するためにも口腔ケアが必要になります。気道の入り口である口腔ケアを行うことは気道感染を防止することとともに、飲みこみ反射の改善にもつながります。

　8020推進財団によると、実際に口腔ケアの研究において、口腔ケアを実施した人としなかった人を比べると、口腔ケアを実施した人の肺炎発生率は約40％減少したと報告されています。肺炎は高齢者の死亡原因で高い割合になっています。なかでも、誤嚥性肺炎は、口腔内

表1-3　口腔ケアの種類	
器質的口腔ケア（口腔内清掃）	機能的口腔ケア（口腔リハビリテーション）
うがい、歯みがき、口腔清拭、舌・口腔粘膜の清掃、義歯（入れ歯）の清掃	口のまわりの運動、舌の体操、パタカラ体操※、リラクゼーション、唾液腺マッサージ

※：「パ・タ・カ・ラ」の4つの音を発声することで咀嚼・嚥下機能などを強化することができる運動（p.96参照）。

の唾液や細菌が誤って気道に入ることで起こる肺炎です。誤嚥性肺炎の予防には、食前・食後の口腔ケアと食事中の誤嚥防止が大切なものであるということが明らかになっています。

（2）口腔ケアを実施する前に必要な知識と技術

１ 口腔ケアを実施する際の注意点

　介護福祉職が口腔内のケアを実施する際には、感染防止のため使い捨て手袋を使用して実施します。手袋は滅菌されたものである必要はありません。利用者１人ひとりに対して手袋は取りかえます。物品使用に関することなど必要な知識は、利用者の口腔ケアを安全に行うために必要な技術になります。

２ 口腔内の汚れがつきやすい部位

　口腔内の汚れがつきやすい部位や部分は、図１－３の部分です。介護福祉職が口腔ケアを実施した際の確認ポイントにもなります。麻痺がある利用者の場合には、麻痺側は全体に汚れが残りやすい部分になります。

３ 歯ブラシの選び方と持ち方

　歯ブラシは、ヘッド（植毛部分）、ネック（ヘッドとハンドルの間）、ハンドル（にぎる部分）からなります。大きさは、口の中で動かしやすい頭部の小さなもの、素材は、植毛部分は吸水性や衛生面からナイロン製のもの、かたさは、歯肉が傷つかない程度の「やわらかめ」「ふつう」がよいとされています。

　歯ブラシの持ち方は、ペングリップ（鉛筆持ち）がよいとされています（図１－４）。この持ち方で持つと、適度の弱い力（150～200g）で歯みがきができるとされています。強い力でみがくと歯ブラシの毛先が開き、毛先が有効に使用できません。

４ 歯ブラシの保管方法など

　使用した歯ブラシは、植毛部の汚れを取り除いたあとに、よく乾かせる環境で保管しま

コラム　手袋を使うときの注意

　近年、ラテックスアレルギーの人が増えています。ラテックスアレルギーとは、天然ゴムを使った製品（ゴム手袋、カテーテルなど）に接触することによって、じんましんや喘息などのアレルギー反応を示すことをいいます。重篤な場合はアナフィラキシーショックを引き起こすこともあります。そのため、ゴム手袋を使用するときは注意が必要です。アレルギー症状が出たときには、天然ゴムを使わない手袋に変更するなど、アレルゲンを回避しましょう。自分の体質について知っておくことも介護福祉職として必要です。

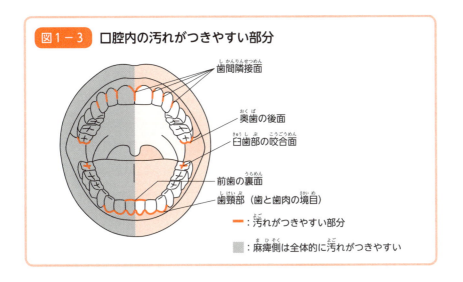

図1-3 口腔内の汚れがつきやすい部分

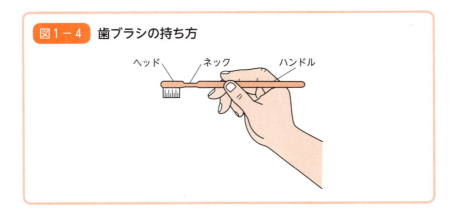

図1-4 歯ブラシの持ち方

す。濡れた状態のままにすると、植毛部に残った食物残渣などから、細菌繁殖の場になることを意識しておきます。そのため、頭部はコップの上に出るよう立てて保管します。また、多くの利用者の歯ブラシを保管する際にも感染防止の視点から、ほかの利用者の歯ブラシといっしょにしないように保管します。ブラシの毛先が広がったら、交換する時期の1つと考えます。

5 歯みがき剤の使い方

歯みがき剤は、口腔内の爽快感が増すような素材が使用されているので、多くつけると爽快感が強く、みがいたつもりになりがちです。また、介護福祉職が介助する場面では、口の中を十分観察してから歯みがき剤を使用しないと、汚れが見えず、取れないことになります。まず歯ブラシで汚れを取り除き、最後に歯みがき剤を少量つけて、爽快感をえる方法もあります。

（3）歯のみがき方

1 口の中の汚れを取る

　歯みがきを介助する場合には、まずうがいや清拭で口の中の汚れを取ります。取れる汚れはこの時点で取るようにします。歯みがきの前に行うことで、口の中を湿らせることができるので、歯みがきを行いやすくすることにもなります。

　うがいには「ブクブクうがい」と「ガラガラうがい」があります。口腔内を洗うには「ブクブクうがい」を行います。効果的なうがいの時間は、10～20mlくらいの水を口に含み、15～30秒行うとされています。ただし「ブクブクうがい」を行うためには、①唇を閉じることができる、②水が吐きだせる、③頬や舌が動かせる、といった項目を確認し、誤嚥の危険性がない場合に行います。

　また、外出先など歯みがきができない場合には、「ブクブクうがい」で食物残渣を取り除きましょう。水を洗口剤に変えて行うことも可能です（**表1－4**）。

2 歯ブラシの毛先のあて方

　歯の表側は、歯ブラシの毛先を歯面に対して90度にあてます（**スクラビング法**）。1～2本ずつ、力を入れすぎないように注意して、小刻みに動かします。歯と歯の間や歯の根元は、毛先を歯と歯肉の境目に45度にあて（**バス法**）、小さく動かしていきます（**図1－5**）。

　奥歯は毛先をかみあわせの面に押しあて、前後に小刻みに往復させます。前歯の裏側は、歯ブラシを縦に使い、小さく上下に動かします。

表1－4　うがいに使用できる液体

緑茶	抗菌作用があるとされている。
レモン水	水にレモン果汁を数滴入れたもの。爽快感を感じる。
塩水	水100mlに対して塩1gを入れたもの。歯肉マッサージにも使用できる。

図1－5　歯ブラシの毛先のあて方

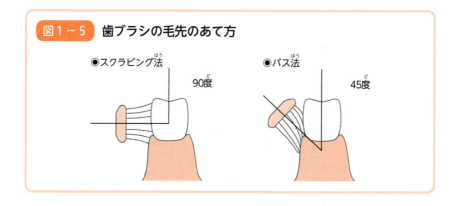

32

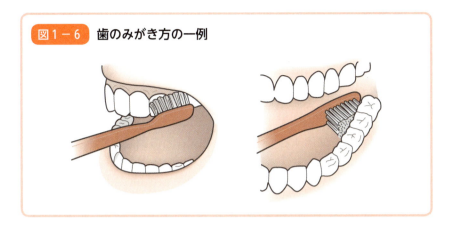

図1-6 歯のみがき方の一例

3 歯みがきの順番

　介護福祉職が利用者の歯みがきをする場合には、みがき残しがなく、かつ歯垢を取るようにしなければなりません。そのためには、歯を順番にみがくこと、歯垢のつきやすい部分を意識しておくことが必要です（図1-6）。

（4）口腔の清拭法

1 口腔粘膜の清拭法

　口腔粘膜は、食物残渣や口腔内細菌などが付着しやすい部分です。食物残渣や口腔内細菌は口臭の原因にもなります。とくに麻痺がある利用者の場合は、麻痺側に付着しやすくなりますので、注意が必要です。

　うがいや歯みがきができないときには、スポンジブラシや、口腔清拭用のウェットティッシュやガーゼを使用して口腔内の清拭を行います。歯みがきに比べて歯垢除去の効果は少なくなります。

2 舌の清拭法

　舌の汚れは、口臭の原因にもなるので、舌ブラシやスポンジブラシを使用して舌苔を取るようにします。舌が乾燥していると舌の表面を傷つけることになるので、うがいなどで湿らせてから行います。ブラシを奥から前に動かし、汚れを取ります。ブラシが汚れたらコップの中でゆすぎ、汚れを取ってから使用します。

3 スポンジブラシの使い方

　スポンジブラシで口腔粘膜の清拭を行う際には、スポンジブラシと水を入れたコップを2つ用意します。使用手順は以下のとおりです。

① 水を入れたコップにスポンジブラシを浸し、水分をよくしぼってから使用する。
② 汚れたら、洗うためのコップで洗い、水分をしぼる。
③ 再度①のコップに浸し、水分をよくしぼってから使用する。

4 口腔清拭用ウェットティッシュの使い方

　口腔清拭用のウェットティッシュが市販されています。保湿成分が入っているので、水を使用せずに使うことが可能です。誤嚥の危険性がなく利用者にも安心して使用できます。介護福祉職が指に巻いて使用します（図1－7）。

5 電動歯ブラシの使用

　介護福祉職が介助で電動歯ブラシを使用することは、力加減などの調整ができないのでひかえたほうがよいでしょう。

図1－7　口腔清拭用ウェットティッシュの巻き方と使い方

・人差し指に巻いて使用する。
・汚れたら別の面を使用する。

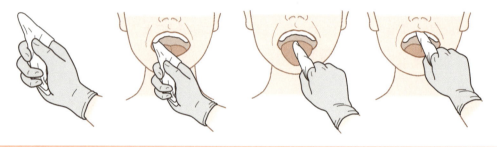

図1－8　歯や粘膜、舌の清拭の順番

・口腔内を白湯などで湿らせてから行う。
・誤嚥を予防するために奥から手前に行う。
・口腔の奥（咽頭部奥）に物品を入れると嘔吐反射を起こしやすいので注意する。

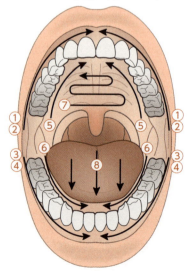

（5）口腔ケア実施時の留意点

1 利用者の姿勢

　基本は、立位または座位で、上体を起こした姿勢で行います。自立した利用者の場合には、その人のいつもの生活習慣を優先させた姿勢で行ってもらいます。

　介助が必要な利用者の場合は、座位を基本とし、頭部を前屈させ顎を引くようにします（図1-9）。これは、食事介助の際の留意点とも同様であり、誤嚥防止につながる姿勢です。口腔ケアを行うと、刺激で唾液が分泌され、口腔内の汚れが除去されます。その唾液などを誤嚥してしまわないように注意が必要です。

　ベッド上で介助が必要な利用者の場合も、半座位（ファーラー位）を保つようにします。

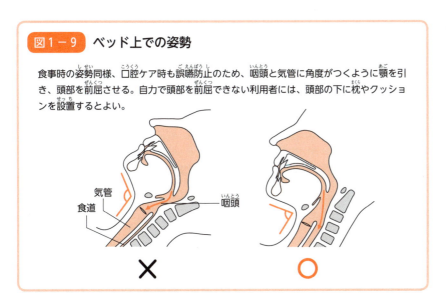

図1-9　ベッド上での姿勢

食事時の姿勢同様、口腔ケア時も誤嚥防止のため、咽頭と気管に角度がつくように顎を引き、頭部を前屈させる。自力で頭部を前屈できない利用者には、頭部の下に枕やクッションを設置するとよい。

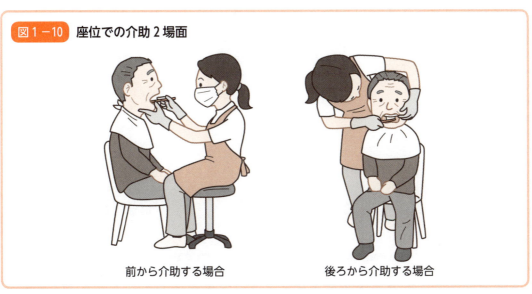

図1-10　座位での介助2場面

前から介助する場合　　　後ろから介助する場合

どうしても座位や、半座位（ファーラー位）がむずかしく寝たままで行う場合には、側臥位で行います。麻痺がある場合には、健側を下にします。側臥位がむずかしい場合には、顔を横に向けて行います。その場合には、枕を使用するなどして、頭を高くし、水の使用をできるだけひかえて、誤嚥防止に努めます。

2 介護福祉職の介助時の姿勢

座位で前から介助する方法、立位で利用者の頭部後屈を防ぐために頭部を支えながら行う方法などがあります（図1－10）。ベッド上で半座位（ファーラー位）になっている利用者の場合には、介護福祉職は利用者と同じ目線になって行います。

（6）義歯の清掃法

義歯は、歯の欠損した部分をおぎなう目的で使用されます。義歯も天然歯同様、細菌が繁殖しやすいので、毎日清掃することが必要です。そのためには、義歯の使用方法や管理の仕方について正しい知識が必要となります。

義歯の役割としては、①食べる機能の維持、②発音機能や審美性に関与といったことがあります。

1 義歯の種類

義歯には、大きく分けて、全部床義歯（総入れ歯）、部分床義歯（部分入れ歯）、ブリッジ（架工義歯）があります（図1－11）。

2 全部床義歯の着脱方法

全部床義歯は、上下の顎部分全部をおおうようにつくられています。歯肉の粘膜に吸着させて使用します。そのため、口の開口部より大きいことが多いものです。義歯の装着には、床が大きい上顎から先に装着し、小さい下顎から先にはずすと着脱操作も簡単になるので、利用者に無理がありません。しかし、利用者の状態や義歯の状況によって装着しやすい側から装着し、はずしやすい側から取りはずしてもよいとされています。義歯の装着を、舌や歯を使用して行う利用者もいますが、それは義歯の破損につながるので注意が必要です。介護

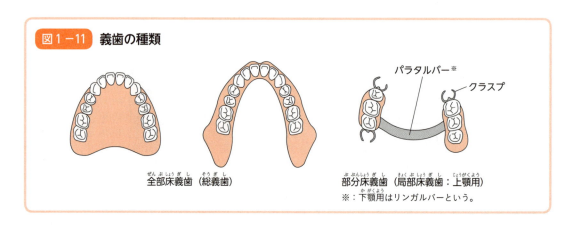

図1－11 義歯の種類

全部床義歯（総義歯）　　部分床義歯（局部床義歯：上顎用）
※：下顎用はリンガルバーという。

福祉職が行う義歯の装着では、必ず指を使って行います。

上の全部床義歯をはずす場合には、前歯の外側を親指で、内側を人差し指ではさみ、奥のほうを下げるようにしてはずします（図1－12①参照）。そうすると、上顎の粘膜と義歯の間に空気を入れることになり、はずれやすくなります。

下の全部床義歯をはずす場合には、上の義歯と同じように親指と人差し指ではさんで、持ち上げるようにはずします（図1－12②参照）。どちらの場合も、介護福祉職は両手を使用して無理なくはずしていきます。

全部床義歯を装着する場合には、義歯を軽くぬらしておくと粘膜の損傷を防ぐことができます。片方の手で唇を横に広げ、もう一方の手で義歯を持ち、片側の奥歯から入れていきます。回転させながらもう一方の奥歯を入れ、両手で安定を確認します。

3 部分床義歯の着脱方法

部分床義歯の場合には、残っている歯にクラスプをかけて使用しています。上の部分床義歯をはずす場合には、クラスプに左右の人差し指の爪をかけ、親指を歯の先端にあて、左右の人差し指に均等な力をかけて押し下げるようにはずします（図1－13①参照）。

下の部分床義歯をはずす場合には、クラスプに左右の親指の爪をかけ、人差し指を歯の先端にあて、押し上げるようにしてはずします（図1－13②参照）。

装着する場合には、はずすときと同様にクラスプ部分を持ち、左右均等な力で歯にはめこんでいきます。

小さな部分床義歯の場合、装着があいまいだと、義歯がはずれて飲みこんでしまう可能性があるので、確実にはまっているかを確認します。

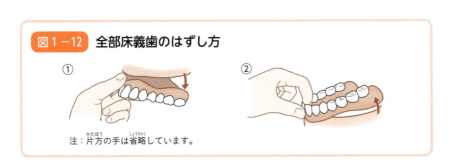

図1－12 全部床義歯のはずし方

注：片方の手は省略しています。

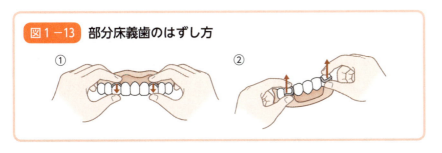

図1－13 部分床義歯のはずし方

4 義歯の清掃と保管

義歯の清掃は、基本的に毎食後にはずし行います。清掃の際には、義歯用歯ブラシを用い、流水で洗います。義歯の落下による破損や損傷を防止するため、手でしっかり持って洗います。落下した際の損傷を少なくするために、水をはった洗面器やボール等を下に置いて洗う場合もあります。熱湯や歯みがき剤は、義歯の損傷や摩耗につながるため使用しません。

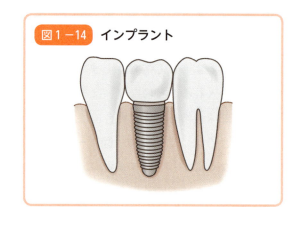

図1-14 インプラント

部分床義歯の清掃では、クラスプ部分の清掃に注意が必要です。クラスプ部分には、細菌が繁殖しやすいので、専用の歯ブラシや植毛部の小さなブラシを使用して汚れを取ります。その際に、不要な力をかけるとクラスプの変形や損傷につながるので、注意が必要です。

義歯は、乾燥するとひずみや割れが生じやすいものです。保管には専用の容器を用い、水や義歯洗浄剤などを使用して保管します。

5 義歯使用時の注意点

長時間の義歯装着は、口腔内粘膜の血行障害を起こしやすくなるので、就寝時にははずすようにします。あわない義歯を使用することは、粘膜の損傷や残存歯の負担につながるので、使用をやめ医療職（歯科関係者）に報告します。

部分床義歯を使用している場合には、残存歯の歯みがきにも注意が必要です。ていねいに歯みがきをし、虫歯や歯周病を予防することを心がけます。

また、歯科インプラントとは、顎骨（顎の骨）に金属を埋めこみ、その上に人工歯あるいは義歯を取りつけることをいいます（図1-14）。インプラント使用の高齢者の歯の清掃についても、注意が必要です。何らかの理由で、インプラントの土台部分が露出する場合があります。その際には、露出部分などに口腔ケアが必要になります。このような場合には、医療職（歯科関係者）に報告します。

（7）利用者の状態に応じた介助の視点

1 片麻痺のある利用者

脳血管疾患後遺症などで片麻痺のある利用者の症状として、運動麻痺や感覚麻痺、麻痺側にある物が見えているにもかかわらず認知できない場合（半側空間無視）などがあります。そのため、麻痺側の口腔内に食物残渣がたまりやすい、利き手に麻痺が残り疾患を発症する前の状態のように口腔ケアができない場合があります。麻痺側に食物が残りやすいと意識してもらうことや、持ちやすい歯ブラシの工夫をしたりすることを、介護福祉職は意識する必

要があります。また、他職種と連携し、利き手交換の訓練をすることが必要な場合もあります。

2 認知症のある利用者

認知症のある利用者は、記憶障害や見当識障害を主として、理解力や判断力が徐々に低下していきます。整容全般に興味を失ったり、歯みがき剤をそれと意識できなくなったりし、食べてしまうような場合もあります。利用者の行動を否定せず、わかりやすい説明や、介護福祉職がいっしょに歯みがきを行うなど、利用者に残された記憶にはたらきかけるような支援をしていきます。

3 医療的ケアを実施している利用者

経管栄養や口腔内吸引を実施している利用者の場合、唾液分泌の不足などから口腔機能が全般的に低下している場合があり、細菌の感染や繁殖が起こりやすい状態になっています。医療的ケアを必要としている利用者の口腔ケアは、感染防止の観点からも継続して行っていきたい生活行為となります。

4 歯のない利用者

歯がまったくない（無歯顎：すべての歯を失った状態）利用者の場合、うがい程度ですませ、積極的に口腔ケアを行っていない場合が多くみられます。また歯がないので、全部床義歯を使用している人には、義歯の清掃はしていても、口腔ケアはしていない場合も多いのが現状です。

しかし、歯のない利用者の場合にも、口腔ケアは必要です。口腔内の汚れを落とし清潔な口腔内環境をつくるためには、粘膜用ブラシなどで粘膜の汚れを落とすことが口腔ケアになります。また、全部床義歯を使用している場合には、義歯と接する部分は、口腔内細菌が繁殖しやすい状態にあります。義歯の手入れとともに、粘膜ケアも必要になります。方法としては、粘膜用ブラシなどを使用しての口腔ケア、その後のうがいに洗口剤を使用することもよいとされています。

（8）歯みがきの介助の実際

介助のポイント

① 口腔の役割を理解し、介助する
② うがいをしてから、歯みがきをする
③ 汚れの残りやすい部位を確認しながら、歯みがきをする
④ みがき残しのないように、歯みがきをする

1 目的
口腔内を清潔に保持することです。

2 事前の確認
・手指関節の可動状態、痛みの有無、口腔内の状態、その日の体調、環境の整備（十分な明るさ）、洗面台の高さは適切か、水道栓は手が届く位置にあるかなどについて確認します。
・利用者の口腔清潔の習慣、うがいが可能か否かなどにより方法を選択します。

3 その他
介護福祉職が介助を行う際には、使い捨ての手袋を着用します。

4 洗面所などでの歯みがきの介助

＜必要物品＞

歯ブラシ（利用者の状態にあったもの）、歯みがき剤、うがい用コップ、手鏡、ガーグルベースン、タオルなど

歯ブラシ、コップは個人の物を使用します。

介助手順	留意点と根拠
①利用者に歯みがきの目的・介助内容を説明し、同意をえます。	①利用者の意向を確認し、自己決定を尊重します。これから行う介助の方法・手順を理解してもらいます。 介助内容を知ることで、利用者が安心・納得して行為を行うことにつながる。
②気分・体調を確認します。	②口頭で確認するだけでなく、顔色・表情なども観察します。 その日の体調や状態にあわせた介助方法を選択することにつながる。

40

第2節　自立に向けた身じたくの介護

③必要物品を準備します。

④姿勢を確認します。

（洗面所）

【立位で行う場合】

・前傾姿勢時にふらついても介助者が保持できる位置に立ちます。

【座位で行う場合】

・足底が床についているか、前傾姿勢がとりやすい位置か、足が洗面台の下に入っているかを確認します。必要があれば座る位置を変えてもらいます。

【車いすを使用する場合】

・ブレーキをかけ、フットサポートをあげて足底を安定させてから行います。必要があれば、浅く座り直してもらいます。

（ベッド上）

【端座位で行う場合】

・オーバーテーブルとの距離、高さを確認します。

⑤必要物品を確認します。

③利用者がふだん使用している物品を準備します。

・自分でできる場合には、用意してもらいます。

・座位で行う場合には、オーバーテーブルを利用します。

> 使い慣れた物品使用は、利用者の行動がスムーズになり、自分らしさの表現にもつながる。

④洗面台との距離は適切かを確認します。

> この確認が安全な行為につながる。

■ 片麻痺がある場合

・介助者は患側に立ちます。患側にからだが傾かないように、タオルなどで保護します。

> 患側には力が入らないため、バランスをくずしたときに患側に倒れる。そのため、患側から介助する。

⑤利用者の使いやすい位置に置いてあるか確認します。衣服や袖が濡れないように配慮します。

・片麻痺のある場合には、介助者が健側の袖を上げる介助をします。歯みがき剤のキャップを取るなど、できないところを支援します。

第1章　自立に向けた身じたくの介護

⑥歯みがきを実施します。

・うがいをしてもらいます。

・歯みがきを行ってもらいます。

・うがいをしてもらいます。

⑥

はじめにうがいをすることで口腔内の汚れを取り、口腔内を湿らせ、口腔粘膜への負担を軽減できる。

・介助者は利用者が歯みがきを行うのを見守りながら、汚れやすい部位など、必要に応じて声をかけます。

利用者に声をかけることで、汚れ部分を意識することにつながり、歯みがきを効果的に行うことにつながる。声をかけるときは利用者が頸部を後屈させない高さで、利用者と目線をあわせることで誤嚥を予防する。

・介助が必要な場合は、みがき残しが多い部位や、利用者の歯みがきの様子を確認し、汚れが残らないように歯みがきをします。みがく際の強さなどを利用者に確認しながら行います。

・歯みがき終了時には、みがき残しがないかなどを確認します。介助者が声をかけ、うなずくことなどで返事をしてもらいます。

・うがいのあと、利用者の状態によっては、口腔内の清潔状態を確認します。その際には、利用者の自尊心を傷つけないような配慮が必要です。

・汚れが取れていない場合には、意向を確認して介助します。鏡で確認できる場合には、利用者自身に行ってもらいます。できない場合に介助します。

・利用者の体調を確認して見守ります。

姿勢を変えて行う行為なので、ふらつきやめまいなどを起こす場合がある。

⑦後片づけをします。

⑦利用者に使用物品の後片づけをしてもらいます。できない場合には、介助します。

42

歯ブラシ保管

⑧歯みがき後の体調確認をします。

・歯ブラシのヘッド部分は上にし、乾燥に留意します。
・歯ブラシは、個別に保管します。
・感染防止に留意します。

⑧歯の痛み、出血などがないかなど、口腔内の状態も含めて体調を確認します。
・利用者からの訴えがあった場合には、目に見える状態を確認します。必要に応じて、状態を医療職に報告します。

> 「しみる」「痛い」「出血がある」等は、口腔内に変化がある可能性が考えられ、歯みがきの方法を再確認する必要がある。

・ふらつきやめまいなどがないかなどを確認します。

> 姿勢を変えて行う行為なので、ふらつきやめまいなどを起こす場合がある。

・洗面所から次の場所への移動の見守り、または介助をします。
・座位で行った場合には、姿勢をもとに戻します。

⑨記録します。

⑨状態や状況を記録します。

5 ベッド上での歯みがきの介助

＜必要物品＞

利用者がいつも使用している歯みがきに必要な物品に加えて、ガーグルベースン、スポンジブラシなど

利用者の状態にあわせて準備をします。

介助手順	留意点と根拠
①～③は「4 洗面所などでの歯みがきの介助」と同じです。	
④姿勢を確認します。	④ベッドを介助者が介助しやすい高さにします。 利用者の目線にあわせた介助ができ、介助者の腰痛予防にもつながる。
【ベッド上で半座位（ファーラー位）が可能な場合】 ・上体と下肢をギャッチアップし、半座位（ファーラー位）になってもらいます。	・半座位（ファーラー位）の利用者 
【半座位（ファーラー位）になれない場合】 ・枕をあて、頭を少し高い位置にします。水の利用をできるだけひかえて歯みがきを行うようにすることで誤嚥を予防します。 ・顔を介助者のほうに向けるようにします。	・仰臥位の利用者  ■ 片麻痺がある場合 ・側臥位にします。安定した側臥位を保持できるように、下肢の状態も確認します（上の足を前に出します）。 ・患側は上にします。側臥位を保持できない場合には、枕などで体位を保持する工夫をしま

第 2 節　自立に向けた身じたくの介護

す。

安全に歯みがきを行うことにつながる。

⑤必要物品を確認します。

⑤利用者の状態にあった物品を使いやすい位置に置きます。
・寝具や衣服が濡れないように、頭の下にバスタオルなどを敷きます。えりもとも、タオルなどで濡れない工夫をします。

⑥歯みがきを実施します。
・半座位（ファーラー位）が可能な場合には、うがいをしてもらいます。
・介助者は、利用者の状態にあった歯みがき方法で、歯みがきを実施します。
・終わったあと、半座位が可能な場合には、うがいをしてもらいます。

⑥
■ 歯みがき前
・口腔内の状態を確認します。うがいの際はストローなどを利用し、水を口に含んでもらい、ガーグルベースンに吐き出してもらいます。

ガーグルベースンのあて方

・うがいができない場合は、介助者が清拭等によって口腔内を湿らせます。取れるような汚れなどはそのときに取ります。

■ 歯みがき中
・歯みがきは歯ブラシやスポンジブラシなど、利用者の状態にあわせて使い分けます。みがき残しがないように一定の順番にみがいていきます。

利用者の負担を軽減し、効果的に歯みがきができる。

・みがく際の圧が適切か、利用者の表情を観察しながら行います。

第 1 章　自立に向けた身じたくの介護

45

介助者は、利用者が頸部を後屈させない高さで、利用者と目線をあわせることで誤嚥を予防する。

■ 歯みがき後

・歯みがき終了時には、みがき残しがないかなどを確認します。介助者が声をかけ、うなずくことなどで返事をしてもらいます。
・うがいの際はストローなどを利用し、水を口に含んでもらい、ガーグルベースンに吐き出してもらいます。
・うがいができない場合は、介助者が清拭等によって、歯みがき後の唾液や汚れを取ります。
・うがいのあと、口腔内の清潔状態を確認します。その際には、利用者の自尊心を傷つけないような声かけや、口腔を開けておく技術が必要です。
・汚れが取れていない場合には、利用者の意向を確認して介助します。

⑦姿勢を戻します。	⑦利用者の姿勢をもとに戻します。 ・ふらつきやめまい、咳きこみなどがないかなどを確認します。 姿勢を変えて行う行為なので、ふらつきやめまい、咳きこみなどを起こす場合がある。
⑧歯みがき後の体調確認をします。	⑧歯の痛み、出血などがないかなど、口腔内の状態も含めて体調を確認します。 ・利用者からの訴えがあった場合には、目に見える状態を確認します。必要に応じて、状態を医療職に報告します。 「しみる」「痛い」「出血がある」等は、口腔内に変化がある可能性が考えられ、歯みがきの方法を再確認する必要がある。
⑨記録します。	⑨状態や状況を記録します。

第2節　自立に向けた身じたくの介護

（9）口腔ケアで使用する用具

表1-5 口腔ケアに使用されるおもな物品

物品	使用目的・方法など
歯ブラシ	歯垢除去や歯肉への適度な刺激を与える。 ・ナイロン製の場合、「ふつう」「やわらかめ」のものが歯肉を傷つけないかたさとされる。 ・歯ブラシの交換時期の目安として、毛先が開いたら取りかえるとされている。毛先が開くと、効果的なブラッシングができなくなる。
スポンジブラシ	プラスチックや紙製の柄の先にスポンジがついたもの。口腔粘膜の清拭に用いる。 ・水分を含ませたあとで使用する。 ・1回使用したら捨てる。
歯間ブラシ・デンタルフロス(糸ようじ)	歯ブラシの毛先が届きにくい歯と歯の間に使用する。 ・せまい隙間の清掃にはデンタルフロスを使用する。 ・少し広い隙間や、ブリッジの隙間には歯間ブラシを使用する。 ・無理に入れようとすると歯肉を傷つけるので注意が必要。
口腔洗浄器（ウォーターピック）	ノズルの先から断続的にジェット水流を出し、水圧を利用して、歯や歯間の食物残渣を除去する。 ・歯肉マッサージに効果的。 ・完全な歯垢除去は望めないので、歯ブラシとの併用が推奨される。
舌ブラシ	舌の表面についた舌苔を取り除く際に使用される。 ・さまざまな形状がある。
ガーグルベースン	洗面所までの移動が困難な場合等に使用される、排水用容器のこと。 ・容器の形状を顔面の凹凸にあわせて使用する。 ・個別使用が望ましいが、多くの人で共用する場合には、感染防止に気をつける。

第1章　自立に向けた身じたくの介護

47

8 衣服の着脱の介助

（1）衣服のもつ役割

1 衣服着脱の意義

衣服を着たり脱いだりすることは、利用者の生活習慣の1つです。では、その意義と目的にはどのようなことがあるのかを確認します。

① 体温調節

衣服を着たり脱いだりすることは、外界の気温の変化に対応し、からだの状態を快適な状態にするために行われる行為です。

② 皮膚の保護・衛生的機能

衣服は、外界からの刺激や危害（外傷、熱、細菌など）からからだを守るはたらきがあります。また、皮膚表面から分泌される汗や皮脂、皮膚の落屑などを受けとめ、皮膚を清潔に保つ役割があります。

③ 社会生活の維持と適応

生活場面にあわせて衣服を選ぶことは、自分らしさの表現でもあり、快適な生活維持に必要な行為となります。

2 衣服の種類と選択

衣服の着用を介助する際には、その人らしさを発揮できるように利用者の好みを尊重して衣服を選んでもらいます。介助が必要な利用者であっても、介護福祉職の独断で衣服を選ぶようなことをしてはいけません。しかし、利用者の状態によっては、自分の意思を伝えられないまたは決定できない場合もあります。その際には、その人の好みや嗜好についての情報を確認し、その場にあわせた衣服を選択する支援が必要になります。

衣服選択の一般的な視点には次のようなことがあります。

① 下着・寝衣

吸湿性、吸水性、透湿性があり、発汗などの汚れが生じやすい場合には蒸れにくい素材が望ましいとされています。また、皮膚を刺激しない素材を選ぶことも大切です。一般的には、合成繊維などは皮膚を刺激しやすいとされています。皮膚にトラブルがある場合には、刺激の少ない素材を選ぶようにします。下着や寝衣は毎日着る衣服ですから、汗など目に見えない汚れを吸い、汚れやすい衣服でもあります。洗濯に耐え、型くずれしないようなものがよいとされています。

② 上着類

利用者の好みやライフスタイルにあわせたものを選びます。その人らしさを表現するものでもあります。着心地がよく、夏は通気性のよい素材、冬は保温性に優れた素材がよいでしょう。

③　靴など

　靴は足を保護し、安全な歩行にも必要なものです。サイズが合わない靴は足を圧迫します。また、かかとの減り具合により歩行に支障をきたしたりします。重さや快適性、デザインなども利用者の好みを尊重したいものです。

　靴下は、足を保護し、汗を吸収する役割があります。足は加齢にともないむくみが出たりすることがあります。きつい靴下は血液の循環を阻害することになるので、利用者の状態にあわせた靴下を準備します。

④　サイズ・デザイン

　サイズが大きいほうが着やすいという利点はありますが、そのことを利用者が納得しているか否かは、利用者に確認が必要です。利用者のからだを必要以上にしめつけるようなものは、健康上ひかえるようにしたいですが、どのようなサイズやデザインがよいかは、利用者の好みを最大限尊重するようにします。介助者の介護のしやすさだけで選んではいけません。

　以上のことをふまえながら、利用者の好みにあわせて、利用者が着る衣服を選択していくことが必要です。

（2）衣服の衛生管理とは

　衣服や寝衣などの汚れは、生活のなかのさまざまな要因で生じます。介護福祉職は、利用者に快適な生活を維持してもらうためにも、衣服の衛生管理の意味を理解し、その方法を知ることが必要です。

■1　衣服が汚れる原因

　衣服が汚れる原因として、大きく２つの要因があげられます。１つはからだから出る汚れ、もう１つは外部からつく汚れです。

　からだから出る汚れとして、汗、皮脂、垢などがあります。汗の成分の99％は水分です。そのほかには、塩化ナトリウムや、尿素などが含まれています。これらの成分が分解してアンモニアに変化することが、臭気を発生することにつながります。また、人は夜間寝ているあいだに、コップ１杯程度の汗をかくといわれています。寝衣は汗を吸っています。皮脂による汚れは、加齢とともに少なくなってくるとされますが、肌着に付着したままにすると、黄ばみの原因になります。垢の主成分はたんぱく質で、表皮の剥離物に汗や皮脂、ほこりなどが混ざり合ったものです。長期間同じ衣服を着ていると、その量が増し、悪臭の原因となります。

　このほかに、からだから出る汚れとして、便や尿、血液、鼻汁などがあります。からだから出た汚れを受けている衣服は、定期的に交換したうえで、洗濯し清潔を保持することが、利用者の健康状態の維持につながります。

外部からつく汚れには、ほこりや食べこぼしなどがあります。衣服は外部からの汚れがからだにつくのを防ぐ役割をもっています。衣服についた汚れをそのままにしておくと、かびや細菌が増殖し悪臭の原因となります。また、疥癬による感染症などがある場合、感染予防のためにも、衣服を着替えることが必要になります。

介護福祉職は、衣服の汚れの原因を知り、定期的な着替えや洗濯の必要性を意識し、利用者の衣服・寝衣の交換は健康的な生活を維持するために必要であることを理解しておきましょう。

2 衣服の衛生管理

衣服は汚れたら着替えることが基本です。とくに陰部に直接触れる下着は、目に見えない汚れがついていることがあります。毎日はき替えるようにします。

衣服の汚れを落とすためには、洗濯が必要になります。洗濯方法については、『生活支援技術Ⅰ』（第6巻）第5章で学びますが、利用者の大切な衣服を洗濯する場合には、目立つ汚れは先に洗う、ほころびがあったりボタンなどが取れそうな場合には補修をしてから洗濯するなどといったことを心がけます。

さらに感染症が疑われる場合には、医療職と相談して洗濯方法を確認しておくことも必要になります。

（3）利用者の状態に応じた衣服着脱の視点

1 認知症のある利用者

認知症のある利用者の場合でも「できることは自分で行えるように支援する」ことが基本となります。しかし、衣服を選ぶことができない、着方がわからないなどの症状がみられた場合には、介護福祉職は、利用者の状態を確認し、できる能力を引きだすように介助していきましょう。

たとえば、衣服を選ぶことができない場合には、季節などの環境に配慮し、利用者の好みの衣服を数点選び、確認しやすいような工夫をします。着方がわからない場合には、着る順番に衣服を渡したり、利用者の動作を引きだすような声かけを行うなどの工夫をします。

2 感覚機能が低下している利用者

ここではおもに視覚に障害のある利用者への介助方法について説明します。

視覚に支障があるからといって、すべての動作に介助が必要なわけではありません。視覚以外の感覚器にはたらきかけることで、好きな衣服の素材や、形を選ぶことが可能になります。視覚でえられない情報は、介護福祉職が説明し伝えていくようにします。その際には、利用者が障害を負ったのはいつからなのか（情報をどこまでイメージできるのか）、生活歴などを参考にすることも必要です。実際に手で触れてわかる情報は、利用者の情報収集の機会をつくります。たとえばスカートの長さ、えり首の状態などがそれにあたります。利用者

の状態にあわせた介助方法を工夫する力が介護福祉職には必要です。

（4）衣服着脱の介助にあたって

1 目的

自分の好みの衣服を選び、着ることです。できる部分は自分で行いながら、生活の維持と自立ができることをめざします。

2 必要物品

利用者の好みの衣服、プライバシー保護用のタオルやタオルケットなど、脱いだ衣服を入れる脱衣かご（ランドリーバッグ）などを用意します。

3 事前の確認

・上下肢および手指関節の痛みの有無、可動域、麻痺の有無、衣服の清潔や状態、その日の状態などについて確認します。

・室温は、寒さを感じないように保ち、隙間風が入らないようにします。

・羞恥心に配慮できるように、環境を整えます。具体的には、カーテンを閉める、バスタオルで露出部分を少なくするといったことを行います。

・汗をかいた場合には、必要に応じて清拭を行います。

・介護福祉職の手が冷たいようなら温めておき、介助の際、利用者に不快感を与えないようにします。

4 事後の確認

・気分や疲労度、痛み、かゆみなど体調の確認を行います。

・利用者の皮膚の状態、衣服の汚れ、身体的な変化に気がついた場合には、家族や医療職に報告します。

・着心地を、介護福祉職の目と声かけで利用者に確認します。

・着替えた衣服を片づけ、必要に応じて洗濯をします。

5 一般的な留意点

・利用者の更衣習慣を尊重しつつ、負担のない着脱方法を伝えることも、生活の維持、自立につながることを意識します。

・露出をできるだけ避け、羞恥心を感じさせないように配慮します。

・日中は、寝衣から日常着に着替えてもらい、生活にハリを感じてもらいます。

・基本は座位で着替えてもらいます。

・寝たまま着替える際には、側臥位への体位変換を行うといったことが必要なので、姿勢保持の状態を確認します。

・麻痺がある場合には、健側から脱ぎ、患側から着るようにします（**脱健着患**）。

（5）衣服着脱の介助の実際——自立度が高い利用者の場合

介助のポイント

① 利用者の習慣や能力に応じた介助をする
② 着恥心、室温または室内環境に注意する
③ 麻痺のある場合には、脱健着患を原則とする

1 上着の着脱の介助——前開きの上着の場合

介助手順	留意点と根拠
①利用者に衣服着脱の目的・介助内容を説明し、同意をえます。	①利用者の意向を確認し、自己決定を尊重します。これから行う介助の方法・手順を理解してもらいます。 介助内容を知ることで、利用者が安心・納得して行為を行うことにつながる。
②気分・体調を確認します。	②口頭で確認するだけでなく、顔色、表情、関節可動域などふだんと異なることがないかを観察します。 その日の状態にあわせた介助方法を選択することにつながる。
③着替える衣服を準備します。	③利用者に好みの上着を選んでもらいます。 ・利用者が選べる環境を整備します。認知症のある利用者の場合など、自分で選ぶことができない場合には、利用者の好みや、季節などに応じた衣服を介助者があらかじめ選んでおくことも必要です。その場合にも、複数の選択肢から選べるような工夫をします。 利用者の意欲を保持するはたらきかけになる。
④座位姿勢を確認します。	④足底が床についているか、いすに深く座れているかを確認します。

第 2 節　自立に向けた身じたくの介護

これにより安全を確認できる。
・姿勢が不安定な場合には、座位保持の姿勢を介助します。麻痺がある利用者の場合は、介助者は患側に立ちます。

> 患側には力が入らないため、バランスをくずしたときに患側に倒れる。そのため、患側から介助する。

⑤ボタンをはずします。

⑤利用者が疲れた場合には、声をかけて介助します。
・麻痺がある利用者の場合は、健側の手でボタンをはずしてもらいます。

⑥上着を脱ぎます。
・健側上肢の袖を脱ぎます（脱健着患）。
・健側の手を使い患側上肢の袖を脱ぎます。

⑥腕の可動域がせまい場合には、介助します。
・麻痺がある利用者の場合は、健側の袖を脱ぎやすくするため、健側の手で患側のえりもとをつかみ、患側の肩の衣服をはずしてもらいます。健側の腕の可動域がせまい場合には、介助します。

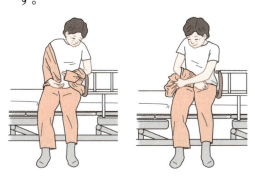

⑦上着を着ます。
・利用者は健側の手で、患側上肢から袖を

⑦着替える衣服を確認し、衣服を着ます。
・麻痺がある場合、衣服は前身頃を上にして、

第1章　自立に向けた身じたくの介護

53

通します（脱健着患）。

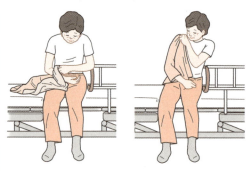

・患側の手、肘、肩の順に確実に袖を通します。
・衣服を健側に回します。

・健側上肢の袖を通します。

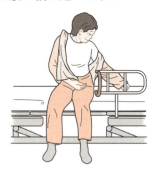

⑧ボタンをとめます。

⑨着心地を整えます。

⑩更衣後の体調確認をします。

えりが膝の位置にくるように置きます。介助者は、利用者に適宜声をかけて見守ります。

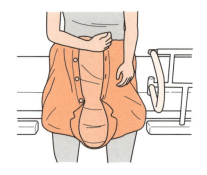

・患側が袖にしっかり通っていないと、健側が着にくくなります。
・不十分な場合には介助します。

⑧麻痺がある場合は、健側の手でボタンをとめてもらいます。必要に応じて介助します。

⑨えりもと、両肩、裾などを整えます。必要に応じて介助します。

⑩口頭で確認するだけでなく、顔色や上肢の痛

第2節　自立に向けた身じたくの介護

	みなど、活用した部位の状態も含めて確認します。
⑪後片づけをします。	⑪脱いだ衣服の汚れ、補修の必要性を確認し、片づけます。 ・補修の必要性がある場合には、洗濯をする前に補修します。
⑫記録します。	⑫状態や状況を記録します。

2 上着の着脱の介助——かぶりの上着の場合

介助手順	留意点と根拠
①〜④は「**1**上着の着脱の介助——前開きの上着の場合」と同じです。	
⑤上着を脱ぎます。 ・頭部を前屈し、健側の手で衣服の後ろえり首と、後身頃の裾をもって、頭を脱ぎます。  ・健側上肢の袖を脱ぎます（脱健着患）。 ・健側の手を使い患側上肢の袖を脱ぎます。	⑤利用者が疲れた場合には、声をかけて介助します。 ・麻痺がある利用者の場合は、健側の手で、前身頃や後身頃をできるだけ上までたくし上げてもらい、頭を脱ぎやすくします。  ・脱ぐときに頭部を前屈するので、利用者の姿勢に注意します。腕の可動域がせまい場合には、介助します。 ・麻痺がある利用者の場合は、健側の袖を脱ぎやすくするため、健側の手で患側のえりもとをつかみ、患側の肩の衣服をはずします。健側の腕の可動域がせまい場合には、介助します。

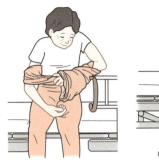
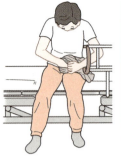

- 脱ぎ方の順番には、次のようなものがあります。利用者の状態や、習慣によって、より適した方法で行います。
  ①頭→健側上肢→患側上肢
  ②健側上肢→頭→患側上肢
  ③健側上肢→患側上肢→頭

⑥上着を着ます。
- 利用者は健側の手で、患側上肢から袖を通します（脱健着患）。

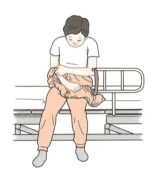

- 健側の手でえり首を持ち、頭を入れます。

- 健側上肢の袖を通します。

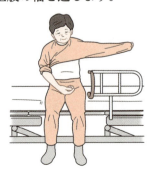

⑥着替える衣服を確認し、衣服を着ます。
- 麻痺がある場合、衣服は前身頃を下にして、えりが膝の位置にくるように置きます。介助者は、利用者に適宜声をかけて見守ります。
- 袖が下に落ちていないことを確認します。

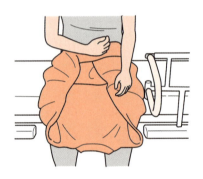

- 介助者は利用者の患側に立ちます。

> 患側には力が入らないため、バランスをくずしたときに患側に倒れる。そのため、患側から介助する。

- 患側上肢を袖に入れ、手首を出し、肩までしっかり袖を通します。

> 肩までしっかり袖を通すことで、頭を通しやすくなる。

- 着方の順番には、次のようなものがあります。利用者の状態や、習慣によって、より適した方法で行います。
  ①頭→患側上肢→健側上肢
  ②患側上肢→頭→健側上肢
  ③患側上肢→健側上肢→頭

第2節　自立に向けた身じたくの介護

介助手順	留意点と根拠
⑦着心地を整えます。	⑦えりもと、両肩、裾などを整えます。必要に応じて介助します。
⑧更衣後の体調確認をします。	⑧口頭で確認するだけでなく、顔色や上肢の痛みなど、活用した部位の状態も含めて確認します。
⑨後片づけをします。	⑨脱いだ衣服の汚れ、補修の必要性を確認し、片づけます。 ・補修の必要性がある場合には、洗濯をする前に補修します。
⑩記録します。	⑩状態や状況を記録します。

3 ズボンの着脱の介助

介助手順	留意点と根拠
①～④は「1 上着の着脱の介助──前開きの上着の場合」と同じです。	
⑤ズボンを脱ぎます。 【立位が可能な場合】 ・立位で殿部下までズボンを脱ぎます。 ・座位になり、残りのズボンを脱ぎます。	⑤利用者が疲れた場合には、声をかけて介助します。 ・片足ずつ脱いでいきます。最初の足を脱ぐときには、利用者のからだが前屈気味になります。介助者は転倒の危険がないように見守り、必要に応じて声かけをします。 ・足を脱ぐときには、片側を脱いだあとに、反対の足を脱いだほうの膝に乗せ、脱ぎます。 深く前屈することなく、脱ぎやすくなる。 **■ 麻痺がある場合** ・介助者は利用者の患側に立ちます。 ・利用者に座位のまま、健側の手で健側下肢のズボンを脱いでもらいます（脱健着患）。 ・利用者に健側の腰を浮かしてもらい、健側のズボンを殿部から下ろせるところまで下ろしてもらいます。介助者は、患側の姿勢がくずれないように保持します。

第1章　自立に向けた身じたくの介護

57

・利用者に健側に体重をかけてもらい、患側の殿部を浮かせ、浮いた部分のズボンを下ろします。

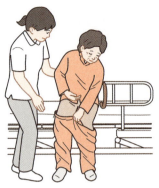

・介助が必要な場合には、利用者にサイドレールや介助バーをつかんで健側の腰を浮かしてもらい、患側を介助者が介助します。
・健側のズボン、患側のズボンの順で残りのズボンを脱いでもらいます（脱健着患）。

⑥ズボンをはきます。
・座位のまま、片方ずつズボンに足を入れます。
・はいたズボンをできるだけ上に引き上げていきます。
・立位が可能であれば、立位になり残りのズボンをはきます。

⑥利用者はズボンを準備します。
・介助者は、前後に間違いがないかを確認し、必要に応じて声をかけます。
・介助者は、利用者に適宜声をかけて見守ります。ズボンをはくときには、姿勢がくずれやすいので注意します。

■ 麻痺があり立位ができない場合
・介助者は利用者の患側または前に立ちます。

患側には力が入らないため、バランスをくずしたときに患側に倒れる。そのため、患側から介助する。

・患側下肢→健側下肢の順にズボンをはいてもらいます。
・患側・健側ともに下肢を上げすぎると、利用者の姿勢がくずれやすいため、利用者の状態を確認しながら介助します。
・利用者の健側上肢の活用が可能な位置までズボンを上げます。
・利用者に可能な限り上までズボンをはいてもらいます。

第2節　自立に向けた身じたくの介護

	・サイドレールや介助バーを持って健側の腰に体重をかけてもらい、患側のズボンを腰に引き上げてもらいます。 ・患側に体重をかけてもらい、健側のズボンを上げます。 ・患側のズボンが十分上がっていない場合には、再度健側に体重をかけてもらい、ズボンを上げます。 **■ 麻痺があるが立位が可能な場合** ・利用者に可能な限り上までズボンをはいてもらいます。 ・立位になり、患側の残りのズボンを健側の手で上げてもらいます。 ・利用者の患側を保護し、利用者に健側上肢を活用して健側のズボンを上げてもらいます。 利用者の状態を十分アセスメントすることで、自立支援につながる。
⑦着心地を整えます。	⑦上着を整え、着心地を確認します。必要に応じて介助します。
⑧更衣後の体調確認をします。	⑧口頭で確認するだけでなく、顔色や上肢下肢の痛みなど、活用した部位の状態も含めて確認します。
⑨後片づけをします。	⑨脱いだ衣服の汚れ、補修の必要性を確認し、片づけます。 ・補修の必要性がある場合には、洗濯をする前に補修します。
⑩記録します。	⑩状態や状況を記録します。

（6）衣服着脱の介助の実際——全般にわたり介助が必要な場合

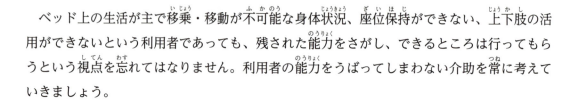

介助のポイント
① 利用者の習慣やできる能力に応じた介助をする
② 衣服は利用者に選んでもらう
③ 羞恥心、室温または室内環境に注意する
④ 麻痺のある場合には、脱健着患を原則とする

　ベッド上の生活が主で移乗・移動が不可能な身体状況、座位保持ができない、上下肢の活用ができないという利用者であっても、残された能力をさがし、できるところは行ってもらうという視点を忘れてはなりません。利用者の能力をうばってしまわない介助を常に考えていきましょう。

1 ベッド上での衣服着脱の介助

　事前の準備として、介助者は利用者の体位変換（仰臥位→側臥位）の技術を習得しておきます。
　上着は袖だたみ（両袖をそろえたたたみ方）にしておくことで利用者の負担を少なくし、効率的に介助ができます。

介助手順	留意点と根拠
①利用者に衣服着脱の目的・介助内容を説明し、同意をえます。	①利用者の意向を確認し、自己決定を尊重します。これから行う介助の方法・手順を理解してもらいます。 介助内容を知ることで、利用者が安心・納得して行為を行うことにつながる。
②気分・体調を確認します。	②口頭で確認するだけでなく、顔色、表情、関節可動域などふだんと異なることがないかを観察します。 その日の状態にあわせた介助方法を選択することにもつながる。
③介助しやすい環境を整えます。	③介助しやすいベッドの高さにあわせます。 介助者の腰痛予防のため。

④掛け布団を取ります。
（以下は、介助方法がわかりやすいように、布団を下げた状態で示します。）

⑤着替える衣服を準備します。

⑥上着を脱ぎます。
・利用者にボタンをはずしてもらい、患側上肢の肩口を少し広げます。

・健側上肢の袖を脱がせます。

・脱いだ衣服は、内側に丸めるようにからだの下に入れます。

④利用者に声をかけ、胸もとから掛け布団を下げていきます。
・必要であれば、タオルケットなどを布団の上にかけ、その下で掛け布団を下げていきます。

⑤衣服を袖だたみにして準備し、利用者の患側に置きます。

⑥
患側上肢の肩口を広げることで、健側上肢の袖が脱ぎやすくなる。

・脱いだ衣服から皮膚の落屑など汚れが周囲に広がらないように留意します。
・脱いだ衣服は、できるだけ深くからだの下に入れます。

あとで引きだしやすい。

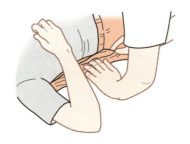

・利用者を仰臥位から側臥位にします。

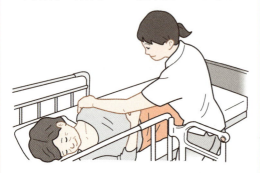

・利用者のからだの下に入れておいた衣服を引きだし、背面を脱がせます。
・かわりに新しい上着の前身頃部分を持ってかけます。

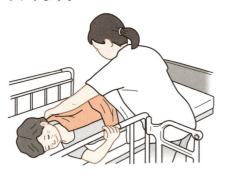

・利用者の患側上肢の袖を脱がせます。

⑦上着を着ます。

・体位変換では、健側が下になるようにします。体位を変えた際は、利用者に体調を確認します。

> 体位を変えることで、血圧等が変化する場合があるため、顔色や表情を確認する。

> 背面を脱がせたとき、新しい上着の前身頃部分をかけることで、肌の露出を最小限にすることができる。

・脱いだ衣服は汚れをまわりに広げないように内側にして丸め、脱衣かごなどに入れます。
・利用者の患側上肢の可動域に注意し、肩口、肘、袖口まで無理のないように脱がせます。

> 袖を脱がす際は、衣服をからだにそわせていくようにすることで、患側上肢に負担をかけないように行うことができる。

⑦利用者の患側上肢の可動域に注意し、袖口、

- 利用者の患側上肢に新しい上着の袖を通します。
- 介助者は背中、脇のラインにあわせ、片側の衣服をからだの下に入れこみます。
- 利用者に仰臥位になってもらい、衣服を引きだします。
- 気分・体調の確認をします。
- 健側上肢の袖を通します。

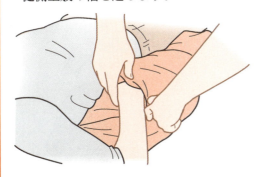

- ボタンをとめ、衣服を整えます。

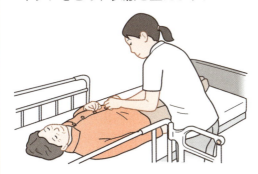

⑧ズボンを脱ぎます。
- 介助者は、利用者の健側下肢のズボンを下ろします。
- 次に、利用者を側臥位にし、患側下肢を保護しながら患側のズボンを下ろします。
- 利用者を仰臥位に戻します。
- 殿部下まで下りていたズボンを脱がせます。

肘、肩口まで無理のないように通します。

> 袖を通す際は、衣服をからだにそわせていくようにすることで、患側上肢に負担をかけないように行うことができる。

- 患側上肢を伸ばすことが可能な場合には、袖を通しやすいように、利用者の上肢が一直線になるようにします。
- あとで衣服を引きだしやすいように、からだの下に差しいれます。
- 衣服のしわは褥瘡の原因となるので、しわがないか確認します。
- 袖ぐりを利用者の脇より下のほうにすると、袖を通しやすくなります。

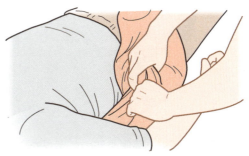

- 体位を変えたので、血圧等に変化を与えることがあります。顔色や表情を観察します。
- 利用者ができるようならボタンをとめてもらいます。

⑧可能であれば、利用者に健側の膝を曲げてもらい、腰を上げてもらいます。

AR

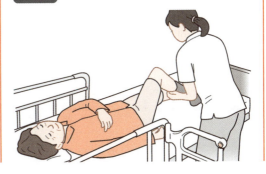

・患側は利用者の可動域に注意しながら行います。声をかけたり、表情を確認して行います。

⑨ズボンをはきます。
・利用者に患側下肢からズボンをはかせます。
・ズボンが腰まで上がったら、利用者に健側が下になる側臥位になってもらい、ズボンを腰まで上げます。

⑨患側下肢のズボンを上げすぎると、健側下肢がはきにくくなります。患側のズボンを膝部分まで上げたら、健側下肢を通します。ズボンを上げやすくするため、可能であれば、利用者に健側の膝を曲げてもらい、腰を上げてもらいます。

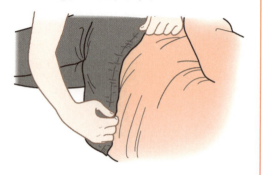

・仰臥位に戻し、健側腰部のズボンを腰まで上げます。

⑩着心地を整えます。

⑩からだの下になっている部分にしわがないか確認し、全体の着心地を利用者に確かめます。

衣服のしわは、褥瘡の原因となる。

⑪更衣後の体調確認をします。

⑪口頭で確認するだけでなく、顔色や上肢下肢の痛みなど、活用した部位の状態も含めて確認します。

⑫ベッドの高さを戻します（布団を掛けます）。

⑬後片づけをします。

⑬脱いだ衣服の汚れ、補修の必要性を確認し、片づけます。
・補修の必要性がある場合には、洗濯をする前

| ⑭記録します。 | に補修します。
⑭状態や状況を記録します。 |

2 ベッド上での衣服着脱の介助──和式寝衣（ゆかた）の着脱

　臥床状態で和式寝衣（ゆかた）の着脱をする場合の基本的な手順は、「1 ベッド上での衣服着脱の介助」にある、前開きの上着の介助と同様です。和式寝衣（ゆかた）の留意点としては下記のような点があります。

① えり合わせ

　えり合わせは左上（右前）にします。

② ひもの結び方

　ひもは横結びになるようにします。

※ ①②を誤ると、日本では死者の装いになります。

③ 裾を整える

　内側の裾は、両下肢のあいだに落とすか、三角に折ると、足が動きやすくなります。

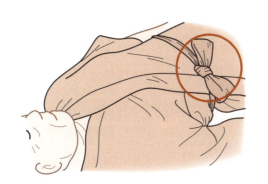 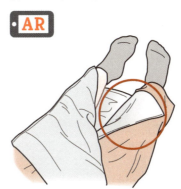

（7）衣服着脱での福祉用具

着衣エイド

からだの動きに制限(せいげん)のある場合などに着衣を助ける。

ボタンエイド

指先の動作が困難(こんなん)な場合に、ボタンかけを助ける。

ソックスエイド
ストッキングエイド

前屈(ぜんくつ)動作が困難(こんなん)であったり、四肢(し)に拘縮(こうしゅく)がある場合などに、靴下(した)をはくのを助ける。

◆ 参考文献

- 山野美容芸術短期大学編『改訂 美容福祉概論——その知識と実践技術』中央法規出版、2009年
- 川島みどり監、看護技術スタンダードマニュアル作成委員会編『看護技術スタンダードマニュアル』メヂカルフレンド社、2006年
- 金澤紀子・千羽富紀子『無理なく楽しむ在宅介護シリーズ③ 知っておきたい口腔の働きとケア』医療経済研究・社会保険福祉協会（社福協）、2017年
- 松田裕子編『口腔ケア健康ガイド——歯からはじめる健康学』学健書院、2000年
- 「80歳になっても自分の歯を20本以上保とう」8020推進財団ホームページ
- 医療情報科学研究所編『看護がみえるvol.1 基礎看護技術』メディックメディア、2018年

第3節

身じたくの介護における
多職種との連携

学習のポイント

■ 利用者の自立に向けた身じたくの支援のために、他職種と連携する必要性を理解する
■ 身じたくの介護に関する他職種の役割と、介護福祉職との連携のあり方を学ぶ

関連項目 ④『介護の基本Ⅱ』 ▶ 第4章「協働する多職種の機能と役割」
⑪『こころとからだのしくみ』 ▶ 第4章第3節「変化の気づきと対応」

1 身じたくの介護における多職種連携の必要性

　身じたくは、人が社会とかかわるうえで利用者の生活のなかの1場面として重要な行為となっています。また、身じたくには、その人の好みなどが反映されています。そのことは利用者の生活のなかの楽しみの1つにもなっています。介護福祉職は、利用者の楽しみの1つである身じたくを、その人らしさを尊重しながら支援していくことで自立に向けた意欲を支える役割をになっています。

　身じたくの介護を必要とする利用者は、高齢者や障害のある人です。身じたくに対する意欲を失っていたり、身じたくをすることを忘れていたりする場合もあります。また、意欲はあっても上下肢・体幹機能の低下、感覚機能の低下などにより、介護を必要とする状態にある場合もあります。そのような状態にある利用者に対して、他職種もかかわることで、利用者の自立に向けた支援が広い視点から行われることの重要性を意識する必要があります。

　介護福祉職は、利用者の日々の生活のなかで介護を行っています。そのなかで、「衣服を着替える際に上肢の動きが悪くなっているな」などと感じるときがあります。なぜ悪くなっているのだろうと考える際に、他職種にその状況を報告・相談し、専門的立場からの意見を求めること

により、医学的な課題が見つかったりします。その際には、医療職にかかわってもらうことでその課題を解決でき、利用者の生活を維持することができるようになります。

利用者を取り巻く環境、身体状況などは変化していきます。介護福祉職がすべての利用者の生活課題を解決できるわけではありません。他職種と連携することで、変化に対応でき、課題解決ができるということを意識することも専門職として必要なことです。

2 他職種の役割と介護福祉職との連携

利用者の自立に向けた身じたくの介護をするにあたって、関係する他職種としては、①医師・歯科医師、看護師、歯科衛生士といった医療関係職、②理学療法士、作業療法士、義肢装具士といったリハビリテーション関係職、③美容師、理容師など美容関係職、④福祉住環境コーディネーター、⑤サービス内容や社会資源の調整を行う介護支援専門員（ケアマネジャー）などがあります。さまざまな専門職がその専門性をいかして、多職種協働でかかわり、課題を解決していくことが重要です。以下で、身じたくに関連する他職種について説明します。

（1）医師

介護福祉職は、利用者の日々の身じたくの介護にかかわっています。そのなかで、からだの痛みを訴える、またはからだを動かすことをいやがる、耳垢で耳の穴がふさがれている、鼻血が出て止まらない、髪の毛が異常に抜けてくる、かゆみを訴えているなど、利用者のいつもの様子と異なる状態、変化に気づくことがあります。そのような場合には、医師の診察を受けることが必要となります。

医師は、介護福祉職からの情報を含めて診察を行い、検査などで必要な情報をさらに収集し、診断を下します。そして、病気や症状に対して、薬の処方、リハビリテーションの指示、さらには生活へのアドバイスなども行います。緊急性が高い状態の場合には、入院の指示なども行います。また、病気に対する説明や治療の方針・方法などは、医師が、本人・家族に対して説明します。

介護福祉職は、医師の指示のもとでその専門性をいかした支援を行う

第 3 節　身じたくの介護における多職種との連携

ことになります。

（2）看護師

　看護師は、診療の補助を行うとともに利用者の生活の支援も行う専門職です。介護福祉職とともに、利用者の生活を支援する機会も多くあります。

　介護福祉職の行う身じたく介護のなかに、爪切りがあります。しかし、介護福祉職が行うことのできる爪切りは、爪そのものに異常がなく、爪の周囲の皮膚にも化膿や炎症がなく、かつ、糖尿病等の疾患にともなう専門的な管理が必要でない場合です。糖尿病等がある利用者の爪切りは看護師が行います。病気の診断はされていなくても、爪やその周囲に変化がみられた場合には、看護師に報告することも必要です。

　また、起床後の洗顔で、片方の眼だけに目やにが多く、赤みがあり、痛みを訴えている状況などは、医師の診断が必要な状態です。その診断において、感染性の目の病気等がわかった際には、介護福祉職は看護師と協働し、生活のなかでの感染防止などを考えていく必要性もあります。

　看護師は、介護福祉職が観察した内容を医療的知識から確認し、その情報を医師に伝える役割もあります。

　介護福祉職は、看護師とともに利用者の生活の情報を共有し、協働するための共通知識をもつことが必要です。

（3）歯科医師・歯科衛生士

　歯科医師は、歯や口腔周辺の治療を行います。歯科衛生士は歯科疾患の予防や口腔衛生の向上をはかります。

　食事や口腔ケアの際に「水がしみる・痛い」などの訴えがあったり、歯肉からの出血、歯がグラグラする、歯が抜けそうだという状態の場合には、歯科医師の診察を受けることが必要になります。歯科医師は必要な治療を行い、生活上の指導も行います。さらに、そのような状態の利用者の歯みがきに関しては、歯科衛生士との連携が必要になります。

　介護福祉職が行う口腔ケアは、重度の歯周病がない場合の日常的な口腔内刷掃・清拭について、歯ブラシや綿棒などを用い、歯、口腔粘膜、舌に付着している汚れを取り除き、清潔にすることです。

　いつもの口腔ケアでは取りきれない汚れがある場合や、義歯が合わな

いことが原因でかむ力が低下している場合、歯の根元しか残っていないような歯の状態などの場合には、歯科医師や歯科衛生士に報告し、専門的な支援を行ってもらうようにします。

（4）理学療法士

理学療法士（PT：Physical Therapist）は、基本的動作能力の回復をはかるため医師の指示のもと、運動療法により筋力や関節可動域の改善、物理療法により疼痛緩和、循環の改善などを行います。

着替えを行う際は、上下肢、体幹の活用が必要になります。片麻痺のある利用者などの場合、介護福祉職は関節可動域の変化などに気がつく場合があります。その場合には、医師に報告し、医師からの指示で理学療法が行われます。理学療法により痛みが改善されたり、関節可動域が改善されることは、利用者が自分自身で行う着替えの自立支援につながります。

（5）作業療法士

作業療法士（OT：Occupational Therapist）は、医師の指示のもと、作業療法により応用的動作能力や社会的適応能力の回復をはかります。

片麻痺のある利用者が着替えを行う際など、利用者の状態を確認し利用者にあった福祉用具、自助具を工夫したりします。また、口腔ケアや整髪に使用する歯ブラシ、ブラシなどに利用者が使いやすい工夫なども行います。

介護福祉職は、利用者の動作を確認するなかで、「使いにくいようだ」「個別性にあった用具があったほうがよい」と感じた場合などは、作業療法士と連携することが必要になります。

（6）義肢装具士

義肢装具士（PO：Prosthetist and Orthotist）は、医師の指示のもと、義肢・装具の装着部位の採型、義肢・装具の製作、からだへの適合を行います。

人はだれでも自分らしい衣服を着て生活したいと願っています。それは四肢を欠損した利用者も同じです。介護福祉職は、利用者の望みをかなえるために、その思いを医師に伝え、必要な義肢の製作につなげるよ

うな連携をすることが必要です。

（7）美容師・理容師

　美容師は、カット、パーマネントや結髪、化粧などの方法により、容姿を美しくします。理容師は、頭髪をカットしたり、顔そりの方法により容姿を整えます。

　容姿を整えるための化粧や、髪を整えることなどは、利用者の生活意欲を向上させます。介護福祉職は、身じたくの介護のなかで、利用者の自分らしい表現についての情報を確認できる場が多いともいえます。障害があるから、年をとったからという理由で自分らしさの表現をあきらめてしまう利用者もいます。その人らしい身じたくを実現するために、美容師・理容師と連携することが必要です。

（8）福祉住環境コーディネーター

　福祉住環境コーディネーターは、2級以上の資格がある人は住宅改修が必要な理由書を作成することが認められています。

　介護福祉職としては、利用者の身じたくを行う際の住環境の整備が必要なときに連携したい職種でもあります。たとえば、洗顔はできるが、洗面台の下に車いすが入らないので不自由を感じているという場合に、福祉住環境コーディネーターと連携して利用者の住環境を整えます。

（9）介護支援専門員

　介護支援専門員（ケアマネジャー）は、介護保険を利用する際のコーディネーターとしての役割をもちます。

　介護福祉職は、利用者の身じたくの介護をするなかで、利用者の思いや希望、生活上の不都合を知りうる状況にあります。介護をするなかでえた新しい情報は（在宅ではサービス提供責任者を通じて）、介護支援専門員にも伝えていきます。それを受けて、介護支援専門員は、新しい課題を解決するために各サービス事業所などと連絡・調整を行います。

演習1-1　口腔ケアの実践に向けて

1 歯ブラシを持つ力を測ってみよう。自分のいつも行っている状態を知り、適切な力を知ろう。

2 口腔ケアの実践で、利用者役の人から、良かった点、悪かった点（不快だった点）などをあげてもらい、口腔ケアのポイントや改善点を確認しておこう。

 演習1-2　着替えの介助

1 肘の関節が曲がらない状態※にして、上着の着替えをしてみよう。

2 1をふまえて介助を行ってみよう。利用者役の人に、工夫した内容やその理由を伝え、その工夫が有効であったかも確認してみよう。

方法	工夫した内容や理由

※：擬似体験セット等を利用したり、肘の内側にダンボールなどのかたい物などをあて、固定し曲がらない状態にする。

第 **2** 章

自立に向けた
食事の介護

第 **1** 節	自立した食事とは	
第 **2** 節	自立に向けた食事の介護	
第 **3** 節	食事の介護における多職種との連携	

※本章のAR動画は『根拠に基づく生活支援技術の基本』（白井孝子、櫻井恵美＝監修／中央法規出版＝発行）の映像を使用しています。

第 **1** 節

自立した食事とは

学習のポイント

- 自立した食事のあり方について理解する
- 自立した食事の一連の流れを理解する
- 自立に向けた食事の介護をするために介護福祉士がすべきことを理解する

| 関連項目 | ① 『人間の理解』 | ▶ 第1章第2節「自立のあり方」 |
| | ⑪ 『こころとからだのしくみ』 | ▶ 第5章「食事に関連したこころとからだのしくみ」 |

1 自立した食事とは

　　食という字は「人に良い」と書きます。この字の意味どおりに食は、人の生活において重要な役割をになっています。

　　食事とは一般に「口から食べる」ことをいい、栄養素を体内に取り入れることで、健康の維持・増進をはかり、生きるエネルギーを生み出します。食事は、生命を維持し、健康的に生活するために必要不可欠な行為といえます。

　　「口から食べる」ということは、ただ単に栄養摂取することにとどまらず、生活のなかでの「楽しみ」となります。好きなものやおいしいものを食べているとき、人は幸福感にひたることができます。さらに家族や友人など気の合った人といっしょに食べるひとときは、楽しさがより増して充実した時間を過ごすことができます。このように、食事は人と人とを結びつけるコミュニケーションの場となり、人間関係を築いていくうえでも大切な役割を果たしています。

　　食事には、「栄養」「おいしさ」「楽しさ」という要素が求められますが、栄養摂取のみでとらえるならば、胃ろう等の経管栄養という方法もあります。しかしながら、エネルギーや栄養素はとれても、おいしさや楽しさを実感することはできません。また、口から食べ、味わうことは

大脳の活性化につながります。食べ物を見る（視覚）、においをかぐ（嗅覚）、音を聞く（聴覚）、味を感じる（味覚）、口唇で触れ、舌や頬で触れる（触覚）という行為から知覚や感覚が刺激されます。さらに食べるための姿勢を保持し、手を使い口に運ぶ、咀嚼して嚥下するといった行為は身体のさまざまな筋肉や骨を活用することになります。

そして何よりも「口から食べる」ことは人が生まれてから自然に親しんできた行為であり、生活の根幹となっています。人生最期まで残る楽しみや喜びは「食べること」ともいわれます。

その意味において、食事の支援では、「口から食べる」ということにこだわりをもつことが大切です。一方で、食事の介助はあらゆる介護の技術において、もっとも危険がともなうといっても過言ではありません。なぜなら、利用者の口まで食べ物を運ぶまでは介護者の手を介していますが、そこから先、咀嚼して嚥下するまでは介護者の手を離れ利用者自身の力にゆだねられることになるからです。そのため、誤嚥や窒息といった危険と隣りあわせであることを十分認識しておく必要があります。

なかには誤嚥性肺炎❶や重度の嚥下障害によって、「口から食べる」ことがむずかしい利用者もいます。その場合は経管栄養という方法をとることがあります。経管栄養を実施するか否かについては、医療職や利用者本人とその家族との相談が不可欠となりますが、本人の意思を大切にしていくことは自立支援の大切な考え方です。そして、経管栄養となってからも、「口から食べる」ことをあきらめずに、さまざまな角度から可能性を探っていくことが大切です。

食事において、「いつ」「どこで」「だれと」「何を」食べるのかを決めるのは利用者自身であることが求められます。食事は嗜好性によって個人差が大きく、その人の人生においてつちかってきた食生活習慣、食事に対する価値観、こだわりがあります。在宅や施設において、すべてが利用者の希望どおりになることはむずかしいでしょう。必要なエネルギー、栄養素を確保するための食事をしなければならないケースや、病気等の健康上の理由により食事制限が求められるケースもあるでしょう。ただし、そのような場合においても生活の主体は利用者にあることをふまえ、利用者自身が納得して選択できるよう対応していくことが自立支援につながります。

そして、利用者が自分で食べるということを尊重していくことが大切

❶誤嚥性肺炎
嚥下機能の低下により、食べ物や唾液など食道へ入るべきものが気管に入ってしまうことで生じる肺炎。

です。自分で食べることができれば、食べたいものを選び、自分のペースで自由に食べることが可能となります。多少の食べこぼしがあったり、時間がかかったとしても、可能な限りその人自身の力で食べられるよう支援していくことが求められます。また、自分で食べることができず介助が必要な場合には、その人の立場に立って、その人ができることを見きわめたうえで必要な支援を行っていく姿勢が求められます。

2 自立した食事の一連の流れ

　生活のなかで食事は、なにげなく自然に行っている行為でありますが、そこには、さまざまな意思決定があり、行動していることがわかります。一般的な食事のプロセスを簡単にたどってみると図2－1のとおりとなります。

　それぞれの場面を具体的に見ていくと以下のとおりとなります。

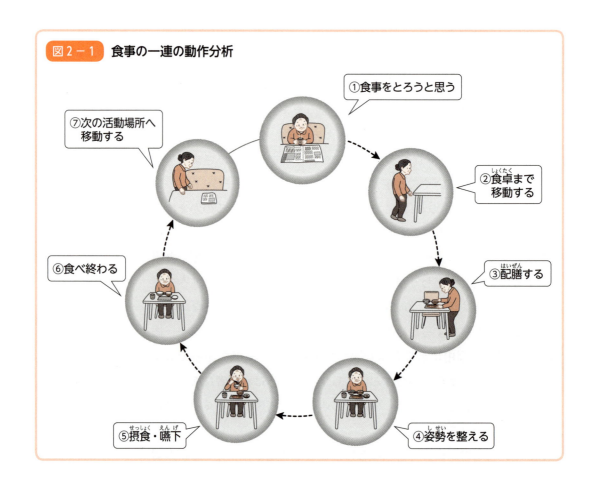

図2－1　食事の一連の動作分析

①食事をとろうと思う
②食卓まで移動する
③配膳する
④姿勢を整える
⑤摂食・嚥下
⑥食べ終わる
⑦次の活動場所へ移動する

① 食事をとろうと思う

まず、おなかがすくことにより、食事をとることに意識が向きます。空腹を感じるのは脳であり、そのメカニズムは次のとおりです。

食べ物を摂取すると、食べ物からブドウ糖が血液に取りこまれ血糖値が上昇します。摂取した食べ物が活動により分解され消費されると、血液に取りこめるブドウ糖がなくなります。そうなると血糖値が下降し、脳がエネルギーを必要としていると認識することで空腹を感じるようになります。おおよそ、食後3～4時間後に血糖値は下がり、空腹を感じる状態となります。

その他、食事をとろうと思うきっかけには、家族や自身の生活習慣により、食事をとると定めた時間になること、友人等に食事に誘われることなど、さまざまな理由が考えられます。

② 食卓まで移動する

歩く、車いすを利用するなど、その人の身体機能等に合った手段を用いて、食べ物が準備される食卓まで移動します。

③ 配膳する

食べ物を食卓に準備します。

④ 姿勢を整える

いすに座り、自然に食事をとる姿勢をつくります。

⑤ 摂食・嚥下

食べ物を選択し、箸やスプーン等を使って食べ物を口まで運び、かんで（咀嚼）、飲みこみ（嚥下）ます。

摂食・嚥下の流れは、**表2－1**の5つの段階に分けられます。

表2－1　摂食・嚥下の流れ	
①先行期（認知期）	食べ物の形や色、においなどを認知する。
②準備期（咀嚼期）	食べ物を取りこみ、唾液とともに咀嚼し、飲みこみやすい食塊を形成する。
③口腔期	形成した食塊をおもに舌を使って口腔から咽頭へと移送する。
④咽頭期	嚥下反射（ごくんと飲みこむ運動）により、食塊を食道へ移送する。
⑤食道期	蠕動運動により、食塊を食道から胃へ移送する。

この流れのうち、どこかに障害がみられると安全に食べ物を摂取することがむずかしくなり、これを摂食・嚥下障害といいます。

この一連の流れのどこに支援を必要としているのかを分析し、利用者のこれまでの生活習慣や社会参加の状況をふまえて適切な支援方法を身につける必要があります。

3 自立に向けた食事の介護をするために介護福祉職がすべきこと

介護を必要とする利用者は、何らかの疾患・障害があることが多く、食事の一連の流れのどこかで何らかの支援が必要になります。

たとえば、活動量の不足や体調不良、便秘など原因はさまざまありますが、空腹感を感じていなかったり、認知機能の低下によりみずから食事をとろうとしなくなっている場合があります。

食卓までの移動では、麻痺や筋力低下等により歩行できない、車いすの自力操作ができない等の理由により、移動が阻害されている場合もあります。

食卓について、食事をとる際には正しい座位姿勢を確保する必要がありますが、座位バランス能力の低下や身体にいすが合っていない等の理由により姿勢がくずれていることもあります。

そして、いざ食べるという場面になっても、認知機能の低下によって食事を認識することができなかったり、食べ方がわからなくなっていることもあります。また、運動機能障害によって、食器を持つことや支えることができない、箸やスプーンなどを上手に使うことができない、上肢を使って食べ物を口まで運ぶことができないということもあります。

口に食べ物を取りこんだあとにおいても、摂食・嚥下障害があり、咀嚼して嚥下するまでのあいだに異常がみられ、おいしく、安全に食べることができないこともあります。

介護福祉職は、自立に向けた食事を介護するために、食事の際の一連の流れを理解したうえで、利用者のできるところ、できないところ、不自由な部分等を観察して見きわめ、何をどのようにおぎなうことで、自立した食事が可能となるかを検討して支援にあたる姿勢が求められます。

第2節

自立に向けた食事の介護

学習のポイント

- 利用者のもっている機能を活用し、自立に向けた食事の介護の基本的な技術を習得する
- 介護を必要とする利用者の心身の状態・状況に応じた適切な食事介助の方法を学ぶ
- 食事の介護における根拠について説明できる力を身につける
- 利用者の尊厳を遵守した食事の介護の留意点を習得する

関連項目　⑪『こころとからだのしくみ』▶第5章「食事に関連したこころとからだのしくみ」

1 食事の介助を行うにあたって

　本章第1節で人の生活における食事の意義について確認したとおり、食事は暮らしのなかの楽しみの1つです。介護福祉職は、利用者が楽しく食事ができているかどうか、利用者の心身の状態、食事環境、人間関係などを細かく観察し、1人ひとりの食事の状態を把握し、どのような介助が必要かを考えることが大切です。

　もし、利用者に食欲がない、食事を拒否するといったときには、どこに問題があり、楽しい食事ができないのかをアセスメントを通して明らかにしていく必要があります。

　また、誤嚥や窒息、やけどなどにも配慮し、安全に食事ができるよう、環境や利用者の状態の観察、その時々の状況に合わせた創意工夫が必要です。

　食事は、生きるために必要な行為であり、その人らしさが表現されます。単に、全量摂取を目標とする「食べさせる介助」ではなく、利用者1人ひとりの食生活習慣、食事に対する価値観、嗜好やこだわりを把握し、「おいしく食べられる」「楽しく食べられる」環境を整え、心身ともに満たされる食事の時間を提供することが大切です（図2-2）。

図2-2 楽しい食事のための環境づくり

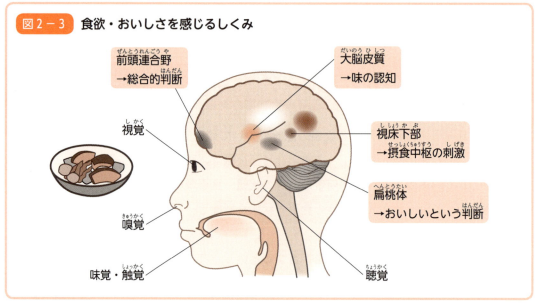

図2-3 食欲・おいしさを感じるしくみ

（1）食欲をそそる献立の工夫

　　味やにおい、彩りなどに気を配ることに加え、熱いものは熱く、冷たいものは冷たい状態で食べられるようにしましょう。利用者の出身地の名物料理や季節行事に合わせたバリエーション豊かな献立によって、利用者の「食べたい」という気持ちを引き出しましょう。

表2-2 嚥下機能が低下した人が食べにくいもの

まとまりにくいもの	パン、カステラ、クッキーなど
粘り気があるもの	もち、だんごなど
貼りつくもの	もなか、のり、わかめなど
さらさらした液体	茶、みそ汁など
酸味が強いもの	レモン、酢の物など

図2-4 とろみの種類

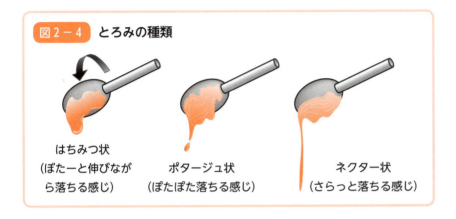

はちみつ状
(ぼたーと伸びながら落ちる感じ)

ポタージュ状
(ぽたぽた落ちる感じ)

ネクター状
(さらっと落ちる感じ)

（2）利用者の状態に合わせた食事形態

　咀嚼機能が低下した人には、やわらかく口の中でまとまりやすいもの、嚥下機能が低下した人には、とろみをつけて飲みやすくしたものなど（表2-2、図2-4）、利用者の身体機能に合わせた食事を提供しましょう。また、疾病により食事制限がある人の食事の提供の方法などについても、その人が満足できるよう十分に検討しましょう。

（3）食事をする環境を整える

　楽しく食事ができる雰囲気づくりが重要です。食堂の明るさや装飾、音楽を流す、清潔でさわやかな空間、リラックスできる雰囲気づくりのための工夫をしましょう。また、利用者が使いやすく姿勢を整えやすいテーブルやいす、自助具をそろえておくことも大切です。

（4）食事で使用する自助具

　自助具とは、障害や関節リウマチなどの病気による上肢の麻痺、加齢による身体機能の低下を原因とする動作の困難をおぎなうために特別に工夫された道具のことをいいます。

　食事動作が困難で自分で食べることができないとあきらめていたり、他者に食べさせられていた人が自助具を使うことにより、自分で食器を持ち、自分で食べたいものを食べたい順番で、おいしく食べられるようになります。たとえ時間がかかるとしても、自分の力で食べることによって意欲や積極性が生じ、できることが増えることによって、自立生活を高める効果が期待できます。

　食事で使用する自助具には、しっかり持ちやすい形の箸、けがをしないようシリコンゴムでできた口元にやさしいスプーン・フォーク、仕切りがついた食べやすい皿、倒れにくいように加工された茶碗などがあります。

　介護福祉職は、自助具の知識をもち、利用者の心身の状態をアセスメントし、利用者の意欲や希望にそった用具の選定支援ができることが求められます。また、市販されている自助具を参考に、身近なものを工夫して用いることで、自助具を使用することの抵抗感を少なくするなど、利用者の個別性に配慮することも大切です。

1 にぎる力が弱い

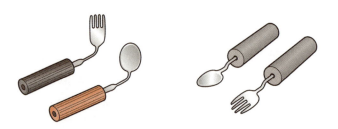

　スプーンやフォークの持ち手部分を太柄にしたり、丸くするなどの工夫をすることで、自分で持つことができるようになります。持ち手は持ちやすさのほか、洗いやすさや汚れにくさなどを考えて素材を選びます。手首を反らすのがむずかしい人の場合、柄の先が曲げられるものだと口に食べ物を運びやすいです。

2 箸で食べたいが巧緻性が低下している

　バネつき箸は、2本の箸がバネでつながっていて、軽くにぎるだけで箸の先端がピタリと合うしくみになっています。箸先がずれることがないので利き手でなくても使いやすいです。また、バネの力もあるので、自然に箸先が開き、ものがつまみやすいです。

3 片麻痺により皿が持てない、すくいにくい

　皿の縁の片側が反り返る（くぼみ）構造の食器は、くぼみにスプーンをそわせるようにしてすくうことができます。また、皿自体が動いてしまうこともあるため、皿の下にすべりどめがついているものもあります。これはすべりどめマットを使用することや、片側だけ高くして傾けることで代用できます。

4 スプーンなどをにぎることがむずかしい、手指が曲がらない

　カフベルトつきホルダーは、スプーン・フォークなどを差しこんで使用できます。

2 介護の基本原則にのっとった食事の介護

　食事の介護はイコール食事介助ではありません。介護福祉職が行う食事の介護は、"利用者に食事を食べさせる"のではなく、「利用者が食べる」ことを多方面から支援することです。

（1）利用者の尊厳を守る、利用者主体

・何を食べたいか、調理の際の希望（味つけ、かたさや大きさなど）、使用する用具、食席、食事時間など、利用者個々の食生活が継続できるよう支援しましょう。
・食事介助中、「あ～ん。大きいお口を開けてくださ～い」など幼児言葉を用いての声かけは、本人の自尊心を傷つけるだけでなく、周囲の利用者も介護福祉職に対して不信感を抱きます。
・立ったまま食事介助をする、1人で一度に複数の利用者の食事介助をするといったことは、利用者を大切に考えた介助とはいえません。介助する介護福祉職は、利用者の目線に近づけるよう座って、利用者が落ちついて食事ができるようにしましょう。
・食べこぼしが多い、食事に時間がかかるからといって介助が必要とは限りません。なぜそうなるのかの要因をアセスメントし、必要な介助を考えていきましょう。
・介護福祉職の都合で、利用者の食事時間を削ることのないよう、また、利用者個々の状態に応じた食事時間を確保しましょう。
・下膳の際は、本人に声をかけ確認してから行いましょう。

（2）安全・安心・安楽

・落ちついて食事できるように食事の前に排泄をすませましょう。
・食事介助に入る前には、手洗い・うがいを行いましょう。
・身なりを確認し、衣服や頭髪など身だしなみを整えましょう。
・食事中は、利用者の姿勢、咀嚼・嚥下の状態を観察し、むせや誤嚥に注意しましょう。
・テーブルやいすは、食事姿勢を整えるだけでなく、リラックスして食事できるよう、座り心地のよいものを選択しましょう。
・利用者への声かけ・話しかけは食べ物を飲みこんだことを確認してか

ら行いましょう。

・食事中の話題は、なごやかな雰囲気になるものを用意しましょう。

・その人の状態に合わせた適切な食事時間内で介助します。時間がかかりすぎると利用者が疲れて、食事に集中できなくなります。逆に速すぎると、咀嚼や嚥下がスムーズにいかず、むせこみや誤嚥などの原因となります。体力や姿勢の保持能力、痛み・苦痛に配慮し、利用者に負担をかけないよう留意しましょう。

（3）自立支援

・献立を考える、買い物、調理、片づけなどで本人ができることは参加してもらい、介護福祉職とともに行っていきましょう。高齢者のもつ「生活経験、生活の知恵」を有効に活用しましょう。

・自助具の使用や使用する物品の創意工夫によって、利用者が使いやすい用具を用意しましょう。

・寝る場所と食事をする場所は別にしましょう（**寝食分離**）。やむをえずベッド上で食事をしなければならない場合にも、ベッド周辺の環境を整え、手洗い・うがいなどの食事前の介助を行い、食事の時間に気持ちが切り替わるようかかわりましょう。

・介助が必要な場合でも、食べる順番は利用者に決めてもらいましょう。調味料やスプーン・フォークなどを使用する場合にも、何を用いるかは利用者が選択できるようにしましょう。

・利用者の食べている様子、姿勢を観察し、疲労など身体的負担になっていないかを確認しましょう。食事前後の活動を考慮し、その時々に応じた適切な介助を行いましょう。

3 利用者の状態に応じた食事の介助

　車いすを利用している人は、座位姿勢が保持できるのであれば、いすに移乗し、正しい姿勢で食事をしましょう。食事の際には正しい姿勢づくりが大切です。足底を床につけ、患側の腕はテーブルの上に乗せましょう。体幹が傾かずまっすぐに座り、いすに深く腰かけ、安定して座っているかを確認しましょう（**図2−5**）。両足底が床につかない場合には、足台などを用意し、両足底が床に接地し、座位が安定できるか確認しましょう。また、食事中に姿勢がくずれないよう注意しましょう。

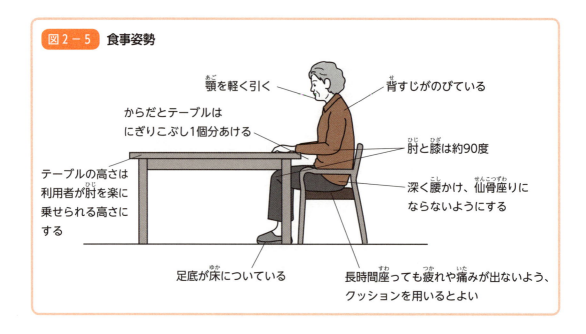

図2-5 食事姿勢

食事時のいすは、足が床について安定した姿勢がとれる高さにし、テーブルは、肘が楽に置ける程度の高さにします。

> **介助のポイント**
> ① 健康状態の把握を行い、適切に介助することで、誤嚥・窒息を防止する
> ② 本人の意欲と動作能力を引き出し、安全に、楽しく食事ができるよう介助する
> ③ 本人の嗜好・こだわり・習慣等に配慮する
> ④ 姿勢や疲労など身体的負担に配慮する
> ⑤ 低栄養予防・脱水予防のために食事摂取量、水分摂取量の維持・増進をはかる
> ⑥ プライバシーに配慮する

1 食卓で行う食事の介助——部分的介助が必要な利用者

〈必要物品〉

おしぼり、タオル、湯のみ、お膳（主食、主菜、副菜、汁物）、箸・スプーン・フォーク（以下必要に応じて）食事用エプロン、ティッシュペーパー、ランチョンマット、箸置き、自助具など

第2節 自立に向けた食事の介護

介助手順	留意点と根拠
①利用者に食事時間であることを説明し、同意をえます。	①利用者の意向を確認し、自己決定を尊重します。これから行う介助の方法・手順を理解してもらいます。 介助内容を知ることで、利用者が安心・納得して行為を行うことにつながる。
②利用者の気分・体調を確認します。	②気分や体調を確認し、利用者の状態を把握します。口頭で確認するだけでなく、顔色・表情なども観察します。 利用者の状態に応じた、安全・安心な介護を提供するため。
③食事前の手洗いのため、洗面所までの移動を見守ります。	③歩行の状態（車いす操作の様子）、周囲の状況を判断して行動できているか、他者とコミュニケーションをとっているかなどを見守ります。 洗面所付近は、水滴などですべりやすいため、見守ることで転倒等を予防する。
④利用者に手を洗ってもらいます。	④患側の手は利用者自身に洗ってもらい、健側の手洗いを介助します。爪先や指間をていねいに洗い、水分をふきとります。
⑤食堂までの移動を見守ります。	⑤③と同様に見守ります。
⑥食卓のいすに座ってもらいます。	⑥いすに移る際は、立位バランスがくずれないように支えます。利用者の動きを見ながら、必要に応じて介助します。車いすの場合は、車いすからいすへ移るように介助します。
⑦座位姿勢を整えます（図2−5参照）。 ・摂食前の準備を必要に応じて行います。	⑦足底が床についているか、背すじがのびているかなどを確認します。

第2章 自立に向けた食事の介護

姿勢を整えることで利用者の疲労を最小限にする。また、咀嚼・嚥下がスムーズに行えるようになるため、誤嚥の防止につながる。

⑧おしぼりで手をふいてもらいます。

⑧片手をふいたあとは、感染防止のため面を変えて、反対の手をふいてもらいます。
・麻痺がある人の場合は、健側の手で患側の手をふいてもらい、健側の手をふくときは必要に応じて介助します。

⑨お茶などの水分をとってもらうよう声かけをします。

⑨動作や嚥下の状態を確認します。状態によっては食事形態や介助内容の変更を検討する必要があります。

水分をとることで口腔内を湿らせ、唾液の分泌を促進し、咀嚼・嚥下しやすい状態になる。それにより誤嚥防止につながる。

⑩配膳します。

和食の基本的な配置（右利きの場合）

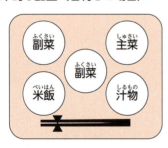

⑩料理、箸、スプーン、自助具などはそろっているか、お膳や食器が汚れていないかを確認します。
・一度基本的な配置にしてから、利用者の麻痺や視覚の状態に配慮し、本人に確認しながら箸や皿の位置を変更します。

利用者に見えやすく・使いやすく配膳することで、食器類が取りやすくなり、自分で食べることをうながす。

・安全のため、利用者の頭上や目の前から配膳しないよう注意します。

⑪献立の説明をします。

⑪単なるメニューの紹介ではなく、熱いのか、冷たいのか、食材や調理法、味つけなどを説明します。利用者が食欲を感じ、「食べたい」と思うような説明の工夫が大切です。

88

第 2 節　自立に向けた食事の介護

⑫食事を見守ります。

⑫利用者の状態に合わせて、姿勢や摂食動作、咀嚼、嚥下状態が観察しやすい位置に座ります。
・ほかに必要な物品はないか確認し、食器を食べやすい位置に変更するなど配慮します。
・安楽な姿勢が保たれているかを確認し、必要に応じて姿勢を整えます。

⑬必要に応じて介助します。
・食べこぼしをふきます。
・口まわりの汚れをふきとります。
・食べ物を食べやすい形状にします。

⑬口まわりや衣服、お膳周辺が汚れないよう配慮します。汚れは本人に確認し、そのつどふきとり、本人や周囲の人が気持ちよく食事できるようにします。
・魚をほぐすなど食べやすい形状に介助する必要があるかを利用者に確認します。
・本人の希望を聞きながら、利用者のペースで楽しく、おいしく食事できるようコミュニケーションをとります。ただし、利用者の口腔内に食べ物がないか、しっかり飲みこんだかを確認してから声かけをします。楽しい食事時間となるよう、話題にも気をつけます。

> 不必要に話しかけると、咀嚼や飲みこみに集中できず、誤嚥をまねく。

⑭利用者に食事が終わったことを確認し、下膳の了解をえます。

⑭食事の感想等をたずねます。食事摂取量、食べ残し、お膳の汚れ等を確認し、利用者に声をかけてから箸や食器類を整え下膳します。

⑮歯みがき、トイレの確認をし、洗面所やトイレまでの移動を見守ります。

⑮利用者の全身、いす周辺に食べこぼしや汚れがないか、食後薬が落ちていないかを確認します。
・タオルやハンカチなど私物の忘れ物がないか利用者の持ち物を確認します。

⑯記録します。

⑯状態や状況を記録します。

ベッド上で行う食事の介助——片麻痺、嚥下障害があり、座位が保てず動作全般にわたり介助が必要な利用者

〈必要物品〉

オーバーテーブル、おしぼり、タオル、お膳（主食、主菜、副菜、汁物）、箸・スプーン・フォーク、ストロー、吸いのみ、安楽姿勢を保持するためのクッションなど、介助者用いす、介助者用ハンドタオル、コップ、ガーグルベースン、歯みがき・口腔ケアセット

（以下必要に応じて）食事用エプロン、ティッシュペーパー、箸置き、自助具、すべりどめマット、嚥下補助食品など

介助手順	留意点と根拠
①利用者に食事時間であることを説明し、同意をえます。	①利用者の意向を確認し、自己決定を尊重します。これから行う介助の方法・手順を理解してもらいます。 　介助内容を知ることで、利用者が安心・納得して行為を行うことにつながる。 ・事前に、排泄をすませてもらいます。 　排泄の介助で食事が中断されると、食欲や集中力が低下し、疲労にもつながる。
②利用者の気分・体調を確認します。	②気分や体調を確認します。覚醒しているか、意識がはっきりしているか、食欲はあるかを確認します。口頭で確認するだけでなく、顔色・表情なども観察します。 　利用者の状態に応じた、安全・安心な介護を提供するため。
③利用者の姿勢を整えます。 ・上体をギャッチアップして起こします。 ・膝窩にクッションなどを入れます。 ・起き上がったあとは、背抜きをします。 ・頸部を前屈させた姿勢にします。	③上体をギャッチアップして起こします。頸部が緊張しているとうまく飲みこめません。ベッド上でもできるだけ座位に近い姿勢（頸部前屈姿勢）に整えます。 　誤嚥を防止するとともに、食べやすく、飲みこみやすい姿勢になる。

第 2 節　自立に向けた食事の介護

背抜き

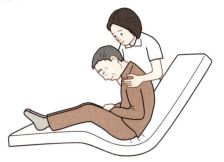

ベッド上で上体をギャッチアップまたはギャッチダウンした際、からだをマットレスからいったん離して戻す介助。

頸部後屈姿勢と頸部前屈姿勢

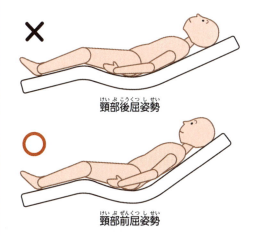

前屈　　　後屈

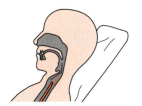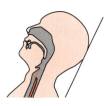

- 腰や足もとは、すべり落ちないよう膝窩にクッションなどを入れ、足底はベッドにしっかりつけます。起き上がったあとは、背抜きをして、背部や腹部の緊張を取り除きます。
- 膝窩や腰などにタオルやクッションを用いて、姿勢が安定し、腹部の緊張が少なくなるよう安楽な姿勢に整えます。

④利用者の首もとにタオルなどをあてます。

⑤必要物品を準備します。介助者用のいすや、ハンドタオル等も準備しておきます。

⑥配膳します。

④利用者の衣服や寝具への汚染防止のため、タオルをあてます。

⑤利用者が日ごろから使用しているものを使います。
- 口もとや胸もとの汚れ防止のための、エプロンやタオルの使用については、利用者へ説明し、利用者の希望を尊重して決めます。

⑥利用者にお膳全体を見てもらってから、お膳を置きます。

「食べたい」という気持ちを刺激するため。
楽しい食事の提供のため。

⑦ベッドの高さを調整し、利用者の横に座ります。

⑦利用者と目線の高さが同じくらいになるようにベッドの高さを調整して、利用者の横に座ります。
・利用者の咀嚼、嚥下状態や表情が観察しやすい位置、麻痺がある人の場合は健側に座ります。

目線の高さを利用者と合わせることで利用者の頸部が後屈するのを防ぎ、誤嚥を防止する。また、介助者の腰痛予防にもなる。

⑧おしぼりで手をふいてもらいます。

⑧片手をふいたあとは、感染防止のため面を変えて、反対の手をふいてもらいます。
・利用者に健側の手で患側の手をふいてもらいます。健側の手をふくときは必要に応じて介助します。

⑨初めにお茶などの水分をすすめます。

⑨動作や嚥下の状態を確認します。状態によっては食事形態や介助内容の変更を検討する必要があります。

水分をとることで口腔内を湿らせ、唾液の分泌を促進し、咀嚼・嚥下しやすい状態になる。それにより誤嚥防止につながる。

⑩献立の説明をします。

⑩単なるメニューの紹介ではなく、熱いのか、冷たいのか、食材や調理法、味つけなどを説明します。利用者が食欲を感じ、「食べたい」と思うような説明の工夫が大切です。
・主菜・副菜は、献立の内容を利用者が見えるように一皿ずつ説明します。
・きざみ食やソフト食、ペースト食などの食事形態の利用者には、常食（一般食）を用いて献立の説明をすると、伝わりやすくなります。

第 2 節　自立に向けた食事の介護

⑪利用者に食べる順番をたずねます。

⑫声かけ、観察、確認をしながら介助します。

スプーンの入れ方

舌の中央にスプーンをのせる

少し上のほうに引きぬく

上にあげすぎると顎をあげてしまうので注意する

スプーンを横に向けスライドさせながら舌の中央に入れる

⑬食事が終わったら、口もとや手指をきれいにふきます。

⑪利用者の希望を大切にします。

⑫利用者が緊張したり気恥ずかしさを感じることがないよう、コミュニケーションをとり、笑顔を交わしながら介助します。
・魚をほぐすなど食べやすい形状に介助する必要があるかを利用者に確認します。

安全、安心な食事の提供のため。

・口の中に食べ物がある状態で、つめこまないようにします。利用者の咀嚼のペースに合わせ、飲みこんだことを確認してから次の食べ物を口に運びます。
・利用者の口腔内に食べ物がないか、しっかり飲みこんだかを確認してから声かけをします。楽しい食事時間となるよう、話題にも気をつけます。

咀嚼中に話しかけると、咀嚼や飲みこみのタイミングがずれ、誤嚥をまねく。

▶スプーンを使う場合
・一度に口に入れるのは、ティースプーンに軽く一杯を目安にします。
・スプーンを口に入れる角度、タイミング、食べ物が視野に入る位置を確認しながら介助します。
・スプーンは下から口もとに向けて上がるように近づけます。

食べ物が下から出されると、顔も自然に下向きになるので、飲みこみやすく、誤嚥防止につながる。

・スプーンが入ってきた刺激で、吐き気を誘発することがあるため、スプーンは奥まで入れないよう注意する。

⑬利用者におしぼりを渡し、できるところは自分でふいてもらいます。口もとなどに発赤やかぶれがないかどうかを確認します。また、患側に食べ物が残っていないかを確認しま

す。

口腔内に食べ物が残った状態で歯みがきやうがいをすると、誤嚥する危険がある。

⑭利用者に食事が終わったことを確認し、下膳の了解をえます。

⑭食事の感想等をたずねます。食事摂取量、食べ残し、お膳の汚れ等を確認し、箸や食器類を整え下膳します。

⑮後片づけをします。

⑮衣服や寝具、ベッド周辺が汚れていないかを確認します。

⑯利用者の姿勢を整えます。

⑯背部や殿部の苦痛を取り、口腔ケアが安全に行える姿勢に整えます（p. 35参照）。
・利用者の体調に変化がないか、表情や声かけによって状態を確認します。

⑰口腔ケアを行います。

⑰口腔ケア→p. 28参照

⑱食べた物が逆流しないよう、食後は30分程度ギャッチアップの状態を保ち、胃を落ちつかせてから安楽な体位に変えることを説明し、了解をえます。

⑱食後の気分不快、体調の変化に配慮しましょう。

食後すぐ寝てしまうと、胃酸が逆流しやすく、逆流性食道炎を発症しやすい。また、脳が血液不足におちいり、脳卒中を起こすリスクが高くなる。

⑲ベッドの高さをもとの位置に戻します。

⑲利用者がゆっくり休息できるよう、食事前の環境に戻します。

⑳気分や体調、排泄の有無について確認します。

⑳利用者の体調に合わせ、その後の活動内容や介助内容を検討します。

㉑記録します。

㉑状態や状況を記録します。

第2節 自立に向けた食事の介護

4 誤嚥の予防のための支援

　食事中の見守りや食事の介助が必要な利用者は、麻痺や機能低下・障害によって咀嚼や嚥下が困難な場合があります。このような利用者の食事介助においては、誤嚥の予防、口腔機能の維持・回復を目的とした嚥下体操などを食事の前の準備として行います。これは、利用者と個別にかかわるコミュニケーションやスキンシップの時間にもなります。利用者が介護福祉職と一緒に楽しく実施できるよう、時間帯や場所、方法や内容を検討することが大切です。

　また、食後に歯みがきなどの口腔ケアを行うことも誤嚥の予防になります。口腔内に食物残渣が残っていると、うがいや歯みがきの際に誤嚥してしまう危険があります。口腔内に食べ物が残っていないかしっかり確認してから歯みがきなどの口腔ケアを行います。

1 嚥下体操

　嚥下体操は、顔や首の筋肉の緊張をといたり、きたえたりするのが目的です。片麻痺の人の場合は、動かすことのできる片側だけでも効果があります（図2−6）。

　口腔周辺の筋肉を動かすために、食事前に積極的に声をかけ、体調や気分の確認、献立の説明などとあわせて、利用者とコミュニケーションをとります。

　嚥下体操のほかにも、朗読・早口言葉・笑いヨガなど利用者の特技や趣味を生かし、利用者自身が積極的に、楽しく取り組める工夫が大切です。

2 舌の動きや唾液腺を刺激する

　食べた物を嚥下しやすい状態にするためには、しっかり咀嚼し、飲みこみやすい食塊に形成することが大切です。この咀嚼に必要な要素は、歯・舌・唾液の3つです（『こころとからだのしくみ』（第11巻）第5章第1節参照）。

　舌の動きを刺激する方法としては、図2−7のようなアイスマッサー

図 2 − 6　嚥下体操

❶ 深呼吸

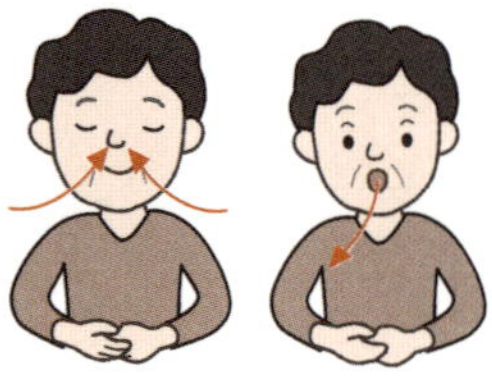

大きく鼻から空気を吸いこみます。一度息を止め、肩の力を抜きます。口をすぼめ、ローソクの火を消すようにゆっくりと吐きます。

❹ 頬の体操

鼻で呼吸をしながら口を閉じたまま頬をふくらませたり、しぼませたりします。

❷ 首の体操

①

①顔を正面に向けたまま、深呼吸をしながら頭を肩に乗せる気持ちで首を左右に傾けます。

②

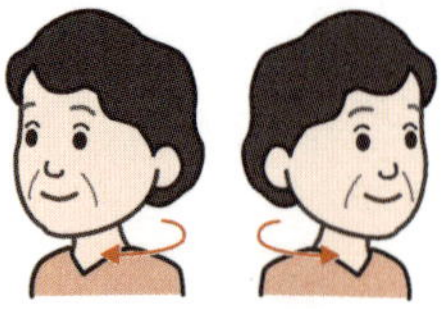

②左右横に向きます。

③

③最後に大きく回します。

❺ 舌の体操

①

①口を開き、舌の出し入れをします。

②

②口を閉じ、舌の先で左右の頬の内側を押します。

❻ 発声練習

ラララ
タタタ
カカカ

「パパパ、タタタ、カカカ、ラララ」を、息を吐きながら1つひとつ切って発音し、次に、「パタカラ」と3回くり返します。

❸ 肩の体操

①

①両肩をすぼめるように持ち上げ、スッと力を抜き、2～3回くり返します。

②

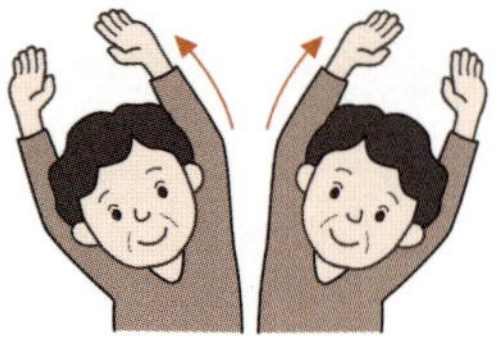

②座ったまま上体を左右にゆっくり倒します。

❼ 深呼吸

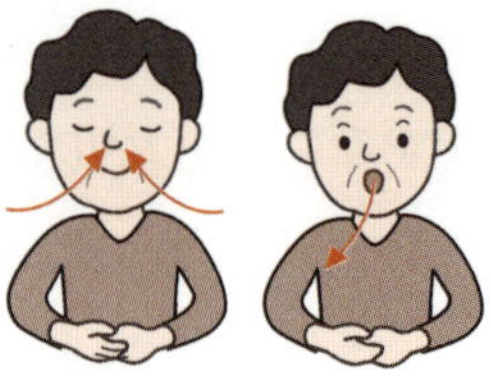

最後にもう一度ゆっくり深呼吸します。

ジがあります。凍らせた綿棒で口腔内を刺激することで嚥下反射を起こしやすくするものです。綿棒以外に、氷水につけるなどして冷やしたスプーンなどを使用する方法もあります。その場合には、水気を切って行います。

唾液の分泌を促進する方法として、図2-8のような唾液腺を刺激する方法もあります。また、お茶を飲むこと、会話をすること、嚥下体操を行うことも有効です。

図2-7 アイスマッサージ

①清潔な綿棒に水やレモン水などをひたし、凍らせておく。滅菌手袋を着用し、トレイに1本1本間隔をあけて並べる。

②凍らせた綿棒で口蓋弓、咽頭後壁、舌の奥と根本の部分を軽く2～3回刺激した後すぐに空嚥下させる。このとき、嚥下反射がみられるときは無理に行わないようにする。

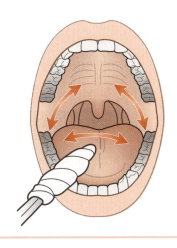

図2-8 唾液腺マッサージ

【唾液腺を刺激する】

①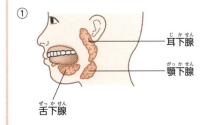
耳下腺
顎下腺
舌下腺

②
耳下腺
人差し指を耳たぶの下あたりにあてて、後ろから前へぐるぐる回すように押す。

③
顎下腺
指を顎の骨の内側のやわらかい部分にあて、耳の下から顎の下まで5か所くらいを順番に押す。

④
舌下腺
両手の親指をそろえ、顎の真下から、舌をつきあげるように、グッと押す。

5 窒息が起きたときの対応

　加齢による咀嚼、嚥下機能の低下や、病気による麻痺や障害によって食べ物の摂取がうまくいかないと誤嚥しやすくなります。また、義歯の不具合、歯が少ない、かむ力が弱い、舌の動きが悪いなど口腔内の状態によって咀嚼がうまくいかないと、飲みこみやすい形状にならず喉に貼りついたり、気管に入りやすくなり、食べ物などがつまる「窒息」を起こすことがあります。

　誤嚥や窒息が起こらないよう、食事中の観察・確認をおこたらず、利用者に少しでもいつもと違う状態がみられたら、すぐにそのときの状態を確認します。

1 窒息時にみられる状態の例（観察の視点）

- ・急に黙りこむ、声が出ない
- ・急に動きが止まり、身動きしなくなる
- ・顔色が悪い、チアノーゼがみられる
- ・苦しそうな様子（チョークサイン）や表情
- ・呼吸が止まる
- ・ぐったりしている
- ・意識がもうろうとしている、意識がなくなる

2 窒息が起きたときの対応

　呼びかけに反応がある場合、まずは、咳を出すよううながします。咳をしても異物が吐き出せない、また、咳が出ない場合は、口腔内にあるものをかき出す方法（指拭法）と、喉につまったものを出す方法（背部叩打法）があります。1つの方法だけでなくそれぞれの方法を組み合わせて行ってみます。反応がない場合は、救急車を呼びましょう（『生活支援技術Ⅰ』（第6巻）第6章第2節参照）。

　指拭法では、義歯をつけている場合は可能であれば取りはずします。利用者にかまれないよう無理に行わないようにしましょう。無理に強く指を入れることで、食べ物を喉に押しこんでしまうので注意します。

第2節 自立に向けた食事の介護

6 食後の口腔ケア

　食物残渣や歯垢が残っていると、口内細菌が繁殖して、ネバつきや舌苔の原因にもなります。それらは口臭の原因になるだけでなく、誤嚥性肺炎の原因にもなります。

　食後の歯みがきをする際には、口腔内のどの部分に食べかすが残りやすいか、口腔内の状態（歯茎の腫れや発赤がないか、口内炎がないかなど）、利用者の口の開き方や表情などを観察しながら行いましょう。具体的な歯みがきの方法については、「第1章　自立に向けた身じたくの介護」を参照してください。

第**3**節

食事の介護における
多職種との連携

学習のポイント

■ 自立に向けた食事の支援のために、他職種と連携する意味を理解する
■ 食事の介護に関する他職種の役割と、介護福祉職との連携のあり方を理解する

関連項目　④『介護の基本Ⅱ』　▶ 第4章「協働する多職種の機能と役割」
④⑪『こころとからだのしくみ』　▶ 第5章第3節「変化の気づきと対応」

1 食事の介護における多職種連携の必要性

　食事は人が生きていくうえで欠かせない行為であり、QOL（Quality of Life：生活の質）を向上させるために重要な役割を果たしています。

　介護福祉職は、利用者がいつまでも、「おいしく」かつ「楽しく」そして「安全」に食事がとれるよう支援していくことが求められます。

　介護を必要とする高齢者や障害のある人は、さまざまな疾患や障害により咀嚼や嚥下機能が低下していて、誤嚥や窒息をまねくおそれがあります。また、体力低下がいちじるしく栄養摂取が必要であるのに食欲がなかったり、病気のため食事や水分の制限が必要であったり、口腔機能に問題があったりと、食事の際に求められる課題は多岐にわたります。

　介護福祉職は、日々、利用者の日常生活に密接にかかわるという特性から利用者の心身の状態把握を一番近くで行うことができるといえます。食事や水分摂取の状況・状態、口腔機能の状態など、食事に関する部分からえられた情報は、他の専門職に報告、相談を行い、連携・協働をはかりながら支援にあたることが求められます。

2 他職種の役割と介護福祉職との連携

第3節　食事の介護における多職種との連携

利用者のよりよい生活に向けた食事の介護をするにあたって、①医師、歯科医師、歯科衛生士、看護師、薬剤師、臨床検査技師といった医療関係職、②理学療法士、作業療法士、言語聴覚士といったリハビリテーション関係職、③栄養面の管理、指導を行う管理栄養士や栄養士、料理をつくる調理師、④サービス内容や社会資源の調整を行う介護支援専門員（ケアマネジャー）などの職種がかかわります。さまざまな専門職がそれぞれの専門性をいかし、連携して解決していくこと（チームアプローチ）が重要です。

以下で、おもな食事に関連する職種の役割と介護福祉職との連携のあり方について説明します。

（1）医師

介護福祉職は、利用者の日々の食生活に直接かかわります。そのなかで、食欲不振や摂食・嚥下状態の問題、体重の減少など状態の変化や異変に気づくことがあります。そのような場合は、すみやかに医師に情報提供し、診察へつなぐことが必要となります。

医師は、介護福祉職からの情報を含めて診察を行い、検査等を経て診断を下します。そして、病気の治療にあたります。投薬や検査、訓練の指示、さらには生活のアドバイスや食事制限等の生活管理も医師が行います。

口から食べられない、食べられても十分な量を摂取できない状態が続けば、低栄養・脱水症状をまねき、状態が悪化すれば生命にかかわる問題となります。これを避けるために、別ルートからの栄養補給として経静脈栄養（中心静脈栄養や末梢点滴）や経管栄養（経鼻経管栄養や胃ろう・腸ろう等）を検討し、実施する場合があります。その判断および、本人・家族への説明、実施の指示等は医師が行います。

（2）歯科医師・歯科衛生士

虫歯で歯が痛む場合は、しっかりかむことができなくなります。また、加齢にともない、歯茎がやせたり、筋力の低下にともない口腔内の状態が変化することがあります。それにより、義歯（入れ歯）がぐらつ

いたり、かむ力が低下したり、痛みが生じたりすると、食べることに支障が生じます。虫歯や歯周病等により自分の歯を失った場合には義歯（入れ歯）を使用することもあります。

　介護福祉職は利用者の食事摂取の様子を観察し、しっかりかめているかを確認します。また、口腔ケアの際にも口腔内の状態を確認します。利用者の訴えを聞くなどして咀嚼に問題がないか注意をはらい、不具合がみられる場合、また、むせが多くみられたり、飲みこみがうまくできない場合など嚥下障害が疑われるときには歯科受診に結びつけます。

　歯科医師は、虫歯の治療、義歯（入れ歯）や補助具の作成などを行うとともに、誤嚥の有無と嚥下の状態を調べます。嚥下障害があると疑われる場合には、どこにどのような問題が起きているのか、誤嚥が生じているのかを見きわめて対策を立てます。

　口腔内の健康管理においては、歯科衛生士のサポートも重要です。歯のみがき方の指導、義歯の手入れの指導、嚥下体操の指導、口腔ケアの助言や指導、相談等にあたり介護福祉職と連携していきます。

（3）看護師

　介護福祉職は、利用者の日々の食事介助を通し、飲みこむときにむせる・咳きこむ、食べ物が口の中に残る、食べるのに時間がかかるなど、食事摂取時の異変を感じたり、食欲や食事摂取量の低下に気づくことがあります。

　そのような場合には、まず看護師に報告・相談することが大切です。看護師は、利用者の食事時の摂取状況、食事・水分摂取量、心身の健康状態についての把握をはかり、介護福祉職への助言や指導を行います。健康状態に問題がある場合は、医師への報告を行い、医師の指示にもとづいた対応をはかります。

　嚥下障害により食事介助の難易度が高い利用者の場合は、看護師みずから食事介助にあたるほか、介護福祉職や家族に対して安全な食事介助の仕方を助言・指導します。万一、食事中に窒息した場合には応急手当にあたります。

　また、医師の指示にもとづき、点滴や経管栄養の実施にたずさわるとともに介護福祉職が行う経管栄養の指導にあたります。

102

（4）薬剤師

　介護福祉職は、利用者の服薬介助にあたります。しかし、利用者が薬をなかなか飲みこめなかったり、むせてしまったりする場合があります。また、併用薬や健康食品との飲み合わせで、強い副作用が出たり、薬の効果が弱まったりする場合があります。そのため介護福祉職は、注意しておくべき副作用などを把握しておく必要があります。

　副作用と思われるような症状が出た場合は、薬剤師に報告・相談を行います。薬剤師は嚥下が困難な人への薬の処方を工夫し、安全に薬を飲むことができるよう取り組みます。また、薬の保管方法、服用にあたっての注意点、副作用の説明等を介護福祉職や家族に行います。

（5）臨床検査技師

　摂食・嚥下障害が疑われる場合には、どこがどのように問題なのかを正確に把握することが必要となります。医師は、**スクリーニングテスト**❶（質問紙や反復唾液嚥下テスト等）や、パルスオキシメーターで血液中の酸素濃度をはかる、聴診器で肺や喉の呼吸音を聞く、内視鏡による検査等を実施するとともに、X線検査（造影剤を使用してX線で動画を見る嚥下造影検査）をもとに診断を下します。

　臨床検査技師は医師の指示にもとづいて必要な検査を行い、医師に報告します。

❶スクリーニングテスト
摂食・嚥下障害が疑われる人に簡易なテストを行い、摂食・嚥下機能が正常であるかどうかを判定する方法。

（6）理学療法士

　食事の際は、食事をとるのに適した座位姿勢の確保とともに、上肢の活用が必要となります。

　介護福祉職は、利用者が食事をするときの姿勢や上肢の活用状態を観察し、理学療法士（PT：Physical Therapist）に助言や指導を求めます。

　理学療法士は、利用者の体幹訓練などの身体機能へのアプローチ、使用するいすやクッション等を利用した座位姿勢の改善などを通して食事に適切な座位姿勢の確保をはかります。また、上肢の機能の維持や回復に向けた訓練を行うことで利用者の食事の安全と自立を支援します。

（7）作業療法士

　食べ物は食器に盛りつけられ、箸やスプーンを使用して食べます。麻痺があったり、筋力低下、手先の巧緻性が損なわれている場合などは、上手に食べることができなくなります。

　介護福祉職は利用者の食事摂取の様子を観察し、スムーズに食器や箸、スプーンを使えているか、不自由さを感じていないかを見守ります。問題がみられる場合には、作業療法士（OT：Occupational Therapist）に相談します。

　作業療法士は、食事摂取の際、利用者のどこがどのように問題となっているかを見きわめ、食べる動作に関連した訓練や食器の工夫、箸やスプーン等の自助具の選定を行い、食べることをサポートします。

（8）言語聴覚士

　介護福祉職は利用者の日々の食事介助にあたるなかで、摂食・嚥下の状態に異変や問題を感じた場合は、言語聴覚士（ST：Speech-Language-Hearing Therapist）に報告・相談をします。

　言語聴覚士は食事の支援にあたり、摂食・嚥下障害の評価をもとに食べる力を取りもどすための訓練の実施および指導にあたります。

　利用者への摂食指導を行うほか、介護福祉職や家族に対する食事介助の指導、嚥下体操の指導を行います。

（9）管理栄養士・栄養士

　利用者に食欲がみられない、食べ残しが目立つ、食べ物をかむのが困難であるといった問題がみられるほか、病気等により食事制限が必要で治療食が必要な利用者に対しては、医療職とともに管理栄養士や栄養士との連携が大切になります。

　管理栄養士や栄養士は、利用者の症状に合わせた栄養のとり方や食事内容を提案したり、栄養面に考慮した献立の作成、調理方法の指示を行うほか、高度な専門知識にもとづいた栄養指導を行います。

（10）介護支援専門員

　介護支援専門員（ケアマネジャー）は、ケアプラン（居宅サービス計画または施設サービス計画）を立案します。その際に利用者の食事に関するアセスメントを行い、利用者の意向にそいながら心身の状態に合わ

せて食事に関連する課題を解決できるよう目標を設定します。各サービス運営者と連絡・調整を行い、実際に介護サービスを受けられるようコーディネートします。**サービス担当者会議❷**を開催し、目標をすべてのサービスにかかわる職種および利用者・家族と共有します。

❷サービス担当者会議
居宅サービス計画の策定にあたって介護支援専門員が開催する会議。

第**2**章　自立に向けた食事の介護

◆ 参考文献

● 小山珠美『口から食べる幸せを守る──生きることは食べる喜び』主婦の友社、2017年
● 小澤公人編著『介護のための摂食・嚥下障害の理解とケア』ナツメ社、2014年
● 藤島一郎監『健康ライブラリーイラスト版 嚥下障害のことがよくわかる本──食べる力を取り戻す』講談社、2014年
● 菊谷武『胃ろう造設のその前に介護現場にできること「食べる」介護がまるごとわかる本──食事介助の困りごと解決法から正しい口腔ケアまで、全部教えます』メディカ出版、2012年
● 井藤英喜・高橋龍太郎・是枝祥子監『写真でわかるシリーズ 写真でわかる生活支援技術──自立を助け、尊厳を守る介護を行うために』インターメディカ、2011年
● 一般社団法人日本ユニットケア推進センター監『施設ケアに役立つ 多職種協働ハンドブック──専門的視点と24Hシートの活用』中央法規出版、2015年
● 川村佐和子・後藤真澄・中川英子・山崎イチ子・山谷里希子編著『介護福祉士養成テキスト11 生活支援技術Ⅳ──自立に向けた食事・調理・睡眠・排泄の支援と終末期の支援』建帛社、2009年
● 千葉典子編著『介護福祉士実践ブック12 介護概論・基本介護技術』共栄出版、2002年
● 壬生尚美・佐分行子編著『事例で学ぶ生活支援技術習得 新カリ対応──自立支援と健康を守る技術がわかる』日総研出版、2008年
● 花王株式会社ホームページ「ピュアオーラルレッスン」

演習2-1　食事の姿勢

　座位の姿勢で、水を飲まずにクラッカーを食べてみよう。同じことを側臥位でもやってみよう。

演習2-2　1日の水分摂取量

　1日のうち、どの時間帯にどのくらいの水分をとっているかまとめてみよう。

演習2-3　食事の環境

　食事の環境（人・物・空間）について、食事の前、食事のあとでどのような確認が必要か話し合ってみよう。

環境	食事の前、食事のあとに確認しておきたいこと
食事にかかわる人 ・利用者 ・介護福祉職 ・食事をともにする人	
食事の用具 ・食器、自助具、テーブルやいすなど	
食事の空間	

第 **3** 章

自立に向けた入浴・清潔保持の介護

第 **1** 節　自立した入浴・清潔保持とは

第 **2** 節　自立に向けた入浴・清潔保持の介護

第 **3** 節　入浴・清潔保持の介護における多職種との連携

※本章のAR動画は『根拠に基づく生活支援技術の基本』（白井孝子、
櫻井恵美＝監修／中央法規出版＝発行）の映像を使用しています。

第 **1** 節

自立した入浴・清潔保持とは

学習のポイント

■ 入浴・清潔の目的は何か、清潔の保持が生活にどのような影響と意義をもつのかを理解する（知識・技術の土台）
■ 入浴・清潔保持を安全・安楽に行い、尊厳を守り、自立支援を可能にするために欠かせないアセスメントの力をつける（知識と技術）

関連項目	① 『人間の理解』	▶ 第1章第2節「自立のあり方」
	⑪ 『こころとからだのしくみ』	▶ 第6章「入浴・清潔保持に関連したこころとからだのしくみ」

1 自立した入浴・清潔保持とは

　皮膚はからだの全身をおおい、からだを守っています。皮膚には汗腺、皮脂腺、毛、爪があり、新陳代謝によりからだの内側から汚れが排出されます。また、活動により体外からも汚れ、細菌などが付着します。からだを清潔にすることは健康な生活や円滑な社会生活を送るうえで重要な人間の基本的欲求の1つです。

　入浴には、血行促進、疲労回復、感染予防のほか、爽快感をえたり、副交感神経を優位にすることでストレスを軽減したりするはたらきがあります。日本は自然災害が多い国ですが、今までにないほどの自然災害に表情をなくし立ちすくんでいた人々が、入浴をきっかけに表情を取りもどす様子を目にすることがあります。入浴には極度の緊張や悲しみなどをやわらげる大きな力があるのです。

　入浴により心身が解放されると、利用者がふだんとは違ったことも話してくれたりします。それが生活全体の支援に結びつく貴重な情報だったりします。

　高齢による機能低下や障害などにより入浴、清潔の保持が困難になった場合には、入浴・清潔保持のために必要な行為を含む身体面、入浴の

第1節 自立した入浴・清潔保持とは

タイミングや方法といった自分の意思や希望などの精神面、それらの能力が十分に尊重・発揮されるための環境面から考えることで、新たな入浴・清潔保持の方法を見いだすことができます。今までとは違った方法により自立した入浴・清潔保持が可能になります。介護福祉職は安全、安心できる環境で、利用者の意思・希望を尊重した入浴・清潔の方法を提供します。

2 自立した入浴の一連の流れ

入浴の一連の動きを分解して見てみます。
① 入浴の準備（浴槽に湯をはる、着替えを準備する、水分を摂取する）
② 脱衣室へ移動し、服を脱ぐ
③ 浴室へ移動する（歩行、シャワーキャリーなど）
④ 洗髪、洗身する

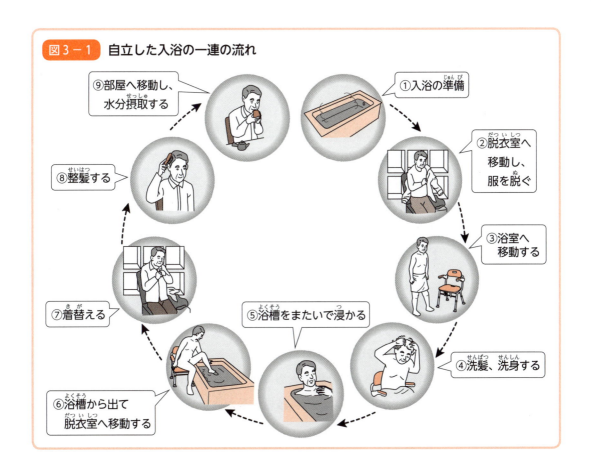

図3-1 自立した入浴の一連の流れ

⑤　浴槽をまたいで浸かる

⑥　浴槽から出て、水分をふきとり脱衣室へ移動する

⑦　十分に水分をふきとり、新しい下着、衣服に着替える

⑧　髪を乾かす、整髪する

⑨　部屋まで移動する（脱衣室または部屋で水分摂取、休息）

　この一連の動きを具体的にイメージすると図3－1のようになります。この一連の動きのどの部分に、どのような介助が必要なのか見きわめます。

3　自立に向けた入浴・清潔保持の介護をするために介護福祉職がすべきこと

　からだが清潔に保たれていると身体面、精神面、社会面に多くのプラスの変化が起こります（表3－1）。心身が健康な状態のときは、活動への意欲がわき、他者との交流が生まれ、それが利用者の生活の豊かさにつながっていきます。

　清潔保持の方法は、入浴、清拭、手浴・足浴、手洗い、洗顔などさまざまですが、湯に浸かる入浴が清潔保持やリラックス効果の高い方法です。

　入浴は裸になるので、羞恥心や自尊心への配慮が重要です。また、浴室は事故が多い場所です。機能低下や障害があっても安全・安楽に、自分の力を発揮できるように、利用者の心身機能や環境を十分に確認して、1人ひとりにあった適切な入浴・清潔の方法を提供します。しかし、同時にリスクも高く、利用者・介助者双方にひそんでいます（表3－2）。

　介助者は利用者が安全・安楽に清潔を保持できるように、利用者に起因するリスクを予防するとともに、介助者自身がリスクとならないようにします。正しい知識と技術をもち、安全な環境をつくり、利用者・介助者双方の安全・安楽をめざします。

　清拭（全身・部分）は入浴に比べ、体力消耗や心肺への負担が小さくなりますが、介助者の介護技術の差が爽快感の差となってあらわれるので注意が必要です。

110

第 1 節　自立した入浴・清潔保持とは

表 3 − 1　からだを清潔に保つことによる効果

身体面	精神面	社会面
・皮膚の汚れを落とす ・血液循環の促進 ・新陳代謝の促進 ・感染予防 ・疲労回復 ・食欲増進 ・安眠 ・温熱や浮力の作用により、からだを動かしやすく、関節可動域が拡大 ・保温 ・皮膚損傷の回復	・すっきり、気分爽快 ・快適 ・気分転換 ・満足感 ・リラックス ・意欲の向上 ・自信をもてる ・プライドが守られる	・交流促進 ・コミュニケーションの重要な機会 ・生活のリズムができる ・人間関係を促進 ・社会参加を促進

表 3 − 2　入浴時における利用者・介助者のリスク

利用者のリスク	介助者のリスク
・体力を消耗する。 ・発汗により水分を失う。 ・洗い方によっては皮脂を失う。 ・湯温や水圧により血圧が変動する。 ・洗髪など、洗う姿勢によっては胸郭を圧迫、息苦しさを感じる。 ・乾燥やかゆみが増すことがある。 ・やけどや溺水の危険もある。 ・床が濡れているので、すべって転倒する危険がある。 ・床に石けんが残っているとすべって転倒する危険がある。 ・ヒートショック※を起こすことがある。 ・循環器・呼吸器への負担が大きい。	・体力を消耗する。 ・発汗により水分を失う。 ・無理な姿勢をとると腰を痛める。 ・多湿の環境のため疲れる。 ・疲れて集中力がとぎれることがある。 ・機器の操作を間違えることがある。 ・床が濡れているので、すべりやすい。 ・床に石けんが残っているとすべることがある。 ・知識・技術の不足により、観察や対応が不適切になる。

※：急激な温度変化により血圧や脈拍などに変動が起こり、からだに大きな影響が出ることをいい、意識を失ったり脳梗塞や脳出血を引き起こすことがある。

第3章　自立に向けた入浴・清潔保持の介護

111

第 **2** 節

自立に向けた入浴・清潔保持の介護

学習のポイント

- 利用者を主体とした安心、安全、安楽な入浴を可能にする準備について学ぶ
- 利用者を主体とした安心、安全、安楽な入浴およびその他の清潔保持の技法について学ぶ

関連項目 ⑪『こころとからだのしくみ』 ▶第6章「入浴・清潔保持に関連したこころとからだのしくみ」

1 入浴の可否と清潔にする方法の選択

1 入浴の可否の判断

入浴前に体温、血圧を測定し（自動血圧測定器による血圧の測定）、体調の確認をします。

いつもと違いがある場合には看護師に伝え指示を受けます。医師からの指示がある場合はその指示に従い、いつもと様子が異なる場合は状況を医師に伝えて、入浴の可否を決めます。

2 心身の状態と清潔保持の方法

環境や利用者の心身の状態に応じて清潔保持の方法を選択します。清潔保持には、入浴、清拭、手浴・足浴といった方法があります。

3 汚れやすい部位

からだには汚れやすい部位があります。

① 頭（髪、頭皮）
② 顔（目、小鼻）
③ 耳の裏
④ 首の周囲
⑤ わきの下（アポクリン腺が分布してにおいがある）
⑥ 乳房の下（女性）
⑦ 肘
⑧ 手（手のひら、指の間、指先、爪の間）
⑨ 陰部
⑩ 殿部（肛門周囲）
⑪ 鼠径部（足の付け根）
⑫ 膝の裏
⑬ 足（指の間、足裏、かかと、指先、爪の間）

⑤⑥⑪など、皮膚と皮膚が接する面は汚れがたまりやすくなります。

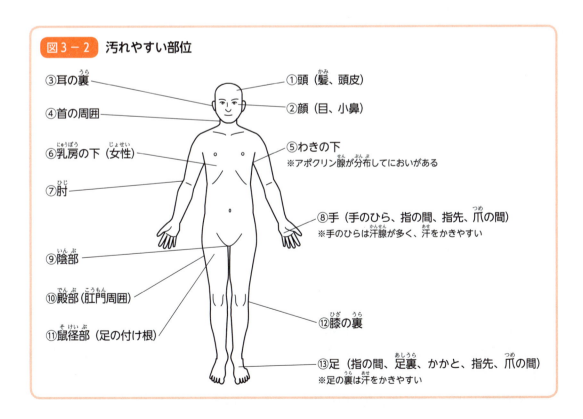

図3-2 汚れやすい部位

2 入浴の介助

介助のポイント

① 利用者の希望、今までの生活習慣を大切にする
　・認識しやすい位置から、わかりやすい言葉と表情で説明をして、同意をえる
② 健康状態の把握を行い、状態にあった方法で介助する
③ 移動手段は、歩行（自立、一部介助）・車いす・ストレッチャーの利用など、利用者の動作能力に応じて、利用者の意欲と動作能力が最大限に発揮できる方法を用いて介助する
④ 利用者の心身機能の維持・向上を可能にする入浴・清潔保持の環境（設備、福祉用具、プライバシーの保護、介助者の技術など）を整える
⑤ 利用者の「できる機能」を十分に発揮し、安全・安楽を守る
⑥ 姿勢の安定を確保してから介助する
　・支持基底面が広くとれていて、そのなかに重心線が入っている
　・基本の座位姿勢、臥位姿勢がとれている（体幹がくずれていない）

1 入浴の準備

利用者の誘導前に、必要な準備を整えておきます。

（1）利用者の準備

① 食後 1 時間以上経っていることを確認します。空腹時も避けます。
② 入浴前に排泄をすませておきます。おむつが汚れていたらきれいにしてから浴室に移動します。これは、浴室内での排泄による臭気、浴槽の汚染を避けるためです。十分に配慮した準備で、利用者のプライド、プライバシーを守ることができます。
③ 入浴による水分喪失にそなえ、入浴の30分くらい前に水分を摂取してもらいます。
④ 着替える衣服を選択してもらい、準備します。

（2）脱衣室・浴室の環境

ヒートショック、プライバシーの保護、安全・安楽、自立支援に配慮します。

① 脱衣室と浴室の温度差をなくし、寒くないように温めておきます。シャワーを使って浴槽に湯をためると湿度が高くなり、暖かく感じます。
② ドアを開けたときに、脱衣室の中が外から見えないようにします。衝立やカーテンを用

第2節　自立に向けた入浴・清潔保持の介護

い、羞恥心に配慮します。
③　安全・安楽に着脱できるように、安定したいすを準備します。
④　必要に応じて手すりやシャワーチェア、すべりどめマットなどを準備します。

（3）介助者の準備

①　必要物品や浴室・脱衣室の環境を整えます。
②　介助者は入浴介助着に着替え、手洗いをします。傷がある場合は手袋を使用します。
③　介助者の足の汚れを石けんと流水で洗い流し、清潔にします。これは、安全確保の必要性から介助者の支持基底面を十分に確保するため、利用者の浴槽に介助者の足を入れて介助することがあるからです。
④　介助中の発汗に備えて、水分を摂取しておきます。

2　個浴での介助方法

＜必要物品＞

フェイスタオル2枚、洗身用具（ウォッシュクロス、スポンジなど）、バスタオル1～2枚、バスマット、洗面器、シャンプー、リンス、石けん、ヘアブラシ、ドライヤー、湯温計、すべりどめマット、シャワーチェア、シャンプーハット（必要に応じて）、着替えの衣類（上着、下着、おむつ、尿とりパッドなど）など
着替えの衣類をいっしょに準備します（自己選択）。

（1）浴室での入浴介助

介助手順	留意点と根拠
①利用者に入浴の目的・内容を説明し、同意をえます。気分や体調を確認し、必要な物品を整えます。	①利用者の意向を確認し、自己決定を尊重します。これから行う介助の方法・手順を理解してもらいます。 介助内容を知ることで、利用者が安心・納得して行為を行うことにつながる。
②脱衣室・浴室の温度を調節します。	②24±2℃に調節します。 温度差をなくすことで、ヒートショックを予防する。また、利用者が寒さを感じないようにする。

115

③浴槽に湯をはります。

③38～41℃の湯をはります。
> 副交感神経が優位になる温度にすることで、血圧を高めずリラックスできるようにする。

④必要な補助具（バスボード、シャワーチェア、浴槽台、すべりどめマット、手すりなど）を準備します。

④安全と自立に配慮した環境を整えます。

⑤利用者を脱衣室に誘導します。必要に応じて介助します。

⑤利用者の移動能力に応じた方法で、安全を確保します。

⑥脱衣室でいすに座って服を脱いでもらいます。必要に応じて介助します。

⑥関節可動域に制限がある場合、制限の少ない側から脱衣します（脱健着患）。

⑦タオルで陰部を隠します。

⑦羞恥心に配慮します。
> プライバシーの保護は、利用者の人格を尊重することにつながる。

⑧浴室に移動します。必要に応じて介助します。

⑧動線上に手すり等がない場合は、介助者が杖や手すりのかわりをします。プライバシーを守り、利用者のリズムで移動します。
・介助する場合は、利用者が立ったときの重心の近く、腸骨を把持します。

⑨シャワーチェアを温めてから座ってもらい、シャワーの湯温を確認します。介助

⑨やけどを防ぐため、湯温の確認は必ず介助者が先にします。その後、利用者が健側の手で

第2節　自立に向けた入浴・清潔保持の介護

者が確認したあとに利用者の手（健側）で確認し、心臓に遠い足もとから湯をかけます。

確認します。

・介助者はシャワーヘッドに指をかけ、温度変化をすぐに察知できるようにします。

・湯をかけるときは声をかけてからかけるようにします。

> 心臓から遠い部位から湯をかけることで、温熱刺激を最小にする。

⑩髪を洗います。

・シャンプーを十分に泡立ててから洗い、十分にすすぎます。

・シャワーを使うときにはそのつど温度を確認します。

・前傾姿勢をとらないほうがよい場合、顔を濡らしたくない場合は、利用者に確認してシャンプーハットを使用します。

⑩きれいにした部分が汚れないように、通常は頭→からだの順に洗います。

※ただし、洗う順番は利用者の好みを尊重します。

・泡で汚れを浮かせます。泡立てることで髪と髪がこすれあってキューティクル（毛小皮。毛髪の表面をおおっている部分で、毛髪の栄養を保持したり汚れがつくのを防いでいる）が傷むのを避けます。

・前傾姿勢は胸郭をせばめ、呼吸がしにくくなります。

息を吸う	息を吐く
胸郭が広がる	胸郭がせばまる
横隔膜が収縮する（下がる）	横隔膜がゆるむ（上がる）

⑪からだを洗います。

・石けんを十分に泡立ててから洗います。

・利用者が陰部を洗うとき、介助者は後ろに立ち、プライバシーを守りながら、姿勢がくずれないように見守ります。

・背中は、用具を使い自分で洗う場合と、介助者が洗う場合があります。

・足は、必要に応じて介助者が洗います。

・からだと床の泡をきれいに流してから、浴槽に移動します。

⑪洗う順番は、利用者の生活習慣にあわせ、自己選択・自己決定を尊重します。

・プライバシーを守り、安全を確保します。

・洗う強さは本人の好みにあわせます。

・足を洗うときは体幹がくずれやすいため、心身の状態に応じた介助方法を選択します。

・すべって転倒しないように、また、浴槽の湯を汚さないように、泡をきれいに流します。

第3章　自立に向けた入浴・清潔保持の介護

⑫シャワーチェアから立ち上がるときに、状態に応じて介助します。

⑬浴槽の湯温を確認します。介助者がかき混ぜてから利用者に確認してもらいます。

⑭浴槽に入ります。
・心肺への影響を避けるためなど、半身浴にする場合は、浴槽台を使用するか、湯の量を減らします。

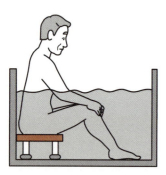

・浴槽内では、座位姿勢が安定していることを確認します。

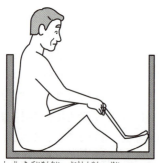

支持基底面内に重心線が入っている

・入浴中も湯をかき混ぜ湯温を確認して、利用者の好みを尊重し、適温にします。

⑫バランスがくずれないように気をつけます。
・足がすべらずに、利用者の「できる機能」を十分に発揮できるように準備します。

⑬浴槽内の湯温は上下で違うので、介助者がよくかき混ぜながら確認します。
・利用者に温度を確認してもらうときは、湯桶にくみとって確認してもらいます。利用者の体幹がくずれないので安全です。

⑭手すりまたは、バスボードやシャワーチェアから浴槽に入ります。
・麻痺がある場合は、姿勢が安定していることを確認してから、健側の足を入れます。浮力がはたらくため、健側の足底がしっかりついていることを確認してから、患側の足を入れます。
・患側の足は、健側上肢を使って利用者に入れてもらいます。必要に応じて介助します。
・半身浴で肩が寒いときはタオルをかけるなどして保温します。

半身浴にすることで心肺に戻る血流量を制限し、心肺にかかる負荷を減らす。

・支持基底面に重心線が入っていると安定します。
・足が浴槽の壁に届かない場合でも、足台を使用したり、浴槽の底をすべりどめの材質にしたり、すべりどめマットを設置したりすることで姿勢を保てます。
・長く入ると疲れるため、湯に浸かる時間は個人の状態によって考慮します。

浴槽内は温熱作用、浮力作用により、緊張をやわらげる。

・湯よりも、身体が冷たいので、入浴中に湯温が下がります。湯を入れ適温に保ちます。

第2節　自立に向けた入浴・清潔保持の介護

⑮浴槽から出ます。
・浴槽の壁面にそってお尻を上げると壁面のすべりと浮力を利用できます。

⑯上がり湯をかけ、からだの水分をふきとってから脱衣室に移動します。

⑰足の下と、いすの座面にタオルを敷いて座り、バスタオルで水分をふきとります。
・足の指の間をきれいに乾かします。

⑱必要に応じて保湿剤を塗布します（全身または部分）。

⑲新しい下着、衣服に着替えます。

⑳ドライヤーで髪を乾かします。
・ヘアスタイルを整えながら、乾かします。

⑮手すりまたは、バスボードやシャワーチェアを使って浴槽から出ます。浴槽から出るときは、ゆっくりと立ち上がります。

> 温熱効果により体表面の血管が拡張する。急な立ち上がりで、起立性低血圧を起こすことがあるため、ゆっくり立ち上がる。

・介助者は支持基底面を広くとり、安定した姿勢で支持します。

⑯体温をうばわれるときの冷感や、水滴が床を濡らすことによる転倒のリスクを予防します。

⑰いすにタオルを敷くなど、事前に準備しておくことで、体幹をくずさずに水分をふきとることができます。
・からだに水分が残っていると、蒸発するときに体温がうばわれ、皮膚も乾燥します。

⑱保湿剤は、水分をふきとり皮膚が湿っているうちに塗布します。

> 保湿剤を塗ることで、入浴により皮脂膜が失われ、乾燥するのを防ぐ。

⑳頭皮に熱風が当たらないように、介助者の手をかざします。

第3章　自立に向けた入浴・清潔保持の介護

119

㉑脱衣室または部屋で水分を摂取します。

㉒物品の後片づけをします。

㉓記録します。

㉑入浴後は、水分をとって休息します。

㉒すべての物品、排水溝を洗って乾かします。

　感染予防、事故防止のため。

・介助者も水分を補給することで、集中力低下や疲労など、介助者が要因となるリスクを減らします。

㉓状態や状況を記録します。

（2）胃ろうや腸ろうカテーテルを挿入している場合

　胃ろうや腸ろうカテーテルを挿入している場合も、入浴することができます。入浴介助は、看護職と連携して実施します。まず、挿入部の周囲を湯と石けんで洗います。こすると皮膚を傷めるため、やさしく洗います。石けんが皮膚に残っていると皮膚を傷めるため、石けんの成分をきれいに洗い流してから、タオルで押さえぶきして水分を取り除き乾燥させます。

（3）膀胱留置カテーテルを挿入している場合

　感染予防のために、カテーテルと蓄尿バッグははずさずに入浴します。蓄尿バッグ内の尿を廃棄し、ビニール袋で包むなどしてバッグが濡れないように注意します。蓄尿バッグを膀胱よりも低い位置に置きます。浴槽の外に出すとき床につかないようにします。一時的でも膀胱より高い位置になるときは、逆流防止のクランプをします。

（4）気管切開をしている場合

　看護師が入浴前に痰の吸引をすませておきます。
　気管孔の周囲が濡れないようにします。タオル巻くなど保護して、気管孔に湯が入らない

第 2 節　自立に向けた入浴・清潔保持の介護

ように気をつけて洗います。

（5）ストーマをつけている場合

　からだが温まるとストーマからの排泄量が急に増えることがあるため、入浴前に必ず排泄の処理をすませておきます。

　浸透圧の関係で、湯が体内に入ることはありません。そのため、装具をつけたままでも、はずしても浴槽に入ることができます。

　入浴後は装具が濡れているのでタオルでしっかり水分をふきとり、腹部のストーマ袋と皮膚が接触している部分の湿り気がとれるまで、タオルなどをあてておきます。

3　特殊浴槽（機械浴）を使用しての入浴

　座位姿勢をとれない人は、入浴用のストレッチャーを使用し、臥位姿勢で入浴します。機械浴ではブレーキなど足で機械操作をするので、介助者は入浴用サンダルをはき、足のけがを防ぎます。介助者は2人で介助します。

　事前に特殊浴槽の取扱説明をよく読み、機械操作を熟知しておくことが必要です。利用者が入浴中に電源が落ちたときの対応方法など、定期的に訓練をしておきます。

　特殊浴槽はストレッチャーと浴槽を連結するときや浴槽に移るときに音や振動があります。利用者は仰臥位のため、まわりの様子が見えません。様子が見えないのに振動だけが伝わるのは怖いことです。行為の前には必ず声をかけ、静かに操作します。

＜必要物品＞

　フェイスタオル2枚、洗身用具（ウォッシュクロス、浴用手袋、スポンジなど）、バスタオル1〜2枚、シャンプー、リンス、石けん、ヘアブラシ、ドライヤー、湯温計、着替えの衣類（上着、下着、おむつ、尿とりパッドなど）など

　着替えの衣類をいっしょに準備します（自己選択）。

介助手順	留意点と根拠
①利用者に入浴の目的・内容を説明し、同意をえます。気分や体調を確認し、必要な物品を整えます。	①利用者の意向を確認し、自己決定を尊重します。これから行う介助の方法・手順を理解してもらいます。 介助内容を知ることで、利用者が安心・納得して行為を行うことにつながる。
②脱衣室・浴室の温度を調節します。	②24±2℃に調節します。

温度差をなくすことでヒートショックを予防する。また、利用者が寒さを感じないようにする。

③浴槽に湯をはります。

③38〜41℃の湯をはります。

副交感神経が優位になる温度にすることで、血圧を高めずリラックスできるようにする。

④利用者を脱衣室に誘導します。
・排泄をすませてもらいます。

④利用者の移動能力に応じて介助します。

温熱効果、水圧効果で排泄しやすくなるため、事前に排泄をすませておく。

⑤車いすまたはストレッチャーの上で脱衣介助をします。
・動かないように確実にブレーキをかけます。

⑤不要な露出を避け、プライバシーを守ります。

プライバシーの保護は、利用者の人格を尊重することにつながる。

⑥仰臥位でストレッチャーに乗り、タオルで胸・陰部を隠します。

⑥女性は胸と陰部、男性は陰部を隠します。

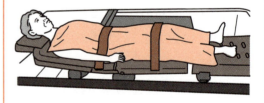

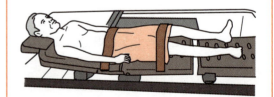

⑦髪を洗います。
・シャンプーを十分に泡立ててから洗い、十分にすすぎます。
・シャワーの温度は先に介助者が確認し、利用者本人にも気持ちよい温度かどうか確認します。

⑦洗う順番や湯温は本人の好みに合わせます。
・湯が顔にかかったり耳に入らないように、額から後ろに向けて湯を流します。

第2節 自立に向けた入浴・清潔保持の介護

⑧シャワーをからだにかけます。介助者が湯温を確認したあとに利用者の手（健側）で確認し、心臓に遠い足もとから湯をかけます。

⑨石けんを十分に泡立ててから、からだを洗います。
・背部を洗うときは健側を下に側臥位にします。
・陰部が露出しないように配慮します。
・からだを洗うときに皮膚など全身を観察します。

⑩泡を洗い流してから浴槽に入ります。このとき、からだが浮かないように固定ベルトをします。

⑪湯に浸かる時間は個人の状態によって考慮します。
・浴槽には温度が表示されますが、湯をかきまぜて温度を確認します。本人に気持ちよいかどうかを聞いて、温度が低いときは湯を入れ適温にします。

⑧介助者はシャワーヘッドに指をかけ、温度変化をすぐに察知できるようにします。
・湯をかけるときは声をかけてからかけるようにします。

⑨泡で汚れを浮かせます。
・介助者の1人はからだを支え、1人は洗います。
・介助者は視線に気をつけ、プライバシーを守ります。
・衣服を着ていると気づけない変色や皮膚の損傷などに気づき、早期発見・対応につなげられます。

⑩羞恥心に配慮して胸と陰部をバスタオルでおおってベルトをします。

⑪時間が長いと疲労します。
・体温は湯温より低いので、浴槽に浸かると湯の温度が下がります。
・湯温を一定に保つと、浴槽に浸かる時間が短くても十分に温まります。
・手が拘縮している場合は、肘関節、手関節の順に屈曲すると、にぎった手が少しゆるみます。ゆるんだ親指側から開いて洗います。

⑫浴槽から上がり、ストレッチャーに移ります。
・からだの水分をふきとってから脱衣室に移動します。
・バスタオルで水分をふきとります。
・足の指の間もきれいに乾かします。

浴槽内は温熱作用、浮力作用により、拘縮した手がゆるみやすくなるため、関節を屈曲させ、緊張をやわらげる。

⑫羞恥心に配慮します。
・からだに水分が残っていると、蒸発するときに体温がうばわれ、皮膚も乾燥します。

⑬「 **2** 個浴での介助方法⑱～㉓」に準じます。
・保湿剤の塗布、新しい下着・衣服の着替え、ドライヤーで髪を乾かす、水分摂取、物品の後片づけ、記録をします。

⑬保湿剤は、水分をふきとり皮膚が湿っているうちに塗布します。

保湿剤を塗ることで、入浴により皮脂膜が失われ、乾燥するのを防ぐ。

⑭最後の入浴者のあとで、浴槽、ストレッチャーすべてのパーツをはずして、隅々まできれいに洗い、乾かします。排水溝もきれいに洗います。

⑭機器の不具合がないかも確認します。
清潔の保持、感染予防、事故防止のため。

4　いすでのリフト浴

　歩行ができず、体幹保持が不安定でも、座位姿勢が保持できるならいすに座ってのリフト浴が可能です。

<必要物品>
　フェイスタオル2枚、洗身用具（ウォッシュクロス、浴用手袋、スポンジなど）、バスタオル1～2枚、洗面器、シャンプー、リンス、石けん、ヘアブラシ、ドライヤー、湯温計、シャンプーハット（必要に応じて）、着替えの衣類（上着、下着、おむつ、尿とりパッドなど）など
　着替えの衣類をいっしょに準備します（自己選択）。

第2節　自立に向けた入浴・清潔保持の介護

介助手順	留意点と根拠
①利用者に入浴の目的・内容を説明し、同意をえます。気分や体調を確認し、必要な物品を整えます。	①利用者の意向を確認し、自己決定を尊重します。これから行う介助の方法・手順を理解してもらいます。 介助内容を知ることで、利用者が安心・納得して行為を行うことにつながる。
②脱衣室・浴室の温度を調節します。	②24±2℃に調節します。 温度差をなくすことで、ヒートショックを予防する。また、利用者が寒さを感じないようにする。
③浴槽に湯をはります。	③38〜41℃の湯をはります。 ・湯に入るときは好みの温度に設定しておきます。しかし、いすと利用者が浴槽に入ることで、湯温は下がるため、適温に調整します。
④利用者を脱衣室に誘導します。 ・排泄をすませてもらいます。	④利用者の移動能力に応じた方法で安全を確保します。
⑤脱衣室で服を脱ぎ、入浴用車いすに座ってもらいます。	⑤関節可動域に制限がある場合、制限の少ない側から脱衣します（脱健着患）。
⑥タオルで陰部を隠し、安全ベルトをします。	⑥羞恥心に配慮します。 プライバシーの保護は、利用者の人格を尊重することにつながる。
⑦浴室に移動します。	
⑧シャワーの温度を確認します。介助者が確認したあとに利用者の手（健側）で確認し、心臓に遠い足もとから湯をかけます。	⑧やけどを防ぐため、湯温の確認は必ず介助者が先にします。 心臓から遠い部位から湯をかけることで、温熱刺激を最小にする。

第3章　自立に向けた入浴・清潔保持の介護

125

・介助者はシャワーヘッドに指をかけ、温度変化をすぐに察知できるようにします。

・湯をかけるときは声をかけてからかけるようにします。

⑨髪を洗います。

・シャンプーを十分に泡立ててから洗い、十分にすすぎます。

・シャワーを使うときにはそのつど温度を確認します。

・顔を濡らしたくない場合は、利用者に確認してシャンプーハットを使用します。

⑨きれいにした部分が汚れないように、通常は頭→からだの順に洗います。ただし、洗う順番は利用者の好みを尊重します。

・泡立てることで、髪と髪がこすれあってキューティクルが傷むのを避けます。

⑩からだを洗います。

・石けんを十分に泡立ててから洗います。

・利用者が陰部を洗うとき、介助者は後ろに立ち、プライバシーを守りながら、姿勢がくずれないように見守ります。

・からだと床の泡をきれいに流してから、浴槽に移動します。

⑩洗う順番は、利用者の生活習慣にあわせ、自己選択・自己決定を尊重します。

・洗う強さは本人の好みにあわせます。

・羞恥心への配慮が、利用者の尊重、尊厳を守ることにつながります。

・浴槽の湯を汚さないため、石けんをきれいに流します。

床の泡を洗い流し、転倒の防止をはかる。

⑪浴槽の湯温を確認します。介助者がかき混ぜてから利用者に確認してもらいます。

⑪浴槽内の湯温は上下で違います。湯桶ですくい、確認してもらうと、利用者の体幹がくずれません。

⑫車いすのブレーキをかけ、浴槽に連結します。あるいは浴槽のリフトいすに移乗します。

⑬浴槽に入り、湯に浸かります。いすを下げるとき足を巻きこまないように気をつけます。

・寒いときは、肩にタオルをかけ、湯をかけながら入ります。

・手が拘縮している場合は、肘関節、手関

⑬長く入ると疲れるため、湯に浸かる時間は個人の状態によって考慮します。

・体温は湯温よりも低いので、湯に浸かると湯温が下がります。湯をかきまぜて温度を確認し、湯を加えて適温にします。

・湯温を一定に保つと、長く入らなくてもから

節の順に屈曲するとにぎった手が少しゆるみます。ゆるんだ親指側から開いて洗います。	だが温まります。入浴後の活動にも、影響を及ぼします。適温を保つと、入浴の気持ちよさ、満足感が高まります。
⑭浴槽から出ます。	⑭浴槽から出るとき、足が浴槽の縁にぶつからないように気をつけます。
⑮からだの水分をふきとってから脱衣室に移動します。	⑮体温をうばわれるときの冷感や、水滴が床を濡らすことによる転倒のリスクを予防します。
⑯足の下、いす（または車いす）の座面にタオルを敷いて座り、バスタオルで水分をふきとります。 ・足の指の間をきれいに乾かします。	⑯いすにタオルを敷くなど、事前に準備しておくことで、体幹をくずさずに水分をふきとることができます。 ・からだに水分が残っていると、蒸発するときに体温がうばわれ、皮膚も乾燥します。
⑰「**2** 個浴での介助方法⑱〜㉓」に準じます。 ・保湿剤の塗布、新しい下着・衣服の着替え、ドライヤーで髪を乾かす、水分摂取、物品の後片づけ、記録をします。	⑰保湿剤は、水分をふきとり皮膚が湿っているうちに塗布します。 保湿剤を塗ることで、入浴により皮脂膜が失われ、乾燥するのを防ぐ。

5 シャワー浴

浴槽に入らずに清潔にするためや、簡単に皮膚の汚れを取り除く方法として用います。入浴に比べると体力の消耗が少なくてすみます。また、浴室内の移動、浴槽への出入りがないので、転倒のリスクも少なくなります。

最初にシャワー浴の目的の説明をし、同意をえます。その後も気分や体調の確認、意向の確認、行為の説明をし、同意をえながら進めます。
① 準備や手順は入浴に準じます。
② 両足がゆったり入る大きさの桶などを使い、足浴をしながら行うとあたたかさを保てます。シャワーヘッドに介助者の手指をかけて、温度変化をすぐに察知、対応できるようにします。

3 清潔保持の介助

介助のポイント

① 利用者の希望・意向を尊重する
　・認識しやすい位置から、わかりやすい言葉と表情で説明をして、同意をえる
② 健康状態の把握を行い、状態にあった方法で介助する
③ 利用者の心身機能の維持・向上を可能にする清潔保持の環境（設備、福祉用具、プライバシーの保護、介助者の技術など）を整える
④ 利用者の安全・安楽を守る
⑤ 姿勢の安定を確保してから介助する
　・支持基底面が広くとれていて、そのなかに重心線が入っている
　・基本の座位姿勢、臥位姿勢がとれている（体幹がくずれていない）

　入浴やシャワー浴以外の清潔にする方法として、温タオルでからだをふく清拭があります。また、清拭とあわせて熱布清拭を用いると、入浴でえられるような温熱効果をえることができ、利用者の満足感も高まります。
　清拭の効果には、以下のものがあげられます。
① 体力の消耗を最小におさえてからだを清潔にできる
　体力に応じて、一度に全身の清拭をしたり、何度かに分けて部分清拭を実施することができます。
② 皮膚をふいて摩擦することで末梢血管を刺激し、血液循環を促進する
　上下肢をふくときは関節を保持し、筋肉の走行にそって、末梢から中枢に向かいふきます。
③ 温熱効果により爽快感がある
　ふくときは清拭タオルを利用者の皮膚から離さないようにします。離れるとタオルの表面温度が下がり、冷気が不快に感じられるためです。
④ 全身の皮膚観察ができる
　プライバシーを守り、羞恥心に配慮して行います。

1 全身清拭

　全身清拭をする場合は、事前に排泄をすませておきます。また、消化吸収を優先させるため、食後１時間以内の清拭は避けます。

第2節　自立に向けた入浴・清潔保持の介護

＜必要物品＞

　湯を入れたバケツ（湯温は50〜55℃程度、または70℃の湯と水）、湯温計、手桶、石けん、空のバケツ（冷めた湯や汚水を入れる）と新聞紙（床濡れ防止のためにバケツの下に敷く）、洗面器1〜2個（洗浄用とふきとり用、ふきとりが必要ない場合は1個）、洗身用具（ウォッシュクロス、スポンジなど）、タオルケット、フェイスタオル（からだを洗う、水分をふきとるため）、バスタオル（保温、水分をふきとるため）、使い捨て手袋（陰部、殿部の清拭用）、希望により化粧水、乳液など

介助手順	留意点と根拠
①利用者に清拭の目的・内容を説明し、同意をえます。	①利用者の意向を確認し、自己決定を尊重します。これから行う介助の方法・手順を理解してもらいます。 介助内容を知ることで、利用者が安心・納得して行為を行うことにつながる。
②体温、血圧、全身の状態を確認します。	
③必要物品の準備をします。	
④室温が24±2℃であること、すきま風がないことを確認します。	④湯に浸からないので、寒く感じないように配慮します。
⑤カーテンやスクリーンを用い、まわりから見えないようにします。	⑤プライバシーを保護します。
⑥ベッドが動かないようにストッパーの確認をします。	⑥安全のため、ストッパーは確実に止めます。
⑦ベッドの高さを調整します。	⑦利用者が転落しないよう配慮しながら、必要に応じてベッドの高さを調整します。 ベッドの高さを調整することで、介助者の腰にかかる負担が減り、力を入れやすくなる。
⑧掛け布団をタオルケットにかけかえま	⑧寒くないようにタオルケットを広げながら掛

第3章　自立に向けた入浴・清潔保持の介護

129

す。

⑨洗面器に、湯を3分の1～2分の1程度入れます。
・タオルは湯に浸してかたくしぼって使います。顔は湯でふきますが、汚れ具合や本人の希望で石けんを使用します。
・すすぎがいらない沐浴剤を使用する場合は、適量入れます。

⑩最初に目のまわりをふきます。
・フェイスタオルをVの形に折り、かけます。

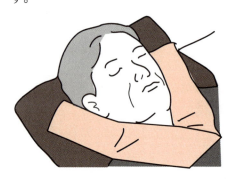

・ウォッシュクロスを湯に浸してかたくしぼり、人差し指に巻きつけ、余分なタオルを手のひらに収めます。

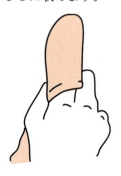

・ふくときに顔が動かないように、介助者

け布団をはずします。

不要な露出を避けるとともに保温する。

⑨利用者の好み、生活習慣を尊重します。
・湯が少ないとすぐに冷めます。湯温が下がったら湯を足し50～55℃に保ちます。
・やけどをしないよう、タオルはかたくしぼります。
・すすぎがいらない沐浴剤や、水を使わない泡の石けんは、蒸しタオルでふくだけでよいので、体力の消耗を最小限におさえたいとき、簡単に汚れを取り除きたいときに便利です。

⑩目は顔のどの部分よりも感染を受けやすいため、最初にふきます。

フェイスタオルをかけるのは、寝具を濡らさないため、顔をふいたあとすぐに水分をふきとるため。

・タオルがひらひらと顔に触れると冷感が不快です。

・目をふくときは清潔にしたところを汚さな

の手を頭部に軽くあて、介助者から遠いほうの目の目頭から目尻にかけてやさしくふきます。

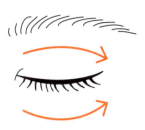

・タオルの面をかえて近いほうの目を同じようにふきます。眼脂がついていたら、先に取り除きます。

⑪顔をふきます。
・タオルを手のひらに収まる程度の大きさにたたみ、タオルの面をかえながらふきます。
　①額→頬→顎の順に、介助者から遠い側から半分ずつふきます。
　②眉間・鼻筋→小鼻→鼻の下→口の周囲をふきます。
　③耳介全体と耳介の後ろをふきます。
　④首を横に向けて、首の前、横、後ろをふきます。
・ふき終わったら乾いたタオルを押しあて水分をふきとります。
・必要時、化粧水やクリームをつけます。

⑫露出しないように衣服を脱がせ、バスタオルをかけます。
・清拭する部位ごとに脱ぐ方法と、先に全

ために、必ず介助者から遠いほうの目からふきます。
・頭に振動を与えないように固定します。

> 感染を予防するため、タオルの同じ面は使用しない。

・眼脂は目頭から鼻のほうに向けて取ります。

⑪タオルが冷めないように手のひらに収まる大きさにします。

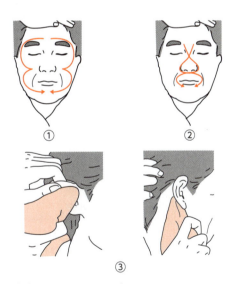

・皮膚をこすらずに、押さえぶきをします。
・本人の好み、生活習慣を尊重します。

⑫不要な露出を避けるとともに保温します。
・清拭する部位ごとに脱ぐか全部脱ぐかは利用者の状況、状態で判断します。

部脱ぐ方法があります。
・露出しないように、タオルケットの上にバスタオルを広げ、タオルケットをずらしてバスタオルでくるみます。

タオルケット　　バスタオル

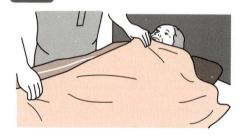

⑬両上肢、腋窩をふきます。
・介助者から遠い腕から、手指→前腕→上腕→肩→腋窩の順にふきます。
・手指、肘は汚れやすい部位なので関節を伸ばしてていねいにふきます。
・湯につけ泡立てた洗身用具（ウォッシュクロス、スポンジなど）でバスタオルをはずしてふきます。
・石けんをふきとったら、バスタオルで押さえぶきをして水分を取り除きます。バスタオルを取り除きタオルケットをかけます。

■ふく順番
①両上肢・腋窩
②胸部
③腹部
④両下肢（下腿→膝関節→大腿）
⑤足部
⑥背部・腰部
⑦殿部
⑧陰部

⑬腋窩は発汗も多く、アポクリン腺が分布します。ていねいにふきます。
・タオルの温度がちょうどよいか確認しながら進めます。
・肘窩は横にふきます。肘頭は丸く円を描くようにふきます。
・ふきとり用のフェイスタオルで3回ふきとると、石けんを十分にふきとれます。強くこすらないように気をつけます。
・皮膚が濡れると寒く感じるのでふいたらすぐバスタオルでおおい、押さえぶきします。ふきとりがいらない場合は、そのままバスタオルで押さえぶきして水分を取り除きます。
・皮膚をこすらないで、押さえぶきします。

⑭胸部をふきます。
- 胸にバスタオルをかけてから、バスタオルの下のタオルケットをひだ状に折りたたみ腹部まで下げます。バスタオルを首までたくし上げて胸部を出してふきます。
- 洗浄、ふきとりが終わったらバスタオルで胸部をおおい、押さえぶきして余分な水分を取り除きます。

⑮腹部をふきます。
- バスタオルの下でタオルケットを恥骨のあたりまで、ひだ状に折りたたみ下げます。
- ふき終えたらタオルケットを首もとまで引き上げます。

⑯両下肢をふきます。
- 上肢と同じように介助者から遠い足からふきます。
- タオルケットの上にバスタオルを広げ、タオルケットをずらして、バスタオルで利用者の足をくるみます。
- ふくほうの足のバスタオルをはずし、膝を立てて、下腿→膝関節→大腿の順にふきます。
- 膝頭は渦巻きのようにふきます。

⑭①乳房は円を描くように、②側胸部は肋骨にそって、③脇から胸骨に向かいふきます。

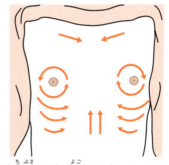

- 女性は乳房の下が汚れやすいのでていねいにふきます。

⑮「の」の字を書くように、大腸の走行にそってふいてから、側腹部もふきます。

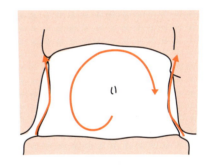

- タオルケットを首もとまで引き上げるとき、バスタオルはとります。そして、足をふくときにもう一度広げます。

⑯汚れやすい膝の裏をていねいにふきます。

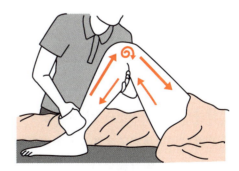

■ 浮腫がある場合

・浮腫のある皮膚は循環障害のため、皮膚温が低下、弾力性にとぼしく乾燥しています。皮膚が薄く、傷つきやすいため、こすらずに、泡でやさしく洗い、ふきとります。

⑰ 足部をふきます。

・バスタオルを足の下に敷き、タオルケットをずらして、バスタオルで足をくるみます。

・介助者から遠い足から、バスタオルをはずし、かかとを支え、足指→足指の間→足背→足底→かかとの順にふきます。

⑱ 背部、腰部をふきます。

・利用者を健側を下にして側臥位にします。

・ベッドにバスタオルを置き、タオルケットをずらしながらバスタオルにかけ替えます。

・からだの下にバスタオルの端を入れこみます。

・かけたバスタオルを下ろして、背中を出し脊柱にそって下から上にふきます。

・ふき終わったらバスタオルで余分な水分を取り除き、腰背部をバスタオルでおおいます。

⑱

・腰部をふくとき、殿部、下肢が露出しないようにバスタオルをかけておきます。

⑲殿部をふきます（手袋をします）。
・バスタオルを下ろして、殿部を内側から外側に向け円を描くようにふきます。
・バスタオルで余分な水分を取り除いてから、バスタオルをからだの下に敷いたまま利用者を仰臥位にします。

⑳陰部をふきます。
・両下肢を広げて陰部が見えやすいようにします。
・両方の下肢をバスタオルでくるみます。
・泡立てたタオルで、恥骨部→鼠径部→陰部→肛門（前から後ろに向けてふく）の順にふきます。汚れがひどい場合は洗浄をします。

⑲感染予防のため手袋をつけます。
・言葉づかいに気をつけ、羞恥心に配慮します。

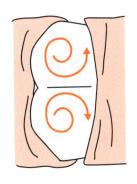

⑳男性の場合は、陰茎→陰茎の裏→睾丸→陰茎・睾丸の周囲の順にふきます。
・女性の場合は、前から後ろに向けてタオルの面をかえながらふきます。
　①外尿道口→膣口→小陰唇の内側を会陰に向かってふきます。
　②左右大陰唇を会陰に向かってふきます。
　③会陰から肛門に向かってふきます。

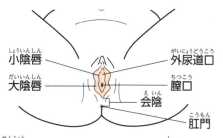

・洗浄する場合は、平型おむつを敷くか、差しこみ便器を使用します。
・陰部は皮膚・粘膜が薄くやわらかいので、力が入らないように、こすらないで、やさしくふきます。
・両下肢を広げるとき、羞恥心に配慮して「足を開いて」などの言葉は使いません。股関節を外側に回すようにして足を置き、見えやすくします。

■ 膀胱留置カテーテルを使用している場合
・清拭のときに固定部や挿入部の皮膚の状態を観察します。発赤などがあれば、看護師が固定の位置をずらします。

㉑新しい下着、寝間着に着替えます。よじれや背中のしわがないように整え、着心地、寝心地を確認し、終了します。

㉒もとの状態に戻します。
・タオルケットから掛け布団に戻します。
・利用者の靴、ベッドの高さをもとに戻します。
・疲労していないかを確認し、必要に応じて水分を摂取してもらいます。
・ベッド周囲を整え、床が濡れていないことを確認します。

㉓使用した物品を洗い、もとに戻します。

㉔記録します。

㉑着衣時も保温とプライバシーを守り、不要な露出を避けます。

㉔状態や状況を記録します。

2 部分清拭

一度に全身清拭を行う体力がない場合、部分的に汚れを取り除きたい場合などに部分清拭を行います。
発汗時は、発汗の多い腋窩や首・首の後ろなどを清拭するだけでも気分がよくなります。準備、ふき方は全身清拭と同じです。プライバシーを守り、保温、羞恥心に配慮して行います。

3 陰部洗浄

陰部・肛門部は排泄物などにより汚れやすい部分です。また、肛門部の周囲は大腸菌などの細菌が付着しています。女性の場合は尿道口や膣口が肛門に近いので、感染症を起こしやすいです。清潔にする方法としては、入浴、シャワー浴、温水洗浄便座、ポータブルトイレに座っての洗浄、床上での洗浄があります。清潔にすると爽快感がありますが、仰臥位で足を開く姿勢ははずかしさをともないます。羞恥心への配慮が不足すると利用者は緊張感が高まり、不快感が高まります。介助者は言葉、視線、手技に十分気をつけ、利用者のプライバ

シー、尊厳を守ります。

女性の場合は介助者の片手で大陰唇をしっかり開き洗います。

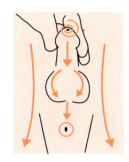 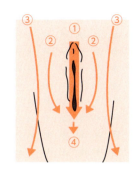

<必要物品>

タオルケット、バスタオル、防水シーツ、差しこみ便器（平型おむつを使用することもある）、フェイスタオル（腹部、両鼠径部にあてるため）、洗浄ボトル(38～41℃のぬるま湯)、陰部洗い用タオル(洗浄用、すすぎ用)、石けん、使い捨てエプロン、使い捨て手袋、必要に応じ汚物入れとしてビニール袋など

介助手順	留意点と根拠
①利用者に陰部洗浄の目的・内容を説明し、同意をえます。気分や体調を確認し、必要な物品を整えます。	①利用者の意向を確認し、自己決定を尊重します。これから行う介助の方法・手順を理解してもらいます。 介助内容を知ることで、利用者が安心・納得して行為を行うことにつながる。
②環境を整備します。方法は清拭の場合と同様です。	
③防水シーツを敷きます。介助者は手袋をつけます。	③ベッドマットを濡らさないように留意します。
④利用者が自分でできる場合はタオルケットをかけてもらってから下着を下ろします。 ・おむつを使用している場合はおむつをはずします。	④羞恥心に配慮し、自分でできることは自分でしてもらいます。

⑤便器をあてます。
・側臥位になってあてる方法と、腰を上げてあてる方法があります。
・平型おむつを敷く場合は側臥位になってもらい敷きます。

⑤便器の場合は肛門が便器の中心になるようにあてます。

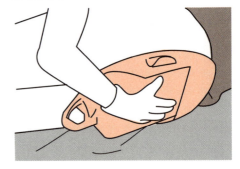

⑥両足を立てて、開き、陰部が見えやすい姿勢をとります。

⑥羞恥心に配慮します。

⑦タオルケットとバスタオルを用い、両下肢を包みます。

⑦不要な露出を避け、保温します。

⑧腹部、両鼠径部に横長に折ったフェイスタオルをあてます。

⑧かけた湯が腹部や腰背部に流れないようにするためです。

⑨洗浄ボトルの温度を確認します。

⑨湯を介助者の前腕にかけ温度を確認します。

⑩陰部に湯をかけます。湯温はちょうどよいか聞きます。

⑪石けんを泡立てて洗い、湯をかけて洗い流します。

⑪泡で汚れを浮かします。
・汚れがひどいときは不織布などで汚れを取り除きます。

⑫水分をふきとり、便器の湯がこぼれない

ように気をつけてはずします。	
⑬介助者の手袋をはずして、下着、おむつをつけて衣服を整えます。	
⑭物品を片づけ、記録します。	⑭状態や状況を記録します。

4 手浴

　手浴は、場所を選ばずにどこででも行うことができます。手浴の気持ちよさをきっかけに入浴につながることもあります。気持ちよさは意欲にもつながります。安眠の技法としても有効です。

<必要物品>
　洗面器、温度計、洗身用具（ウォッシュクロスなど）、防水シーツ、バスタオル（防水シーツの上に広げる）、手桶、かけ湯、石けん（清潔にするときに使用、温めるだけなら不要）、汚水用バケツ、新聞紙、保湿クリームなど

介助手順	留意点と根拠
①利用者に手浴の目的・内容を説明し、同意をえます。気分や体調を確認し、必要な物品を整えます。	①利用者の意向を確認し、自己決定を尊重します。これから行う介助の方法・手順を理解してもらいます。 介助内容を知ることで、利用者が安心・納得して行為を行うことにつながる。
②環境を整備します。方法は清拭の場合と同様です。 ・排泄をすませていることを確認します。	②室温を確認し、すきま風などがあたらないようにします。
③利用者に安楽な姿勢になってもらいます。 ・座位で行う場合、臥位で行う場合がありますが、いずれの姿勢の場合でも、腕や肩が上がらないようにします。肩より肘	③臥位の場合は、仰臥位で片手ずつ行うと安楽です。 ・上体を起こせるようであれば、ギャッチアップし、利用者の安楽な高さに合わせます。

が下、肘よりも手が下になる姿勢が安楽です。

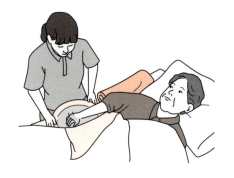

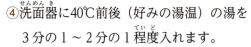

肘よりも手が上がると、上腕や肩に負荷がかかり、リラックスできない。

④洗面器に40℃前後（好みの湯温）の湯を3分の1～2分の1程度入れます。
・温度の確認は、利用者にしてもらいます。

⑤十分に温まってから、洗います。
・すすぎが必要なときは、手桶できれいな湯をかけて石けんを洗い流します。

⑥乾いたタオルで押さえぶきして水分をふきとります。
・指の間も十分に乾燥させます。

⑦保湿クリームをつけます。

⑧水分を摂取します。

⑨爪が伸びていたら切ります。肥厚した爪や巻爪などの場合は看護師が切ります。

⑩物品を片づけ、記録します。

④指先で温度を確認して、ちょうどよければ手首までつけて確認してもらいます。
・麻痺がある場合は健側の手で確認してもらいます。

⑤石けんを使用せず、保温だけを目的に行うこともあります。
・利用者が健側で行う場合は、何をどのようにするのかを、わかりやすく伝えます。

⑥患側の手は、健側を活用し利用者自身にふいてもらいます。

⑦湯は皮脂をうばうので保湿します。

⑧安眠が目的の場合は、刺激の少ない温かな飲み物をすすめます。

⑨手浴のあとは切りやすくなります。

⑩状態や状況を記録します。

第 2 節　自立に向けた入浴・清潔保持の介護

5　足浴

　足浴は入浴に近い効果（温熱、静水圧）をえることができます。安眠の技法としても用います。安定した姿勢で足浴ができるように、両足が重ならずに入る大きさの容器（たらいなど）を使います。ふくらはぎまでの深さの容器を用いると静水圧効果（p. 151参照）が高まります。

<必要物品>

　足浴用容器（たらいなど）、温度計、洗身用具（ウォッシュクロス、浴用手袋（必要に応じて）など）、防水シーツ、バスタオル2枚（保温用のものと防水シーツの上に広げるもの）、手桶、かけ湯、石けん（清潔にするときに使用、温めるだけなら不要）、汚水用バケツ、新聞紙、保湿クリーム、安楽枕（臥位時に使用）など

（1）座位での足浴

介助手順	留意点と根拠
①利用者に足浴の目的・内容を説明し、同意をえます。気分や体調を確認し、必要な物品を整えます。	①利用者の意向を確認し、自己決定を尊重します。これから行う介助の方法・手順を理解してもらいます。 介助内容を知ることで、利用者が安心・納得して行為を行うことにつながる。
②環境を整備します。方法は清拭の場合と同様です。 ・排泄をすませていることを確認します。	
③基本の座位姿勢（股関節、膝関節、足関節が90度）になってもらいます。	③背もたれのあるいすを使うと支持基底面が大きいので安楽です。 ・端座位で行う場合は、ベッドのサイドレールなどにつかまってもらい姿勢を安定させます。 ・車いすで行う場合は、車輪の内側に収まる長方形の容器を使用すると、姿勢も安定し、足もぶつからずゆったりと入れます。
④新聞紙の上に防水シーツやバスタオルを敷きます。	④新聞紙を敷くことで吸水性にも優れ、周囲が濡れるのを防ぎます。

141

⑤膝上まで衣服を上げ、バスタオルでくるみます。

⑥たらいに40℃前後の湯を入れます。湯の量は足首の上くらいの高さが目安です。

⑦足を入れて温めます。
・気温が低いときは、たらいをビニール袋に入れます。温めている間、ビニール袋の口を閉めておくと湯温が下がりにくくなります。

⑧かかとを支え、片方ずつ石けんで洗います。

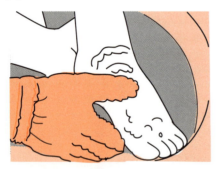

⑨足を湯から出します。
・かけ湯で泡を洗い流し、足をたらいの横に出して、バスタオルでくるみます。

⑤衣服を濡らさないためと保温のためです。

⑥湯温は利用者の好みを尊重します。利用者に健側の手で確認してもらってから、健側の足から入れます。

⑦ビニール袋の口が直接肌にあたると不快なので、足首をタオルなどでくるみ、直接触れないようにします。

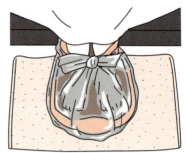

⑧汚れやすい足の裏、足指の間をていねいに洗います。
・指の間は浴用手袋を使用すると洗いやすいです。

⑨足を出すときに、たらいの湯がこぼれないように気をつけます。

142

第 2 節　自立に向けた入浴・清潔保持の介護

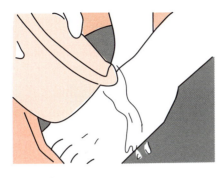

介助手順	留意点と根拠
・もう片方の足も出し、たらいをはずします。	
⑩水分を十分にふきとります。指の間もきれいにふきとります。必要であれば保湿クリームをつけます。	⑩足の指の間に湿り気を残さないようにします。
⑪爪が伸びていたら切ります。肥厚した爪や巻爪などの場合は看護師が切ります。	⑪足浴のあとは切りやすくなります。
⑫水分を摂取します。	
⑬物品を片づけ、記録します。	⑬状態や状況を記録します。

（2）臥位での足浴

介助手順	留意点と根拠
①〜②は「（1）座位での足浴」と同じです。	
③膝の上まで衣服を上げ、濡れる前の皮膚や爪の状態を確認しておきます。	③ 皮膚や爪は濡れると乾いているときの状態がわかりにくくなるため。
④防水シーツとバスタオルを敷き、利用者の膝を立てます。 ・ベッドはフラット〜15度にギャッチアッ	④膝の下に安楽枕を入れて、両膝をバスタオルでくるみ、安定させます。

第3章　自立に向けた入浴・清潔保持の介護

143

プします。

|防水シーツは、ベッドや寝巻を濡らさないために敷く。|

⑤たらいに40℃前後の湯を2分の1程度入れます。
・利用者に足で湯温を確認してもらいます。

⑤湯の量が多いとこぼれやすくなります。
・麻痺がある場合は、健側の足で湯温を確認してもらいます。

⑥足を入れて温めます。

・気温が低いときは、たらいをビニール袋に入れます。温めている間、ビニール袋の口を閉めておくと湯温が下がりにくくなります。

⑥足が冷たいときなどは、両足を入れると温度が下がります。足にかからないように湯を入れ適温にします。
・ビニール袋の口が直接肌にあたると不快なので、足首をタオルなどでくるみ、直接触れないようにします。

⑦足が温まったら、泡立てたタオルで足を洗います。

⑦汚れやすい足の裏、足指の間をていねいに洗います。
・指の間は浴用手袋を使用すると洗いやすいです。

⑧かかとを支え、足を湯から出して、かけ湯で石けんを洗い流します。

⑧かけ湯は少し高めの湯温にすると気持ちがよいです。

⑨足をたらいの横に出して、バスタオルでくるみます。もう片方も出し、たらいをはずします。

⑨足を出すときに、たらいの湯がこぼれないように気をつけます。
・足指の間の水分を十分にふきとります。

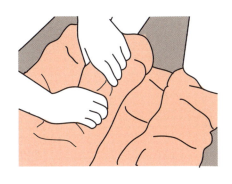

⑩水分を押さえぶきして取り除き、必要であれば保湿クリームをつけます。

⑪爪が伸びていたら切ります。肥厚した爪や巻爪などの場合は看護師が切ります。

⑪足浴のあとは切りやすくなります。

⑫水分を摂取します。

⑬ベッドの高さ、靴の位置を戻します。

⑬自分で乗り降りするとき、ベッドの高さや靴の位置がもとどおりに戻っていないと危険です。

⑭使用した物品を片づけ、記録します。

⑭状態や状況を記録します。

6 洗髪

浴室以外での洗髪方法には、床上でケリーパッドを使用したり、水がいらない泡タイプのドライシャンプーを使用する方法などがあります。

ほかにも、オイルシャンプーを使い頭皮の皮脂をふきとったり、蒸しタオルでふく方法などがあります。

＜必要物品＞

ケリーパッド、バケツ2個（かけ湯用、汚水用）、新聞紙（汚水バケツの下に敷く）、手桶、防水シーツ、バスタオル（防水シーツの上に敷く）、フェイスタオル数枚、ケープ（えりもとを濡らさないために用いるが、なければフェイスタオルで代用）、シャンプー・リンス、くしまたはブラシ、ドライヤー、クッションなど

介助手順	留意点と根拠
①利用者に洗髪の目的・内容を説明し、同意をえます。気分や体調を確認し、必要な物品を整えます。	①利用者の意向を確認し、自己決定を尊重します。これから行う介助の方法・手順を理解してもらいます。 介助内容を知ることで、利用者が安心・納得して行為を行うことにつながる。
②環境を整備します。方法は清拭の場合と同様です。 ・排泄をすませていることを確認します。	
③上体をベッドの手前端に、足は向こう側の端に斜めに移動します。	③スライディングシートや、マルチグローブを使用すると簡単で安楽に移動できます。
④枕をはずし、防水シーツとバスタオルを敷きます。	
⑤膝を軽く立てて膝の下にクッションを入れます。	⑤腹部の緊張をやわらげます。かかとは浮かせます。

第 2 節　自立に向けた入浴・清潔保持の介護

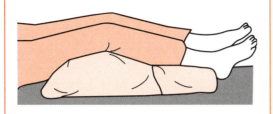

⑥首にタオル、あればケープを巻き、寝間着が濡れないようにします。

⑦ケリーパッドを頭の下に入れます。

⑧排水がバケツの中に入るように準備します。

⑨ブラシで髪をとかし、汚れを浮かします。

⑩髪に湯をかけ、シャンプーを泡立ててから指の腹で洗います。

⑩頭は重いので片手で支えながら洗います。
・振動しないように、やさしくていねいに洗います。
・シャンプー、リンスは利用者の好みのものを使用します。

147

⑪泡をタオルで取り除いてから、かけ湯で流します。 ・リンスをして流します。	⑪泡を取り除くと、すすぎやすくなります。
⑫ケープをはずし、バスタオルやフェイスタオルで頭を包み、ケリーパッドをはずします。	
⑬水分を十分にふきとります。耳もふきます。	
⑭ドライヤーで乾かします。	⑭ブラシでヘアスタイルを整えます。
⑮防水シーツやバスタオル、膝の下のクッションをはずします。	
⑯からだをベッドの中央に戻します。	⑯安楽な臥位姿勢に戻します。
⑰寝具、ベッドの高さ、靴をもとに戻します。	
⑱必要に応じて水分を摂取します。	
⑲物品を片づけ、記録します。	⑲状態や状況を記録します。

7 その他

① 　口腔の清潔は、摂食、コミュニケーション、全身の健康に大きく影響します。口腔ケアの目的、清潔の技法については、第1章第2節「自立に向けた身じたくの介護」を参照してください。

② 　衣服はからだから排泄される汗、皮脂、皮膚の落屑などを吸収して汚れます。入浴等で汚れを除去したあとは、清潔な衣服を着ます。衣服の着脱については、第1章第2節「自立に向けた身じたくの介護」を参照してください。

第2節 自立に向けた入浴・清潔保持の介護

③ 寝具は汗や皮脂で汚れます。一晩でおよそコップ1杯の水分が寝具に吸収されています。清潔で乾燥した寝具を使用します。ベッドで過ごす時間が多い場合は、汗や皮脂以外の汚れもつきます。定期的な交換のほかに汚れたときに適宜交換して清潔を保持します。ベッドメイキングについては、第5章第2節「休息・睡眠の介護」を参照してください。

④ 手指の清潔は介護福祉職として、感染予防の観点からも重要です。仕事に入る前、外出後、介護行為の前後、汚れたときに手洗いをして清潔を保持します。手洗いについては、□絵を参照してください。

4 入浴・清潔保持のための道具・用具

1 姿勢保持・自立支援

1 シャワーチェア

背もたれなし、背もたれあり、背もたれ・肘かけがあるもの、折りたためるものなどがあります。

利用者の下腿長に高さを調整して使用すると座位姿勢が安定します。陰部や肛門が洗いやすいように座面が開いているシャワーチェアもありますが、利用者の体格にあっていなければ利用者の姿勢は安定しません。座位が安定すると、自分で洗髪・洗身することが容易になります。

いすの脚の支持基底面（横幅、奥行き）にも違いがあります。入浴前に、衣服を着たままで座り、心地や姿勢、利用者の体格にあっているかを確認しておきます。

2 安全な移動・移乗用具

1 シャワーキャリー

キャスターが小さい場合は、小まわりがききますが、フットサポートの位置が低いため、足先が前に出て床につかないように気をつけます。

2 浴槽用簡易手すり

浴槽からの立ち上がりや、浴槽内の姿勢保持などに使用します。簡単に脱着できる手すりです。

第3章 自立に向けた入浴・清潔保持の介護

149

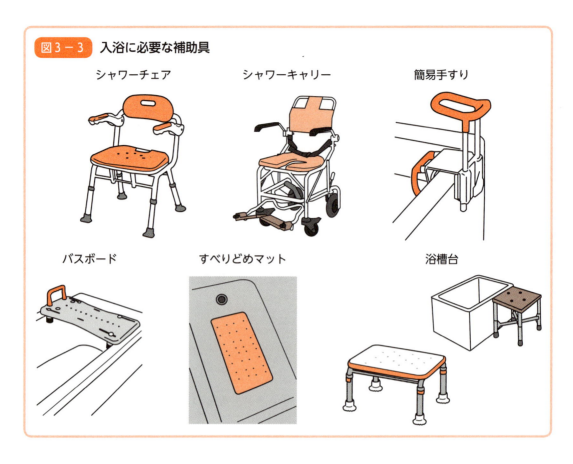

図3-3 入浴に必要な補助具

シャワーチェア　シャワーキャリー　簡易手すり

バスボード　すべりどめマット　浴槽台

3 バスボード、移乗台、浴槽台

浴槽への出入り動作を助けます。浴槽の深さは、50～55cm（埋め込み部分15cm）であるため、浴槽台の高さは40cmが適当となります。

4 すべりどめマット

ゴムは経年劣化するので、使用前に確認してから使います。

浴槽の中や、いすからの立ち上がり時に、すべらないように使います。

◆ 参考文献

- 医療情報科学研究所編『看護がみえる vol.1 基礎看護技術』メディックメディア、2018年
- 松浦信子・山田陽子『快適！ストーマ生活――日常のお手入れから旅行まで』医学書院、2012年
- 深井喜代子監『実践へのフィードバックで活かす ケア技術のエビデンス』へるす出版、2006年
- 任和子・井川順子・秋山智弥編『根拠と事故防止から見た基礎・臨床看護技術 第2版』医学書院、2017年
- 井上由起子・石井敏『高齢者ケアシリーズ5 施設から住まいへ――高齢期の暮らしと環境』厚生科学研究所、2007年

第3節

入浴・清潔保持の介護における多職種との連携

学習のポイント

- 入浴・清潔保持にかかわる多職種連携の必要性について理解する
- 入浴・清潔保持にかかわる他職種の役割について理解する
- 入浴・清潔保持にかかわる多職種との連携について理解する

関連項目
④『介護の基本Ⅱ』 ▶ 第4章「協働する多職種の機能と役割」
⑪『こころとからだのしくみ』 ▶ 第6章第3節「変化の気づきと対応」

1 入浴・清潔保持における多職種連携の必要性

　高齢化や病院の在院日数の短縮化により、在宅や施設において医療ニーズを有する利用者が増えています。また在宅や施設での看取りを希望する利用者も増えてきています。さまざまな状態・状況に応じた入浴・清潔保持の手段が必要になり、医療職との連携の必要性が増しています。

　高齢者はバランスをくずしやすく、皮膚の温度感覚も低下していることから、浴室には、転倒事故や熱い湯でのやけど、入浴中ののぼせなど、さまざまな危険がひそんでいます。安全安楽な清潔の確保が必要です。

　利用者に高血圧、心疾患、肺疾患、褥瘡、皮膚トラブルなどの疾患やけが、運動機能の低下などがある場合は、日常生活上の諸注意とともに、入浴についての指示を医療職から受けておく必要があります。浴室には濡れた床、湯があり、湿度も高い環境です。裸でいるため、温熱作用、**静水圧作用❶**、ヒートショックなどからだに及ぼす影響が大きくなります。

　ほかにも発熱、倦怠感など平常と異なる状況が発生したときには医療職への報告、相談が必要です。事前の指示のほか、状況の変化が起きた

❶**静水圧作用**
静止している水中のからだにかかる水の圧力のことをいう。血液循環が促進され、下肢の血液が心臓に戻りやすくなり、心肺機能が促進される。

第**3**章　自立に向けた入浴・清潔保持の介護

151

❷セルフネグレクト（自己放任）

何日も風呂に入らず異臭がする、皮膚が汚れている、極端に汚れた衣類を着用しているなど、通常、人としての生活において当然行うべき行為をみずから行わないで、自身の身体や精神状態を悪化させていることをいう。

ときの連絡方法、連絡が取れなかったときの対応方法などについても普段から相談しておきましょう。

また、高齢者の独居や高齢者世帯での**セルフネグレクト（自己放任）❷**の問題に対応するために、地域包括支援センターや行政、他職種、地域との協働が欠かせません。清潔な環境、身体の清潔、社会生活の回復のための支援が必要です。

2 他職種の役割と介護福祉職との連携

（1）医師

利用者は、主治医（慢性疾患で継続的に治療を受けている場合）や、一時的な病気で治療を担当する医師、緊急搬送されたときの医師など、生活場面で複数の医師にみてもらう機会が多くなります。受診には介護福祉職、看護職、生活相談員や支援相談員、事業所管理者が同行することが多いです。同行者は医師に利用者の病状のほかに日ごろの生活面での情報を提供し、病気やけが、透析や在宅酸素療法、胃ろう、腸ろう、膀胱留置カテーテル、褥瘡、人工肛門、服薬など、医療ニーズ（**表3−3**）を有しながらも日常生活が円滑に営まれるように具体的な生活上の注意を確認しておきます。

入浴でえられる温熱効果・静水圧効果は、プラスにもマイナスにもはたらきます。マイナスの影響を最小にする必要があるため、たとえば心肺の疾患や高血圧などの病気がある場合は、入浴や清潔にする方法について具体的に相談して指示を受けておきます。これらはケアプラン（居宅サービス計画、施設サービス計画）に反映されるので、介護支援専門員（ケアマネジャー）も医師との連携が必要です。

表3−3 医療ニーズを要するおもな疾患

脳血管疾患、心疾患、治療を要する高血圧、その他の循環器疾患、糖尿病、悪性新生物、慢性閉塞性肺疾患、慢性閉塞性肺疾患以外の肺疾患、大腿骨頸部骨折、大腿骨頸部骨折以外の骨折、神経難病、認知症、認知症以外の精神疾患　など

（2）看護師・准看護師

　看護職は医療と介護をつなぐ役割をにないます。胃ろう、腸ろう、膀胱留置カテーテル、褥瘡、人工肛門、白癬、創傷、糖尿病性神経障害、皮膚疾患、酸素療法など医療ニーズの高い利用者が施設、在宅で生活しています。看護職は医療の専門職の視点で、利用者が安全・安楽に入浴や清潔が保持できるように、必要時は介護福祉職と一緒に入浴や清潔の介助を行います。入浴・清潔の場の環境と利用者の個別の状態を把握し、安全で安楽な入浴・清潔の適切な方法について介護福祉職や家族の相談にのり、助言や必要な医療的処置を行います。

（3）作業療法士・理学療法士

　入浴や清潔の行為には、運動機能や認知機能など多くの機能や動作を必要とします。寝返り、起き上がり、立ち上がり、姿勢の保持、移動、着脱動作、洗身・洗髪の動作などについて、また認知機能の低下が危険につながらないように、入浴の動作を見て能力評価をしてもらいます。運動や動作についての指導や、適切な補助具の使用についてのアドバイスなど、より安全・安楽に入浴が行えるように連携します。

（4）社会福祉士・保健師

　近年は、セルフネグレクト状態にある人への支援が必要とされています。何日も入浴せず異臭がする、皮膚が汚れている、極端に汚れた衣類を着用している、失禁があっても放置しているなど、日常生活に支障をきたしているにもかかわらず、そのまま放置され、本人の健康や社会生活がおびやかされています。近所からの通報や、離れて住んでいる家族などまわりからの相談が地域包括支援センターや居宅介護支援事業所に寄せられます。サービスにつなげるために、地域包括支援センターの依頼で居宅介護支援事業所が緊急介入することや、行政の保健師や地域包括支援センターから直接、小規模多機能型居宅介護事業所に相談があり、介護福祉職がかかわるケースも多くあります。

　解決に時間を要することもあるので、連携して解決をめざします。

事例1　姉からの依頼で居宅介護支援事業所が介入

　独居の男性（84歳）の事例です。認知症の診断はありましたが定期受診はしていません。少ない年金は娘にとられ、所持金がないため、食事もまともにとらず、万引きなどもしていたようです。

　体調不良で何度も救急車（自分で電話）で病院に搬送されましたが、診断は便秘のみでした。そのため下剤が処方されたものの、服用すると下痢が止まらず、自分で処理もできずに便まみれになっていました。

　自宅が便まみれなので、姉（86歳）の家に身を寄せることになりましたが、「ここにはいられない」と一晩で自宅に戻りました。また連れ戻され、強制的に姉にシャワーを浴びせられ、からだはある程度きれいになりましたが下着はそのままでした。全体に便臭が染みついていました。

　姉も高齢で対応しきれないため、地域包括支援センターから居宅介護支援事業所に、どうにかしてもらえないかと相談がありました。要介護1の認定を受けていたため、居宅介護支援事業所が介入することになりました。

　詳細不明のまま、特別養護老人ホームの短期入所生活介護（ショートステイ）の空きを確認して、特別養護老人ホームの生活相談員と介護支援専門員の2人で出向き、その日の夕方に緊急入所しました。やせて生気のない状態でしたが、「ここにはいられない」と言うこともなく、入浴の誘いにあっさり同意、からだはきれいになりました。食事も喜んで食べました。

　短期入所生活介護を利用しながら、家族関係の確認（娘の経済状況を含む）や今後の生活について何度も地域包括支援センターと協議を重ね、介護保険の要介護認定区分の変更と生活保護の申請をしました。

　本人は数日後に体調を回復し、意欲的な言葉も出るようになりました。「こんなによくしてもらって」と短期入所生活介護の職員に涙を浮かべながら感謝をして、生活保護を受給していても入ることのできるグループホームに移りました。

　入浴ができていない人の場合は、食事や部屋の掃除、身じたくもできていないことが多く、生活全般に支援が必要です。介入する際にはまず、入浴できない理由が環境によるものなのか、認知症など病気によるものなのか、原因を探り、本人が一番受けいれやすい方法からアプローチします。たとえば体調管理のために訪問看護を利用してもらい、そこ

で入浴の声かけをしてもらったりします。

　浴室がごみだらけになっている場合は、自宅での入浴がむずかしいので、通所型サービスを利用して入浴につなげます。実際に、何年も風呂に入っていなかった人でも小規模多機能型居宅介護を利用して、毎日の訪問をくり返し、入浴につながったという例もあります。

（5）その他

❶ 福祉用具専門相談員

　福祉用具専門相談員は、福祉用具の貸与や購入について助言や福祉用具の選定を行います。安全に入浴するために、すべりどめマット、簡易手すり、シャワーキャリーなどの福祉用具の選定や、入浴用のシャワーチェアの購入について、家族、介護支援専門員の相談にのり、利用者の状態に合った適切な用具を決めます（介護福祉士も福祉用具に関する知識を有した国家資格ですので業務に従事できます）。

❷ 福祉住環境コーディネーター

　福祉住環境コーディネーターは、医療・福祉・建築について、各種の専門家と連携をとりながら、高齢者に適切な住宅改修、バリアフリーなどの居住空間の改善のほか介護用品や生活用品などについて提案します。浴室のドアを内開きから外開きに改修、浴室に入る段差の解消、浴室への手すりの設置など、家族や介護支援専門員、訪問介護員（ホームヘルパー）などと連携をとりながら、自立支援に向けた安全な環境づくりの相談にのります。2級以上の所有者は、介護保険の住宅改修の申請もできます。

3 入浴時の変化と多職種連携

（1）浴槽内でぐったりしている（意識障害）、おぼれている

あわてずに、以下の6点を実施します。

① 浴槽の栓を抜く。大声で助けを呼び、人を集める。
② 入浴者を浴槽から出せるようであれば救出する。ただちに救急車を要請する。浴槽から出せないようであれば、浴槽のふたに上半身を乗せるなど沈まないようにする。
③ 浴槽から出せた場合は、肩をたたきながら声をかけ、反応があるか確認する。
④ 反応がない場合は呼吸を確認する。
⑤ 呼吸がない場合は胸骨圧迫を開始する。
⑥ 人工呼吸ができるようであれば、胸骨圧迫30回、人工呼吸2回をくり返す。できなければ胸骨圧迫のみ続ける。

出典：消費者庁パンフレットを一部改変

在宅で、1人で入浴している場合は時々声をかけて安全を確認します。声をかける家族がいない場合は、通所介護（デイサービス）、通所リハビリテーション（デイケア）、小規模多機能型居宅介護など通所型サービスの利用を提案し、安全に入浴できるようにします。

（2）脳貧血

入浴中は温熱作用、静水圧作用により、血管が拡張し、血流が促進されます。心臓に戻る血液量が増え、脳にも十分に血液が流れます。その状態で急に浴槽から立ち上がると、血管が拡張したままで今までかかっていた静水圧がなくなり、脳貧血を起こします。

立ちくらみを起こさないために、ゆっくりとした動作で浴槽から立ち上がる、一度浴槽の縁に腰をかけてから立ち上がるなど、血液の循環の変動に留意します。

脳貧血を起こしたときは、その場にしゃがむか、いすに座る、臥床するなどの姿勢をとり、頭の位置を低くし、脳への血流が促進されるようにします。そのときプライバシーと保温に留意します。

第 **3** 節　入浴・清潔保持の介護における多職種との連携

（3）のぼせ

　顔が赤らみ、のぼせたときは、静かに浴槽から出てもらい、冷たいタオルを顔にあてて冷やします。落ちついたら水分を摂取し様子を見ます。

（4）やけど

　全身・広範囲のやけどは救急車を要請します。やけどが浅く、範囲が限られている場合は、痛みがなくなるまで流水で十分に冷やします。

　入浴中のやけど予防のために、給湯の温度設定を最高70℃くらいに設定するなど、熱湯が出ないようにしておきます。2バルブ混合栓の場合は、水を出してから湯を出す、止めるときは湯を止めてから水を止めるようにします。シングルレバーの混合栓の場合、温度調整ハンドルを適温（約40℃）に設定しておきます。設定解除ボタンを押して温度の高い湯を使用したあとは、必ずもとの適温の状態に戻しておきます。

（5）転倒、転落

　浴室は、濡れていること、石けんを使用することからすべりやすくなっています。洗身後にいすから立ち上がるときは、石けんを十分に洗い流しましょう。利用者の力が十分に発揮できるように手すりの使用や、足元にすべりどめマットを敷くなど環境を整え、細心の注意を払って介助します。

　熱い湯や冷たい水、冷たいシャワーチェアなど、急な温度変化に驚いて姿勢をくずし、シャワーチェアから転落するおそれもあります。利用者、介助者間で声をかけ合い、互いに注意を喚起して安全を確保しましょう。

（6）皮膚疾患

■ 乾燥性皮膚疾患がある場合

　入浴後に乾燥症状の悪化や、強いかゆみがみられます。高温の浴槽に長く入ると、かゆみを強めます。39℃程度のぬるめの湯にして、弱酸性の石けんをよく泡立て、手のひらでやさしく、こすらずに洗います。個別の入浴・洗浄の方法については皮膚科医の指示をあおぎます。看護師といっしょに入浴前後の皮膚の状態を確認し、入浴後の皮膚が湿っているうちに保湿など必要なケアをします。

第
3
章

自立に向けた入浴・清潔保持の介護

157

2 褥瘡がある場合

創傷がある場合は、創周囲の皮膚の汚れを泡で浮かせてから洗浄します。褥瘡があっても感染の徴候や**ポケット**❸がなければ入浴できます。皮脂の喪失が少ない弱酸性の石けんを使用し、やさしく洗ってぬるま湯で洗い流します。

❸ポケット
褥瘡周囲の皮下にできた皮膚欠損部より広い創腔のことで、壊死組織があった部分にできる初期型ポケットと、外力が加わったためにできる遅延型ポケットがある。

3 人工透析をしている場合

皮膚が非常に乾燥していて、強いかゆみがあります。かゆみを軽減するために皮膚の清潔と保湿が重要です。入浴・清拭時は、こすらずにやわらかいタオルでやさしく洗い、皮膚を刺激するマッサージなどはしないようにします。入浴・清拭後は保湿剤を塗布します。

4 糖尿病による神経障害を合併している場合

刺激に対する感覚が低下し、外傷ややけどに気づかないことがあります。足の状態を観察して、けがややけどに気をつけます。

（7）羞恥心、プライバシーを守る

入浴は清潔にすることだけが目的ではありません。利用者は裸になります。羞恥心、プライバシーを守る十分な配慮が必要です。介護福祉職には、倫理観、尊厳に配慮した言葉や態度、高い技術が求められます。

> **事例 2　プライバシーが守られていなかった入浴介助**
>
> 在宅で、訪問介護（ホームヘルプサービス）を受けながら生活をしていた利用者（女性）の事例です。立位、歩行が困難になり、家庭での入浴ができなくなりました。清拭だけでは満足感がえられないため、介護支援専門員と相談して、週2回、通所介護（デイサービス）を利用して機械浴で入浴することにしました。
>
> しかし、1度利用したきり、「デイサービスのお風呂は結構です。何としても自宅の風呂に入りたい」と訪問介護員（ホームヘルパー）に相談がありました。自宅の浴室は出入り口がせまく段差があり、1人で入るのがやっとの広さです。2人介助で何とか試みましたが非常に危険で、このままではいつか重大な事故を起こす心配があります。介護者の夫も高齢のため、入浴は手伝えません。経済的な余裕がなく風呂場の住宅改修もできません。
>
> 初めての通所介護での入浴はどのようなものだったのか、訪問介護員がたずねると、「仰向けに寝かされ、タオルで隠してももらえず、お

尻を洗うから足を開いてと言われた」「あんな惨めな思いをするくらいなら、大変でも家で何とか入りたい」とのことでした。

　訪問介護員から訪問介護事業所のサービス提供責任者にそのことが伝えられ、介護支援専門員も入り、本人の意向を確認し現状の危険について相談しました。その後、ほかの通所介護事業所に変更し、そこの職員にどのような配慮のもとで入浴介助が行われるのか説明をしてもらいました。本人の納得がえられてから通所介護の利用を再開した結果、プライバシーが守られ、安心・安全に入浴できるようになりました。

◆参考文献

- 内藤亜由美・安部正敏編『Nursing mook46 病態・処置別スキントラブルケアガイド』学習研究社、2008年
- 田中秀子監『見直そう、褥瘡ケア──"ポジショニング & シーティング"と"スキンケア"』日本看護協会出版会、2013年
- 日本褥瘡学会編『在宅褥瘡予防・治療ガイドブック 第3版』照林社、2015年

演習3-1　からだの洗い方の好み

　入浴時にからだのどこから洗うか、順番に書き出し、その理由について考えてみよう。

演習3-2　乾いたタオルでからだをふく意味

ウェットティッシュで腕をふいたところに、息を吹きかけてみよう。

第 **4** 章

自立に向けた
排泄の介護

第 **1** 節	**自立した排泄とは**	
第 **2** 節	**自立に向けた排泄の介護**	
第 **3** 節	**排泄の介護における多職種との連携**	

第 1 節

自立した排泄とは

学習のポイント

■ 自立した排泄について理解する
■ 利用者に合った排泄の介護ができるよう、利用者を観察する視点を学ぶ

関連項目 ▶
① 『人間の理解』 ▶ 第1章第2節「自立のあり方」
⑪ 『こころとからだのしくみ』 ▶ 第7章「排泄に関連したこころとからだのしくみ」

1 自立した排泄とは

排泄とは、体内の老廃物を体外へ排出することです。それは、生命を維持し健康な生活を送るうえで欠かせない行為です。その行為は、個人が生きてきた文化や風土・生活環境・生活習慣等によっても違いがあります。日本でも以前は和式トイレが主流でしたが、現在は、洋式トイレが普及しています。

「排泄をしている姿を見られること」「排泄の音や臭いを感知されること」など、排泄には羞恥心がともないます。排泄は、人間の尊厳にかかわるプライベートな部分です。そのため、排泄する際に何らかの介助が必要になると、プライバシーや自尊心への十分な配慮が必要となります。「できる限りみずからの力で排泄したい」という利用者の気持ちを大切に、自立に向けた排泄を介護することが大切です。

さらに、排泄は、基本的な生命活動の1つとしての意味だけではなく、日常生活に直結した社会的側面をもっています。とくに、排泄介助を受けることにより、行動範囲がせまくなり、社会的活動も消極的になります。その結果、身体を動かさなくなり、機能低下が生じます。そのため、利用者のこれまでの生活を維持できるように、排泄方法を検討することが大切です。

利用者の自尊心を保持し、生きる意欲につなげることができるよう、

安全で安心できる環境で、利用者の生活リズム・習慣に合わせた排泄方法を提供します。

2 自立した排泄の一連の流れ

自然な排泄では、尿は腎臓で生成され、尿管を通って膀胱でためられ（蓄尿）、膀胱容量が半分ほどになると、膀胱内圧が上昇し、その刺激が末梢神経、脊髄を経て大脳まで伝わり尿意を感じます。トイレに移動し排泄姿勢になると、自律神経のはたらきにより尿道から排出されます。また、便は食物が口から入り、胃、小腸、大腸を経由し直腸にたまると、骨盤神経を刺激し、脊髄および大脳まで伝わり、便意を感じます。その際、排泄をがまんしてトイレに行く、便器を認識して便座に腰かける、トイレットペーパーを使うといった行為をともないます（『こころとからだのしくみ』（第11巻）第7章第1節を参照）。

排泄を介護するうえで、まず、私たちはふだんどのような排泄行為をしているかを理解する必要があります。

排泄の一連の動作を見てみると、**表4－1**のようになります。

具体的に**図4－1**を見ながらイメージしてみましょう。

排泄には、このように膀胱・尿道・直腸機能の正常なはたらき、精神

表4－1 排泄の一連の動作

① 尿意・便意を感じる
② 起きる・座る・立ち上がる
③ トイレに移動する
④ トイレのドアを開ける
⑤ 便器を認識する
⑥ 衣類を脱ぐ
⑦ 便座に腰かける
⑧ 腹圧をかける
⑨ 排泄後の清拭を行い、トイレットペーパーの処理をする
⑩ 衣類を着て整える
⑪ 排泄後の便器を洗浄して、手を洗う
⑫ 次の生活の場面へ移動する

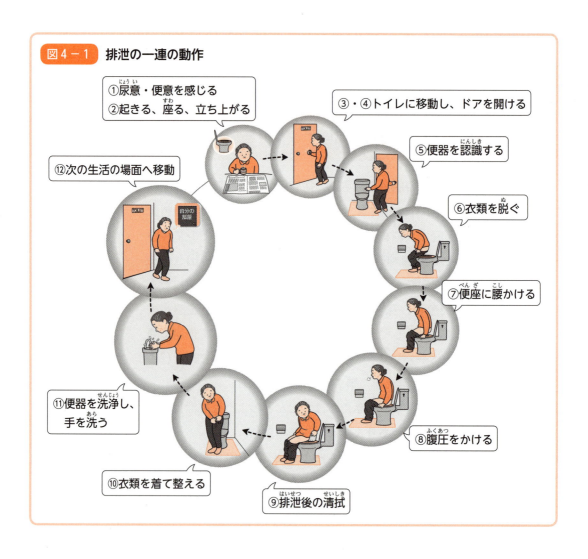

図4-1 排泄の一連の動作

機能（認知機能）、移動・移乗動作、更衣動作などの応用動作といったことが関連しています。

　介護福祉職は、この一連の流れ（**図4-1**）のどこに支援を必要としているのかを分析し、利用者のこれまでの生活習慣や社会参加の状況をふまえて適切な支援方法を身につける必要があります。

3 自立に向けた排泄の介護をするために介護福祉職がすべきこと

1 心身の状態・状況に応じて介護する

　介護を必要とする利用者は、疾患や障害のために、排泄の一連の動作（図4-1）に何らかの支援が必要になります。

　たとえば、脳梗塞の後遺症による片麻痺によって、手足に運動麻痺や感覚麻痺がある場合、図4-1で示した「①尿意・便意」は感じても、「③トイレへの移動」が1人でできない、「⑥衣類を脱ぐ」ことができない、「⑦便座に1人で腰かけられない」など、さまざまな行為が制限されてしまいます。しかし、尿意・便意を感じたとき、車いす等の福祉用具を用いればトイレに行くことができます。そして、衣類を脱ぐ行為やトイレの便座に移乗する介助を介護福祉職が行うことにより、トイレでの排泄が可能になります。つまり、介護福祉職が、利用者の意向を確認し、心身の状態・状況に応じて適切に介護をすることによって、自立に向けた利用者主体の介護を実践することができるのです。

2 心理的側面を理解する

　頻尿、尿失禁、便秘、下痢、便失禁など排泄に関する障害は、身体的不快感、スキントラブル、悪臭、尿路感染などの二次疾患といった身体的側面だけでなく、羞恥心、自己否定、うつやあきらめ、罪悪感など心理的側面にダメージを与えます。その結果、利用者の行動範囲はせまくなり、人間関係や社会参加が縮小され、社会的側面にも悪い影響を及ぼします。

　介護福祉職は、自立に向けた排泄を介護するために、利用者のプライバシーや自尊心といった心理的側面を理解して、疾患・障害の程度や、利用者のできるところ、できないところを観察します。利用者の状態・状況に応じて、環境面を工夫したうえで、できないところをサポートすることが重要です。

第 **2** 節

自立に向けた排泄の介護

学習のポイント

■ 介護を必要とする利用者の心身の状態・状況に応じた適切な排泄方法を学ぶ

■ 排泄の介護における根拠について、説明できる力を身につける

■ 利用者の尊厳を遵守した排泄介護の留意点を習得する

関連項目 ⑪『こころとからだのしくみ』▶ 第7章「排泄に関連したこころとからだのしくみ」

1 排泄方法の選択

　排泄の介護をする前に、まず、利用者がどの排泄方法をとるかを決める必要があります。排泄方法は、利用者の排泄に関する障害の程度や、排泄行動の自立、利用者の生活習慣などの情報を十分に把握し、実際に介助する設備環境を考慮して決定します（**図4－2**）。

1 トイレでの排泄

　トイレでの排泄のためには、移動する意思あるいは理解があること、起居する筋力があり、バランスが保てること、痛みがないこと、移動動作時にめまい、動悸など循環機能の低下がみられないことなどの利用者の状態が整うことで、起き上がる・座る・立ち上がるといった一連の動作が可能となります。

　尿意・便意があり、歩行、座位移動、もしくは車いすなどの福祉用具を使用して何らかの方法でトイレに移動することができ、座位を保持する筋力とバランスを保つことができれば、トイレでの排泄が可能です。また、尿意・便意がなくても試みることは重要です。

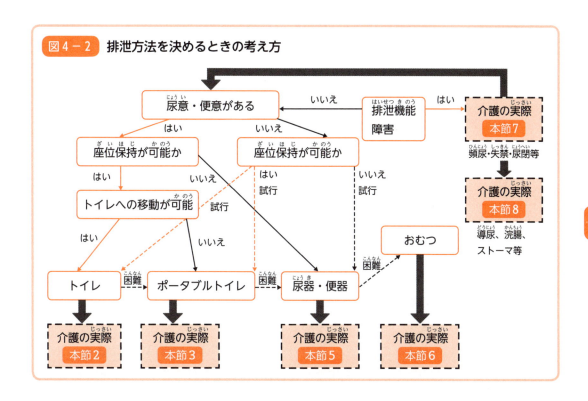

図4-2 排泄方法を決めるときの考え方

2 ポータブルトイレでの排泄

　トイレまでの移動がむずかしい場合に、ポータブルトイレでの排泄を検討することになります。たとえば、尿意・便意はあり座位保持が可能ですが移動がむずかしい場合や、排泄機能障害によりトイレまでがまんができない場合、夜間にトイレまで移動するのが大変な場合などに用います。

3 尿器・便器での排泄

　身体機能面でベッドからの起き上がりや座位保持がむずかしい場合や、体調不良のため、めまい・動悸・嘔気などがひどく、安静が必要な場合などは、尿器・便器による排泄を検討することになります。

4 おむつでの排泄や導尿の検討

　尿意・便意が感じられず、尿・便失禁があり衣類を汚すなど、不衛生で不快な思いをする場合には、おむつでの排泄や導尿を検討することになります。

> **表4-2** 排泄の介護における留意点
>
> ① 排泄時における羞恥心を理解し、尊厳を守る。
> ② 利用者が安心して排泄ができる環境を整える。
> ③ 利用者の生活習慣、生活リズムに即した介助をする。
> ④ 利用者の疾患・障害の程度を把握し、適切な方法で介助する。
> ⑤ できるだけトイレで排泄できるよう介助する。
> ⑥ 福祉用具等を用いて、利用者のできる機能を活用する。
> ⑦ 利用者の意向をふまえ、身体的機能をいかした適切な衣類を選択する。
> ⑧ 利用者のその日の体調に留意した介助方法を選択する。

　このように、利用者の心身の状態や状況によって、排泄方法の適切な選択をします。また、利用者の体調の変化によってはふだんの排泄方法を変更して行うことも必要となります。

　以上のことから、排泄の介護においては、介護福祉職は**表4-2**の留意点に心がけ、利用者が安心して介護を受けられるよう、相互の負担を軽減する適切な技術を身につけ、自立に向けた排泄の介護をすることが大切です。

2 トイレでの排泄の介助方法

介助のポイント

① 歩行・座位移動・車いす利用など移動手段にそって、本人の意欲と動作能力を最大限に発揮できるように安全に活用する
② 利用者の心身機能の維持・向上をめざした自立に向けた介助を行う
③ 排泄環境（用具の位置・プライバシー等）にあわせた適切な介助を行う

　利用者が自分のタイミングで安全にトイレに行けるよう、トイレまでの動線にはふだんから物を置かないようにします。また、ほかの居室とトイレとの温度差をなくし、ヒートショックを予防することが大切です。温度調整がむずかしい場合は、暖房便座を使う、トイレにヒーターを置くなど、温度差をなくす方法を考えます。利用者が安全に便座へ移乗できるよう、トイレの構造を事前に確認しておくことも必要です。

　排泄の介助に限ったことではありませんが、利用者を傷つけないよう爪を短くし、腕時計をはずします。また、感染予防の視点から手洗いをして使い捨てエプロンをつけます。

第 2 節　自立に向けた排泄の介護

 1　歩行できる利用者の介助

<必要物品>
清拭タオル、使い捨てエプロンなど

介助手順	留意点と根拠
①利用者がトイレに歩いていくのを見守ります。	①利用者が安全に移動できるよう、トイレまでの環境を整えておきます。 ・ドアを開けられない場合は、介助します。 ・便座の高さを調整します。 　便座が低いと膝折れして尻もちをつき、腰椎を圧迫するおそれがあるため、利用者の膝よりも少し高めにする。
②利用者が便器を認識し、衣類を脱ぐのを見守ります。	②利用者の「できる機能」を活用し、声かけし、できない部分を介助します。
③利用者が用を足すのを待ちます。 ・脊髄損傷などによる下肢麻痺のため床上生活をしている人のために、和式トイレを利用したプラットホーム式トイレ（便器が床や畳などにうめこまれているトイレ）もあります。その場合も、利用者の状況を見て、必要に応じて介助します。 	③プライバシーに配慮し、「終わったら呼んでください」などと声かけをして、トイレの外で待ちます。前傾した座位姿勢をとると、腹圧をかけやすいことを伝えます。 　前傾した座位姿勢では、直腸と肛門の角度（直腸肛門角）が直線に近くなり、排便しやすくなる。 
④排泄後の清拭、トイレットペーパーの処理をしてもらいます。	④声かけし、できない部分を介助します。排泄物の量、色、性状などを確認し、記録します。いつもと違う点があれば医療職へ報告します。

169

⑤衣類を着て整えてもらいます。	⑤声かけし、できない部分を介助します。プライバシーに配慮します。
⑥便器を洗浄し、手を洗ってもらいます。	⑥清潔と感染予防のため、介助者も手を洗います。
⑦記録します。	⑦状態や状況を記録します。

2 車いす利用者の介助

＜必要物品＞
使い捨て手袋、ポリ袋、使い捨てエプロンなど

介助手順	留意点と根拠
①トイレまで同行することを利用者に伝え、移動します。トイレで排泄することを説明し、同意をえます。	①利用者の意向を確認し、自己決定を尊重します。これから行う介助の方法・手順を理解してもらいます。 介助内容を知ることで、利用者が安心・納得して行為を行うことにつながる。 ・移動の際は麻痺など利用者の状態にあわせ、安全な移動に心がけます。
②利用者に気分・体調を確認します。	②口頭で確認するだけでなく、顔色・表情なども観察します。 その日の体調や状態にあわせた介助方法を選択することにつながる。
③排泄環境を整え、必要物品を準備し、エプロンをつけ身じたくを整えます。	③便座の高さを調整します。 便座が低いと膝折れして尻もちをつき、腰椎を圧迫するおそれがあるため、利用者の膝よりも少し高めにする。
④利用者に、車いすを便座に近づけてもらいます。	④利用者が負担なく安全に立ち上がることができるよう、車いす、手すり、便座との間隔を

170

・車いすのブレーキをかけてもらいます。
・フットサポートを上げ、足を下ろすのを見守ります。

適切な位置関係にします。
・フットサポートが下がった状態で立ち上がると危険なので、必要に応じてフットサポートを上げるように説明または介助します。

⑤手すりを持って立ち上がってもらいます。
・利用者に車いすのアームサポートを上げてもらい、健側の足を移動する側に少し向け、車いすに浅く座ってもらいます。患側は介助します。
・利用者は健側の手で手すりをにぎり、前傾姿勢をとり、健側の手と健側の足に重心をかけ立ち上がります。
・麻痺がある場合は、介助者は利用者の患側の膝を支えます。

⑤健側の足を移動する側に少し斜めに接地します。健側の足を軸に回転する角度が小さくなり、利用者の負担が少なくなります。

> 深く座ったままで立ち上がると、車いすの座面下の内側に足が入りこむため、利用者に負担がかかり、安全に立ち上がることができない。

・めまいやふらつきがないか気分の確認をします。

> 急に立ち上がると起立性低血圧を起こしやすい。

⑥利用者に、からだの向きを変えてもらいます。
・ズボン、下着を下ろすことの同意をえて、支えながら下ろします。

⑥利用者の安全面に留意しながら、からだのバランスをくずさないように腰を支えます。

⑦便座の位置を確認し、前傾姿勢で着座してもらいます。

⑧介助者は座位の安定を確認し、カーテンもしくはドアを閉めます。
・排泄時はその場を離れることを告げ、異常時や終了時には知らせるように説明します。

⑨利用者が排泄をすませたら、声をかけてトイレ内に入ります。
・残尿感や痛みがないか、排泄状況を確認します。

⑩排泄後の清拭をします。
・温水洗浄便座が設置されている場合は、使い方を確認し、肛門にシャワーがあたる位置を確認します。設置されていない場合は、トイレットペーパーでふいてもらいます。
・ふき残しがある場合は、介助者は手袋をつけ、利用者に前傾姿勢になってもらい、トイレットペーパーで尿道・肛門周囲の清拭を行います。手袋をはずし、ポリ袋に入れ廃棄します。

⑦利用者が安全に安心して着座できるように配慮します。
　前傾姿勢になると腹圧をかけやすくなる。

⑧バランスをくずして便座からずり落ちることを防止し、プライバシーの保護に努めます。落ちついた環境での排泄に配慮します。
　足底が床についていると座位の安定が保たれる。

⑨排泄物の量、色、性状などを観察し、ふだんとの違いを把握します。
　残尿感や痛みなどがある場合は、尿路感染症などが疑われる。早期発見が大切である。

⑩清潔の保持と皮膚トラブルの予防に留意します。

⑪手すりを持って立ち上がり、衣類を整えてもらいます。
・利用者はまず座位のまま健側の手で下着、ズボンを大腿部まで上げます。
・介助者は車いすを健側に準備し、ブレーキをかけます。
・利用者はアームサポートまたは手すりを持って立位をとり、介助者は患側を支えながら着衣を介助します。

⑪利用者の「できる機能」を活用し、安全に立ち上がれるよう介助します。手すりにしっかりとつかまったこと、両足がしっかりと立ちやすい位置に接地していることを確認します。健側に車いすを位置し、事故防止のためブレーキをかけます。

⑫利用者に車いすに移乗してもらい、座位の安定、患側上下肢の安全を確認します。

⑫車いすに深く腰かけると座位が安定します。患側上肢をアームレストのなかに入れ、膝に乗せ安全をはかります。

⑬利用者の身体バランスに配慮しながら、利用者が便器洗浄ボタンを操作するのを見守ります。

⑬利用者の「できる機能」を活用します。

⑭車いすを移動させ、手を洗ってもらいます。
・介助者も手を洗います。洗ったらペーパータオルでふきます。

⑭患側の手は、健側の手で自分で洗ってもらいます。健側の手は介助し清潔にします。

第4章 自立に向けた排泄の介護

⑮利用者に気分・体調を確認します。
・排泄の自立に向けた声かけを行い、維持・継続できるようにうながします。
・困ったことはないか確認します。

⑯車いすに深く座っていることを確認します。利用者の次の予定場所までの通路の安全を確認して伝え、自分で移動できるかを確認して移動をうながします。

⑰使用物品を片づけ、記録します。

⑮移乗、脱衣、着衣時の手順や姿勢が安定していたことを伝え、トイレでの排泄が順調に行えたことをともに喜び、次への意欲や自信につなげます。

⑯安定した座位姿勢が保てているかを確認し、安全に次の活動につなげられるように配慮します。

⑰状態や状況を記録します。

図4-3 電動昇降便座

便座が電動で斜め前上方向に昇降するため、洋式トイレへの着座や立ち上がり動作をスムーズに行える。下肢の麻痺、筋力低下、痛みなどにより、通常の立ち上がりが困難な人に有効である。

図4-4 補高便座

洋式便器の上に置いて補高し、立ち上がり動作を容易にする用具。下肢の麻痺、筋力低下、痛みなどにより、通常の便器からの立ち上がりが困難な人に有効。座位姿勢が不安定にならないよう注意が必要。

3 ポータブルトイレでの排泄の介助方法

介助のポイント
① 利用者の健康状態、障害の程度にあわせて行う
② 利用者にあったポータブルトイレ（p.179参照）を選ぶ
③ ポータブルトイレの位置、プライバシーなど環境に配慮する
④ 安全な移乗を心がける

第2節　自立に向けた排泄の介護

＜必要物品＞

ポータブルトイレ、すべりどめマット、蒸しタオル、乾いたタオル、バスタオル、トイレットペーパー、使い捨て手袋、ポリ袋、使い捨てエプロンなど

介助手順	留意点と根拠
①ポータブルトイレで排泄することを説明し、同意をえます。	①利用者の意向を確認し、自己決定を尊重します。これから行う介助の方法・手順を理解してもらいます。 介助内容を知ることで、利用者が安心・納得して行為を行うことにつながる。
②気分・体調を確認します。	②口頭で確認するだけでなく、顔色・表情なども観察します。 その日の体調や状態にあわせた介助方法を選択することにつながる。
③排泄環境を整え、必要物品を準備し、エプロンをつけ身じたくを整えます。 ・すべりどめマットを敷きます。	③カーテンを閉めるなどプライバシーを保護し、排泄環境を整えます。 事前の必要物品の用意は、介助の効率性を上げ、利用者の負担を軽減する。
④麻痺がある場合は、ポータブルトイレが利用者が仰臥位のときの健側の足もとにくるようベッドサイドに平行に置きます。	④仰臥位から起き上がり、ポータブルトイレに移乗する際は、ベッド用手すりをにぎり、健側上下肢を活用して安全に移乗します。
⑤ポータブルトイレを利用者が移乗しやすい位置に調整し、ふたを開けます。	⑤利用者が安全に着座しやすいように、ポータブルトイレの位置を調整します。

第4章　自立に向けた排泄の介護

175

⑥利用者に立ち上がってもらいます。
- 利用者はベッド用手すりをにぎり、浅く座って前傾姿勢になり立ち上がります。
- 麻痺がある場合は、介助者は利用者の患側の膝を支えます。
- ふらつき、めまいはないかなど、気分を確認します。

⑥介助者は利用者の患側の膝を支え、膝折れを防止します。

> 急に立ち上がると起立性低血圧を起こしやすい。

⑦利用者は健側の足を軸にし、からだの向きを変えます。このとき、介助者は利用者の腰を支えます。

⑦バランスをくずしやすいため、安全に配慮します。

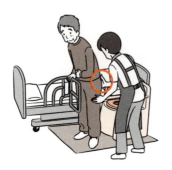

⑧ズボン、下着を大腿部まで下げます。麻痺がある場合は、できる部分は利用者に行ってもらい、できない部分を介助者が介助します。

⑧バランスがくずれないように、安全に留意して患側を支えます。

> 患側には力が入らないため、バランスをくずしたときに患側に倒れる。そのため、患側から介助する。

⑨利用者にポータブルトイレの位置を確認してもらい、ベッド用手すりを持って前傾姿勢になり、着座してもらいます。

⑨利用者がいきなり体重を落として座らないよう、着座の位置を確認しながら、ゆっくり安全に着座できるように声をかけます。

⑩ バスタオルを腹部から大腿部にかけます。介助者は利用者の手の届くところにトイレットペーパーを用意し、異常時や排泄終了後に合図をしてもらうように説明します。
・排泄中は席をはずし、待っているあいだに手袋をします。

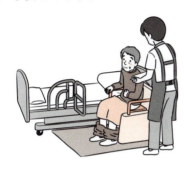

⑪ 利用者から排泄の終了を伝えられたら、介助者は戻り、残尿感や痛みがないかを確認します。
・利用者の清拭状況を確認し、足りないところを清拭します。
・手袋をはずし、ポリ袋に入れ廃棄します。

⑫ 利用者はおしぼりなどで手を清潔にします。

⑬ 利用者に座位のまま下着、ズボンを大腿部まで上げてもらいます。麻痺がある場合は、健側の手でできる部分は利用者に行ってもらい、できない部分を介助します。

⑩ プライバシーの保護に努め、安全に排泄できるように配慮します。

⑪
> 残尿感や痛みなどがある場合は、尿路感染症などが疑われる。早期発見が大切である。

⑫ 患側の手は、健側の手で自分でふいてもらいます。健側の手は介助します。

⑬ 利用者の「できる機能」を活用します。ズボンをはく際はバランスをくずしやすいので、患側を支えるようにします。
> 患側には力が入らないため、バランスをくずしたときに患側に倒れる。そのため、患側から介助する。

⑭利用者にベッド用手すりをにぎって前傾姿勢で立ち上がってもらいます。
・介助者は利用者の患側の膝を支えます。
・介助者は患側を支えながら着衣を介助します。
・衣類が乱れているところがあれば整えます。

⑮利用者は健側の足を軸にし、からだの向きを変えます。このとき、介助者は利用者の腰を支えます。
・ベッドに戻り、利用者の希望を聞いて適切な体位にします。

⑯めまいやふらつきがないかなど利用者の体調を確認し、衣類、寝具を整えます。

⑰カーテンを開けて、もとの環境に戻します。ポータブルトイレのバケツをトイレに運び、排泄物の量、色、性状などを観察したあとで廃棄し、洗浄してもとに戻します。

⑱介助者も手を清潔にして、記録します。

⑭足底が床につき、しっかり手すりを持っているかを確認してから、重心を前にかけた安全な立ち上がりを介助します。
・介助者は利用者の患側の膝を支え、膝折れを防止します。

⑮バランスをくずしやすいため、安全に配慮します。

⑯動いたことによる体調の変化を把握します。

⑰排泄物の量、色、性状のふだんとの違いを観察します。

⑱状態や状況を記録します。

第2節　自立に向けた排泄の介護

＜ポータブルトイレの種類＞

　ポータブルトイレは持ち運びがしやすく、その形もシンプルなものから、肘かけ、背もたれがついたものまでさまざまな種類があります。座ったときに足底がしっかりと床につくもの、便座が殿部の大きさと合うもの、背もたれ、肘かけつきなど利用者の体型に合ったものを選びましょう。

表4－3　ポータブルトイレの種類と特徴

樹脂製いす型	木製肘かけ跳ね上げ	温水洗浄便座つきポータブルトイレ
背もたれと肘かけがあるものと、ないものがある。軽量のため移動しやすい。足を後ろに引くスペースがあると立ち上がりやすい。	背もたれと肘かけがあり、肘かけが跳ね上がるため、スライドして移乗する際、楽にできる。座面が広く安定感があり、木製のため、いすとしても使用できる。	温水温度・ノズル位置の調節ができる温水洗浄機能がついている。便座・肘あての高さ調節やバケツ内の消臭機能もあり、利用者の体型にあわせ、快適な排泄をすることができる。

---

4 立位でのパッド交換の介助

介助のポイント
① 陰部の清拭の仕方に留意する
② パッドが鼠径部にそうようにあてる

＜必要物品＞

　パッド、蒸しタオル、乾いたタオル、使い捨て手袋、汚物入れ、ポリ袋、使い捨てエプロンなど

介助手順	留意点と根拠
①立位でパッド交換することを説明し、同意をえます。気分・体調を確認します。	①利用者の意向を確認し、自己決定を尊重します。これから行う介助の方法・手順を理解してもらいます。 介助内容を知ることで、利用者が安心・納得して行為を行うことにつながる。
②排泄環境を整え、必要物品を準備し、エプロンをつけ身じたくを整えます。	②カーテンを閉めるなどプライバシーを保護し、排泄環境を整えます。 事前の必要物品の用意は、介助の効率性を上げ、利用者の負担を軽減する。感染予防のためエプロンをつける。
③利用者にベッド用手すりをつかみながら前傾姿勢になって立ち上がってもらいます。麻痺がある場合は、利用者の患側を支えます。 	③介助者は利用者の患側の膝を支え、膝折れを防止します。 膝折れ防止をすることによって、安全に立位をすることができる。
④利用者は手すりを持って、健側の足を軸にしてからだの向きを変えます。介助者は腰を支えます。	④バランスをくずしやすいため、安全に配慮します。
⑤利用者にズボン、下着を下ろすことの同意をえて、支えながら下ろします。	⑤利用者の意向を確認し、尊重します。

第 2 節　自立に向けた排泄の介護

⑥手袋をつけて、使用していたパッドへの排泄量を確認し、汚物入れに入れます。

⑥
> 汚染を広げないために行う（感染予防）。

⑦陰部は、タオルの面を変えながら、尿道から肛門へ向かってふきます。
・皮膚の状態を確認しながら蒸しタオルでふきます。
・乾いたタオルで湿り気をふきます。
・手袋をはずし、ポリ袋に廃棄します。

⑦尿路感染症の予防のため、尿道口から肛門にかけてふきます。一度ふいたタオル面ではふかないようにします。
・皮膚トラブルの予防に留意します。
> 陰部をふく際、女性の場合は尿道が短く感染を容易に起こしやすい。

⑧新しいパッドをあて、下着とズボンを上げます。
・新しいパッドを鼠径部にそうように舟形にしてあてます。違和感がないか確認して、支えながら下着とズボンを上げます。

⑧尿漏れ予防のため、パッドが鼠径部にそうように留意します。

⑨衣類を整えます。

⑨尊厳を守り、身だしなみを整えます。

⑩記録します。

⑩状態や状況を記録します。

181

5 尿器、差しこみ便器での排泄の介助

1 尿器を使用した排泄の介助

> **介助のポイント**
> ① 利用者の健康状態や障害の程度にあわせて適切な尿器（p.185参照）を選ぶ
> ② 環境に配慮し、安楽な方法で排泄できるようにする
> ③ 清潔な環境を維持する

＜必要物品＞
　尿器、防水シーツ、トイレットペーパー、バスタオル、蒸しタオル、乾いたタオル、おしぼり、使い捨て手袋、汚物入れ、ポリ袋、使い捨てエプロンなど

介助手順	留意点と根拠
①尿器で排泄することを説明し、同意をえます。気分・体調を確認します。	①利用者の意向を確認し、自己決定を尊重します。これから行う介助の方法・手順を理解してもらいます。 介助内容を知ることで、利用者が安心・納得して行為を行うことにつながる。
②排泄環境を整え、必要物品を準備し、エプロンをつけ身じたくを整えます。	②カーテンを閉めるなどプライバシーを保護し、排泄環境を整えます。 事前の必要物品の用意は、介助の効率性を上げ、利用者の負担を軽減する。感染予防のためエプロンをつける。
③利用者の同意をえて、ベッドを介助しやすい高さに調整します。	③ ベッドの高さを調整することで、介助者の腰にかかる負担を軽減する。
④利用者に側臥位になってもらい防水シー	④汚染予防に留意します。

ツを敷きます。

⑤仰臥位に戻ってもらい、ズボンと下着を下ろします。利用者の下半身にバスタオルをかけ、露出を防ぎます。

⑤プライバシー保護に配慮します。

⑥利用者の希望を聞きながら排泄しやすいように背もたれを上げます。ベッドの足もとを少しギャッチアップし、次いで頭側を上げます。

⑥背もたれを上げ腹圧をかけると排泄しやすくなります。

> ずり落ち防止のため、足もとからギャッチアップする。

⑦男性の利用者には側臥位になると排尿しやすいことを伝え、陰茎を尿器の受尿口に入れるようにします。

⑦利用者負担の軽減と汚染予防に留意します。

⑧自分で入れられないときは、介助することの同意をえて、手袋をつけて介助します。
・尿器は利用者に持ってもらい、固定します。

⑧感染予防と自立支援に留意します。

⑨女性の利用者の場合は、尿器の受尿口の下側を会陰部にあてます。用具の種類（p.185参照）によっては、細長く切ったトイレットペーパーを股間から尿器の入り口にそわせてあてたほうがよい場合もあります。両膝を閉じるようにして、尿器を安定させます。

⑨トイレットペーパーの先端が尿器内の尿につかないように留意します（毛細管現象により尿が上方にしみてくるため）。

> トイレットペーパーをあてることによって尿の飛散を防ぐ。

・座位姿勢がとれる場合は自分で行ってもらいます。

⑩終了後、残尿感や痛みがないか確認します。

⑩残尿感や痛みなどがある場合は、尿路感染症などが疑われる。早期発見が大切である。

⑪介助者は尿をこぼさないように尿器をはずし、バスタオルを取ります。
トイレットペーパーで尿道口の尿をふきとり、利用者に蒸しタオル、乾いたタオルを渡し陰部をふいてもらいます。尿器のふたをして置きます。手袋をはずして、ポリ袋に廃棄します。

⑪清潔の保持と「できる機能」の活用に留意します。

⑫利用者は下着、ズボンを上げて衣類を整えます。介助者は寝具、衣類に汚れがないかを確認し、汚れている場合は交換します。防水シーツをはずします。
利用者の体調を確認し、ベッドの高さを戻します。

⑫身なりの確認を行い、清潔の保持に留意します。

⑬おしぼりを利用者に渡し、手を清潔にしてもらいます。
・カーテンを開け換気します。

⑬麻痺がある場合、患側の手は健側の手で自分でふいてもらいます。健側の手は介助します。

⑭尿量、色、においを記録します。尿はトイレに流し、尿器を洗浄し、使用物品はもとに戻します。介助者は手を洗います。

⑭状態や状況を記録します。

<尿器の種類>

① 尿器

男性と女性では、受尿口の形や大きさが異なります。また、尿器にはガラス製・プラスチック製などの種類があり、利用者の条件にあわせて選択する必要があります。ガラス製は、尿の観察（色、混濁、沈殿物など）がしやすく、重量感があり安定性があります。プラスチック製は、軽量のため筋力や握力の弱い利用者には扱いやすいという特徴があります。

② 安楽尿器

受尿器と蓄尿器がチューブで連結しています。落差を利用して尿を蓄尿でき、座位での使用も可能です。一定量をタンクにためることができます（受尿・蓄尿部別体型収尿器）。

③ 自動排泄処理装置

自動排泄処理装置は、センサーで尿や便を感知し、真空方式で自動的に尿や便を吸引するものです。安静が必要な利用者や全身状態が悪化しているなど、頻回に体位変換ができない利用者に用いられます。

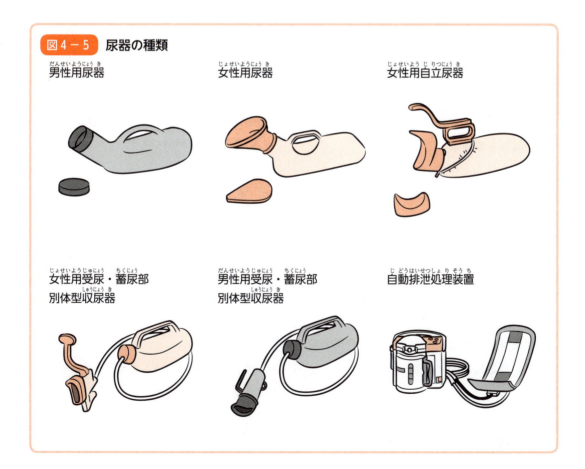

図4-5 尿器の種類

2 差しこみ便器を使用した排泄の介助

介助のポイント
① 利用者の健康状態や障害の程度にあわせて適切な便器（p.190参照）を選ぶ
② 環境に配慮し、安楽な方法で排泄できるようにする
③ 清潔な環境を維持する

<必要物品>
便器（便器の洗浄をしやすくするために、便器の底にトイレットペーパーを敷いておく）、便器カバー、防水シーツ、トイレットペーパー、バスタオル、蒸しタオル、乾いたタオル、おしぼり、使い捨て手袋、ポリ袋、シャワーボトル（必要時）、使い捨てエプロンなど

介助手順	留意点と根拠
①差しこみ便器で排泄することを説明し、同意をえます。	①利用者の意向を確認し、自己決定を尊重します。これから行う介助の方法・手順を理解してもらいます。 介助内容を知ることで、利用者が安心・納得して行為を行うことにつながる。
②気分や腹部の膨満感、痛み、便意、尿意を確認します。	②利用者の状態を把握し、利用者に合った便器（p.190参照）を選択します。
③排泄環境を整え、必要物品を準備し、エプロンをつけ身じたくを整えます。	③カーテンを閉めるなどプライバシーを保護し、排泄環境を整えます。 事前の必要物品の用意は、介助の効率性を上げ、利用者の負担を軽減する。感染予防のためエプロンをつける。
④利用者の同意をえて、ベッドを介助しやすい高さに調整します。	④ ベッドの高さを調整することで、介助者の腰にかかる負担を軽減する。
⑤掛け物を足もとにたたみます。安心して	⑤汚染予防に留意します。

186

排泄できるように防水シーツを敷くことを説明し、同意をえます。側臥位になってもらい、防水シーツを殿部の下に敷きます。

⑥利用者に仰臥位に戻ってもらい、腰部にバスタオルをかけ露出を防ぎます。
・ズボンと下着を腸骨部まで下ろし、次に両膝を立てて、腰上げの協力を依頼します。
・腰上げと同時にズボンと下着を下ろします。片方だけ脱ぎます。

⑥プライバシーの保護を行います。
・腰上げが可能な場合は、利用者に両膝を立てて足底をベッドにしっかりつけてもらい、協力をえながらタイミングよくズボンと下着を下ろします。

⑦利用者に声かけを行い、両膝を立てます。
・介助者は前腕を利用者の腰背部の下に差しいれ、腰部を支えます。もう一方の手で便器の取っ手を持ち、腰上げと同時に殿部の下に差しこみます。

⑦汚れが落ちやすいよう、便器の中にトイレットペーパーをあらかじめ入れておきます。
・介助者はベッドに肘をつき、その肘をてこにして、利用者の腰部を浮かせます。もう一方の手で尾骨を確認しながら便器を差しこみます。
・利用者が殿部の持ち上げができない場合は、側臥位にして便器を殿部にあて、仰臥位に戻します。

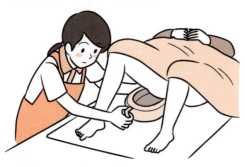

⑧肛門部が便器の中央にくるように差しこみます。

⑧親指で尾骨を確認しながら差しこみます。尾骨に便器の縁があたらないように注意しま

・腰を下ろしてもらい、安定しているか利用者に確認します。

⑨ベッドをギャッチアップし、ふらつき等がないか確認します。
・排便姿勢がつらくないかを利用者に聞きながら、便器の位置を調整します。

⑩女性の場合はトイレットペーパーを恥骨部から会陰部に掛け、尿の飛び散りを防ぎます。

⑪室外にいることを伝え、排泄終了後に合図をしてもらうように説明します。

⑫合図があってから、または終了したころに利用者のところに戻り、排便・排尿が終了したかどうかを確認します。
・腹部の膨満感、痛み、すっきり感を確認し、ベッドの背もたれをもとに戻します。

⑬手袋をつけ、トイレットペーパーで尿道口から肛門にかけて汚れを取り除き、便器に入れます。
・利用者に側臥位になってもらい、便、尿の

す。

⑨手すり等、何かにつかまると腹圧がかけやすくなることを伝えます。

> ギャッチアップすることで、腹部の緊張をとり腹圧をかけやすくする。可能な範囲で十分に膝を屈曲させ、しっかりと足底をベッドに接地させるといきみやすい。

⑩汚染予防に留意します。
・可能であれば利用者にトイレットペーパーを持ってもらい、膝頭を閉じてもらいます。
・腹をふくらませるようにゆっくり呼吸をしてもらいながら、肛門のほうへ力を加えるイメージでいきんでもらいます。

⑪気兼ねなく1人で排泄する環境をつくります。プライバシーの保護に配慮します。

⑫腹部の膨満感、痛みなどがずっと続いている場合は医療職につなげます。

⑬

> 陰部をふく際、女性の場合は尿道が短く感染を起こしやすいため、尿道口から肛門にかけてふき、尿路感染症の予防をする。

状態を観察しながら便器をはずします。

・便・尿の性状を観察し、異常時の早期発見と対応につなげます。

⑭蒸しタオルを使い、殿部、肛門周辺を清拭し、さらに乾いたタオルで湿り気を取り除きます。その際に、肛門周辺、殿部、腰部の皮膚の状態を観察します。
・手袋をはずし、ポリ袋に廃棄します。

⑭必要に応じて陰部洗浄します。

> 皮膚は、弱酸性に保たれており、尿は時間とともに尿素がアンモニアに分解されアルカリ性に傾く。また、下痢の場合は、消化酵素が含まれているため皮膚を刺激するほか、便には腸内細菌も含まれているため感染を起こしやすい。皮膚の弱い利用者は陰部洗浄を行い、皮膚トラブルを防ぐ。
> ただし、頻回な洗浄は皮脂を過剰に取りさることになり、皮膚をこする機械的刺激によって皮膚表面が損傷し、バリア機能が低下してしまう。そこに、尿・便失禁による化学的刺激が加わるため、皮膚トラブルのリスクはさらに大きくなる。

⑮防水シーツを取り除きます。
・利用者に手前側を向いた側臥位になってもらい、防水シーツを丸めこみ利用者のからだの下に差しこみます。
・仰臥位に戻ってもらい、手前に防水シーツを引きぬきます。

⑮防水シーツ上の汚れを広げないように留意します。

⑯寝具が汚れていないかを確認し、下着、ズボンを上げベッドを整えます。ベッドの高さを戻します。

⑯身なりを整え尊厳の保持に留意します。利用者の行動に合ったベッドの高さに戻し、安全への配慮をします。

⑰おしぼりを渡し、手を清潔にしてもらいます。便、尿の性状、量を利用者に伝え、腹痛、便意、ふらつきの有無を確認します。

⑱カーテンを開け、換気のために窓を開けることを説明し、同意をえます。

⑲手袋をつけて、便、尿はトイレまたは汚物槽に捨て、便器は洗浄します。
・介助者は手洗いをして、物品をもとに戻します。

⑳記録します。

⑰麻痺がある場合、患側の手は健側の手で自分でふいてもらいます。健側の手は介助します。
・利用者の排泄状態から健康状態の把握に努めます。

⑱排便後のにおいがこもらないよう配慮します。

⑲排泄後の後片づけをします。

⑳状態や状況を記録します。

＜差しこみ便器の種類＞

利用者がどの程度殿部を持ち上げられるか、長時間便器を使用することによる殿部の圧迫の影響、体格、好みなどを考慮して、便器を選択します。

① 和式便器
やせている、殿部の持ち上げが困難な利用者に適しています。

② 洋式便器
殿部の持ち上げが可能な利用者は挿入が容易です。

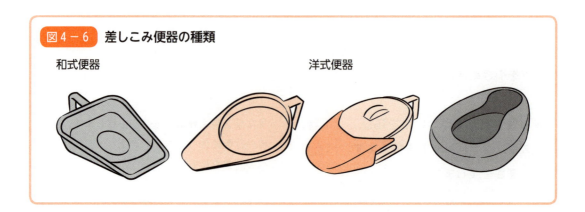

図4-6 差しこみ便器の種類

和式便器　　　　　　　　洋式便器

6 おむつでの排泄の介助

> **介助のポイント**
> ① 露出を最小限にし、プライバシーに配慮する
> ② 皮膚の状態を観察し、清潔を保持する
> ③ 利用者のできる機能を活用する

1 ベッド上でのおむつ交換の介助

＜必要物品＞

テープ止め紙おむつ、防水シーツ、バスタオル、蒸しタオル、乾いたタオル、使い捨て手袋、汚物入れ、使い捨てエプロンなど

必要に応じて、陰部洗浄用品一式（不織布ガーゼ、ぬるま湯（38〜41℃）入りシャワーボトル、平型紙おむつまたは便器）

介助手順	留意点と根拠
①利用者におむつを換えることを説明し、同意をえます。	①利用者に意向を確認して尊重します。おむつが濡れているかどうか、本人がわかっているか観察します。
②排泄環境を整え、必要物品を準備し、エプロンをつけ身じたくを整えます。	②カーテンを閉めるなどプライバシーを保護し、排泄環境を整えます。 事前の必要物品の用意は、介助の効率性を上げ、利用者の負担を軽減する。感染予防のためエプロンをつける。
③おむつ、清拭用品を準備し、汚物入れを足もとに置きます。ベッドを介助しやすい高さに調整します。	③介助しやすいように物品を配置します。 ベッドの高さを調整することで、介助者の腰にかかる負担を軽減する。
④バスタオルを利用者の上半身に掛け、掛け物は足もとにたたみます。	④身体の保温と露出を最低限にするよう留意します。

・防水シーツを敷いていない場合は、利用者を側臥位にして敷きます。

⑤利用者を仰臥位に戻し、「できる機能」を活用しながらズボンを下ろします。健側下肢のズボンを脱いでもらいます。

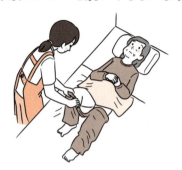

⑥介助者は手袋をします。
・おむつをはずすことを説明し、紙おむつのテープをはずして開きます。
・排泄物の有無、量、におい、性状のほか、下腹部の観察をします。

⑦使用したおむつを手前に引き出します。

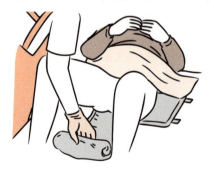

⑧陰部洗浄あるいは陰部清拭を行います。
・外陰部の汚れや分泌物をぬるま湯で洗い流します。ガーゼに石けんをつけて片手で陰唇を開き、洗います。肛門も洗います。

・汚染予防のため防水シーツを敷きます。

⑤利用者が腰上げできる場合は、膝を曲げてもらい、足底をベッドにしっかりつけて、協力をえながらタイミングよくズボンと下着を下ろします。

⑥感染予防のため手袋をします。
・排泄物などから利用者の健康状態の把握に努めます。

⑦汚れが漏れないように内側に折りたたみます。

⑧利用者の陰部に湯をかける前に、介助者は温度感覚が敏感な前腕部の皮膚に湯をかけて温度を確認します。

- 皮膚のしわは伸ばしながら洗います。
- 最後に石けんが残らないように十分に洗い流します。
- 乾いたタオルで湿り気をふきとります。

感染予防のため、腹部側から背部側（上から下）の方向に尿道口、膣、小陰唇の順に洗う。肛門部は最後に洗う（下図①〜④の順）。反対方向に行うと、肛門部の大腸菌を尿道口に付着させることになり、膀胱炎などの尿路感染の原因となる。

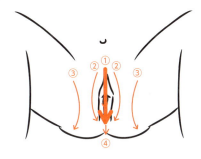

⑨利用者を側臥位にして、ふけなかった部分を蒸しタオルで清拭します。
- 乾いたタオルで湿り気をふきとります。

⑨皮膚の状態を観察します。
- 感染予防に気をつけ洗浄し一度ふいたタオル面でふかないようにします。また、皮膚粘膜は傷つきやすいので、タオルによる皮膚粘膜の損傷の予防に留意します。
- 体位変換することによって、排尿してしまうことがあるため注意します。

⑩おむつの汚れた部分を包みこむようにして、利用者のからだ側に折りこみます。

⑩汚れが広がらないように注意します。
- 清潔なおむつを準備しておきます。

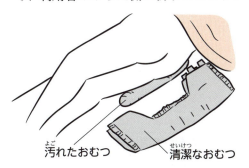

汚れたおむつ　清潔なおむつ

⑪清潔なおむつを広げ、上端を腸骨部にあて、中心線が利用者の殿部の中心にくるようにして、からだ側に折りこみます。清潔なおむつは、汚れたおむつの下に来

⑪おむつの中心がからだの中心にくるようにあてます。

るように差しこみます。

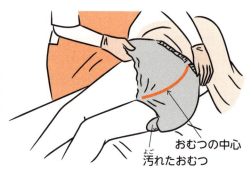

おむつの中心
汚れたおむつ

⑫利用者を仰臥位に戻し、洗浄時に下になっていた側を蒸しタオルでふきます。
・汚れたおむつをゆっくり引き出し、汚物入れに入れます。
・手袋をはずし、清潔なおむつをからだの下から引き出して広げます。

⑫清潔の保持と、タオルによる皮膚粘膜への刺激を少なくします。

⑬おむつを鼠径部にそわせながら、ギャザーをフィットさせます。
・おむつを引き上げて広げます。

⑬ギャザーが内側になっていると排泄物が漏れる原因になるため、外側になっていることを確認します。

⑭腹部が圧迫されていないかを利用者に確認し、下側のテープは斜め上向きに、上側のテープは斜め下向きにとめます。

⑭身体とおむつの間に指1本分のゆるみをもたせ（座位のとき腹部圧迫が少なくなるため）、左右の下側のテープから上側のテープの順で左右対称になるようにとめます。
・利用者の体型におむつを無理なくフィットさせると、漏れ防止になります。

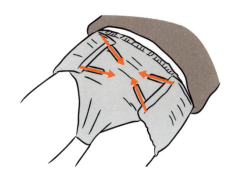

⑮おむつの立体ギャザーを指で外側に起こします。

⑮漏れの防止に留意します。
・股関節部が圧迫されていないか利用者に確認します。

圧迫は、かゆみの原因となる。

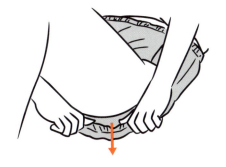

⑯ズボンを上げ、常に使用していない場合は防水シーツを取り除きます。
・衣類やシーツのしわを整えて、ベッド上の利用者の位置が安全であるか確認します。
・体調を確かめ、バスタオルをはずし、掛け物をもとに戻します。

⑯
衣類やシーツのしわは、寝心地が悪くなるだけでなく、褥瘡の発生要因にもなる。

⑰ベッドの高さを戻します。
・利用者のおむつ交換への協力をねぎらい、濡れを感じたら遠慮なく呼んでほしいことを伝えます。

⑰ベッドは利用者の生活する際の適切な高さに戻します。
・安心感・信頼感を感じられるような声かけをします。

⑱カーテンを開け、室内の換気をはかり環境を整えます。

⑱消臭剤を使用する場合は、噴射口が利用者に向かないように空中に散布します。

⑲介助者は手洗いをし、記録します。

⑲感染予防に気をつけ片づけます。
・状態や状況を記録します。

2 男性の尿取りパッドのあて方

　陰茎の下にパッドを置き、手前を山折りにして陰茎の先をおおいます。テープのついている側から陰茎をおおいます。先端に隙間ができないように反対側を巻きこみ、平型またはパンツ型のおむつを装着します。

3 布おむつの装着

　利用者の体型、皮膚の状態、尿量などにあわせ、おむつのセットの仕方も工夫します。
　女性は、殿部に尿が流れやすいため、殿部のおむつを重ねて厚くします。
　男性は、尿道口付近を厚めにします。
　下肢の運動機能をさまたげないように、おむつの縦は鼠径部にそってあてます。横は、臍部が出るように斜めにあてます。汚染が広がるのを防ぐため、おむつカバーからおむつがはみ出さないように注意します。

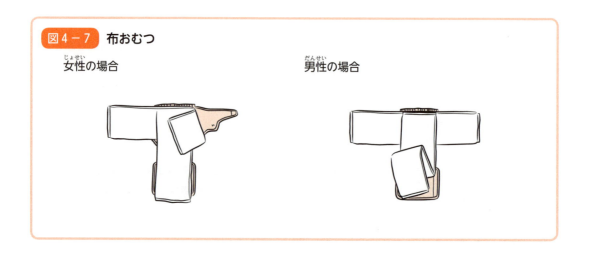

図4-7　布おむつ

第 2 節　自立に向けた排泄の介護

表 4 - 4 おむつ・パッドの種類

種類	尿量	使用適合者
パンツ型紙おむつ	300〜500ml前後	・衣類の着脱が簡単にできる人。 ・失禁の可能性は少ないが心配なときに使用する。
テープ型紙おむつ	300〜700ml前後	・長期臥床している人。 ・全面的に排泄介助を受けている人。
平型おむつ	300ml前後	・おむつカバーと併用する。 ・長期臥床している人。 ・全面的に排泄介助を受けている人。 ・おむつのあて方に補正が必要な人。
形成パッド（男性用）	200〜600ml	・陰茎の長さがある人。 ・殿部のスキントラブルがある人。
中等量パッド型	100〜250ml	・中等量の漏れがある人。 ・専用下着と併用したり、おむつと併用したりする。

出典：西村かおる『新・排泄ケアワークブック――課題発見とスキルアップのための70講』中央法規出版、p.315、2013年を一部改変

第 4 章　自立に向けた排泄の介護

7 頻尿、尿失禁、便秘、下痢、便失禁への対応

　加齢やストレス、妊娠、疾患などの健康状態、生活環境や排泄習慣によって、自然排尿や自然排便を困難にする要因があります。ここでは、頻尿、尿失禁（**表4−5**）など、おもな排尿障害について取り上げ、その対応について考えます。

1 自然排尿を困難にするおもな排尿障害

（1）観察すべきポイント

① 尿意の有無、排尿時の自覚症状（残尿感、排出困難感、排尿時痛の有無など）

② 排泄習慣、排尿パターン（排尿時刻、排尿時間：30秒以内、排尿回数：4〜7回／1日、夜間1回）

③ 排尿の量（1回排泄量：150〜300ml／回、1日排泄量：1000〜2000ml／日）

④ 尿の性状（色：透明、淡黄色〜淡黄褐色、におい：直後は無臭、時間経過するとアンモニア臭）

⑤ 水分の摂取状態と量

⑥ 陰部の皮膚の状態

⑦ 下腹部痛、腹部膨満感の自覚、発熱の有無、嘔吐の有無

⑧ 尿失禁の有無（どのようなときに、どのように失禁するのか）、回数、量

⑨ 排尿状況（頻尿：10回以上／日、夜間頻尿：2回以上／夜間、排尿困難、残尿感）

⑩ 基礎疾患、既往歴、手術歴、出産歴と服用中の薬

⑪ 排尿障害に対する思い、心理的状況、生活環境

⑫ 排尿環境（尿意を感じたらトイレにすぐに行ける、プライバシーの保持、排泄しやすい姿勢など）

⑬ 1日の生活スケジュール、生活リズムの把握（昼夜逆転）

⑭ 排泄コントロールに関する問題についての受けとめ方、ストレス、生活スタイルの変化、その他の心配ごとなど

⑮ 排尿の一連の行為

198

（2）頻尿と対応

尿路感染、膀胱容量の減少、膀胱が過敏、膀胱内に残尿がある、心理的要因などが原因で、頻尿になることがあります。一般に正常な排泄回数は1日4～7回、そのうち就寝中は0～1回とされていますが、頻尿はそれより多くなり、排泄回数が増えます。高齢者は、心臓や腎臓の機能が低下することにより、日中に尿が生成されず、夜間頻尿になる場合があります。

頻尿への対応としては、排尿時刻や排尿パターン・回数・量などの排泄記録をつけることが大切です。

（3）尿排出障害

尿排出障害とは、尿が出にくい状態をいいます。前立腺肥大症に代表される尿道の通過障害と、膀胱収縮障害があります。症状としては、出るまでに時間がかかる、出ているときも時間がかかる、勢いが悪いなどがあてはまります。

尿排出障害は、薬物治療や下腹部を圧迫し腹圧を利用する排尿訓練などで対処します。排尿回数や尿失禁の合併の有無などを観察し、看護師と連携しながら、主治医や泌尿器科へ受診し、治療につなげることが大切です。排尿姿勢を工夫することや、尿閉❶に対しては、尿道からカテーテルを膀胱内に挿入して、膀胱内の尿を導尿❷します。

（4）尿失禁と対応

尿失禁は本人の意思にかかわらず不随意に尿が漏れてしまう状態をいいます。具体的には、尿意がないのに尿が出てしまう、がまんしきれずに出てしまう状態のことです。尿失禁は、①切迫性尿失禁、②溢流性尿失禁、③腹圧性尿失禁、④機能性尿失禁の4つのタイプに大別され、それぞれの状態に応じた対応が必要です（表4-5）。国際禁制学会（ICS：International Continence Society）では、病的な尿失禁は「社会的、衛生的に問題となるような客観的な漏れを認める状態」と定義しています。尿失禁によって、清潔が保てず、陰部の湿潤による不快感、皮膚のかぶれ、尿路感染症を引き起こす原因となります。また、自尊心の低下や羞恥心等から活動が減少し、ひきこもりになるなど、QOL（Quality of Life：生活の質）が低下するおそれがあるため、適切な医療・介護の提供が必要です。

---

❶尿閉
膀胱内に尿が多量に蓄えられ、尿意があるにもかかわらず排尿できない状態。

❷導尿
p.204参照

表4-5	尿失禁の状態と対応	

種類	状態	対応
①切迫性尿失禁	急にがまんできない強い尿意があり、トイレに間にあわず漏らしてしまう。	・排泄時刻を把握し、定期的にトイレに行く。 ・脱ぎやすい衣服にする。トイレに近い居室にする（生活環境の見直し）。 ・骨盤底筋訓練をする。
②溢流性尿失禁	排尿困難のため膀胱内に残尿があり、漏れ出す。	・排泄時に腹圧をかけやすい体位にする。定期的な排泄をうながす。 ・清潔間欠導尿や留置カテーテルで対応する。
③腹圧性尿失禁	腹圧が急にかかったとき（くしゃみ・しゃっくり、重いものを持ち上げたときなど）に漏れる。	・尿意を感じたら早めにトイレ誘導する。 ・腹圧のかかる活動をする場合は事前に排泄をませておく。 ・骨盤底筋訓練をする。
④機能性尿失禁	排尿動作が適切に行われず漏れてしまう。 例：トイレまで遠くて間にあわない。トイレの場所やトイレの使い方がわからない。	運動機能低下や認知機能低下によって、自立に向けた一連の排泄動作の流れのなかで、どこに不自由さを感じるのか、その原因を探り対応する。 例：尿意の訴え（サイン）にあわせたトイレ誘導をする。トイレの場所・環境をわかりやすくする。障害にあった尿・便器その他の用具の選択、簡単な操作で着脱できる衣服の工夫などを検討する。

2 自然排便を困難にするおもな排泄障害

（1）観察すべきポイント

① 便意の有無と排便パターン（排便時刻、排便に要した時間）

② 排便の量やにおい、血液や粘膜の付着、性状（ブリストル便形状スケール（図4-8））

③ 便の色（通常は黄土色、茶褐色）、便に血液、粘膜が混ざっていないか

④ 腹痛、残便感、膨満感、痛み、嘔気、嘔吐、発熱の有無、排出困難感

⑤ 排泄コントロールについて、いつから、何に困っているか、どのくらい続いているか

⑥ 排便環境：便意を感じたらトイレがすぐに使用でき、プライバシー

図4-8 ブリストル便形状スケール

タイプ1：コロコロ便	タイプ2：かたい便	タイプ3：ややかたい便	タイプ4：普通便	タイプ5：ややわらかい便	タイプ6：泥状便	タイプ7：水様便
かたく、コロコロの便（ウサギの糞のような便）	短く固まったかたい便	水分が少なく、ひび割れている便	適度なやわらかさの便	水分が多く、やわらかい便	形のない泥のような便	水のような便

が守られる環境であるか、排便姿勢はとれているか

⑦ 食事内容：便の量を増やし排便をスムーズにする水溶性・不水溶性食物繊維、腸内細菌叢を正常化させる乳酸菌などがとれているか、経管栄養剤の内容、摂取状況と量など
⑧ 水分の摂取状態と量
⑨ 排泄動作時の様子（自立に向けた一連の流れ）、活動・運動状況
⑩ 1日の生活スケジュール、生活リズムの把握（昼夜逆転していないかなど）
⑪ 疾患と服用中の薬
⑫ 陰部、肛門部の皮膚の状態
⑬ 下剤・浣腸の使用の有無、使用状況、効果発現までの時間
⑭ 排泄コントロールに関する問題についての受けとめ方、ストレス、生活スタイルの変化、その他の心配ごとなど

（2）便秘と対応

便秘は、本来体外に排出すべき糞便を十分量かつ快適に排出できない状態（「慢性便秘症診療ガイドライン2017」）です（ブリストル便形状スケールタイプ1・2）。

便秘は、加齢や運動不足による腹圧の低下、緊張・不安などの自律神経の乱れ、生活環境の変化や慣れない排泄習慣、食事や水分摂取量が適切でないなど、日常生活上のさまざまな要因によって生じます。また、脊髄障害による排便反射の消失、脳血管疾患や薬剤（抗コリン剤、抗うつ薬、催眠薬、鎮痛・鎮静薬など）等による蠕動運動の低下など、疾患や薬などからも影響を受けます。

便秘には、①弛緩性便秘（大腸の蠕動運動の低下）、②直腸性便秘（直腸や肛門の便の排出が妨げられる）、③けいれん性便秘（副交感神経の過緊張）、④器質性便秘などがあります。

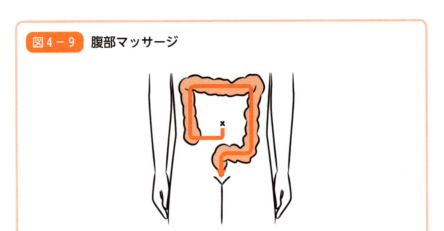

図4-9 腹部マッサージ

注：大腸の走行にそいながら、腹部マッサージをするとよい。

便秘には、以下のように対応します。
① 排便パターンを把握し、少し早めの声かけをして排便をうながします。便意が生じた場合はすぐに排泄できるように対応します。
② 便座に座ったとき、少し前かがみになってもらい腹圧をかけやすい姿勢をとってもらいます。
③ 大腸の走行にそいながら腹部マッサージを行い、腸の蠕動運動の活発化、排ガス・排便を促進します（図4-9）。
④ 個々のプライバシーが守れるようにトイレ環境を整備します。
⑤ 水分の摂取状態と、量が十分とれているかを確認します（腎臓機能障害や心疾患のある利用者は水分量に注意します）。
⑥ 便の量を増やし排便をスムーズにする水溶性食物繊維や海藻類、乳酸菌などをとり、食事内容を工夫します。
⑦ 日中の活動性を高める支援をします。

（3）下痢と対応

下痢は、一般的に便が形をなさず液状～泥状である状態（ブリストル便形状スケールタイプ6・7）であり、1日の排泄量が200g（あるいは200ml）以上と定義されています。サルモネラ菌などによる細菌感染、ノロウイルスなどのウイルス感染による感染性腸炎、下剤、抗生物質など薬剤による下痢、過食や脂肪分の多い食事による消化不良、精神的ストレスによる神経性の下痢などさまざまです。下痢と同時に腹痛や発熱、嘔吐等をともなう場合は、食中毒やウイルス感染の可能性がある

第2節　自立に向けた排泄の介護

ため、早めに医師の診察を受けましょう。

下痢には、以下のように対応します。

① 下痢は、それだけで体力を消耗するため心身の安静と保温が大切です。頻回な場合はパッド、ポータブルトイレなど福祉用具を活用して対応します。

② 下痢により水分と電解質が失われるため、脱水から重篤な状態になりやすくなります。水分補給や食事については、脱水予防のため経口摂取が可能であれば、番茶や白湯、電解質も補給できるスポーツ飲料などを補給します。粥や野菜スープなど、胃腸への負担が少ない食事を選び、冷水、牛乳、炭酸飲料、脂肪は避けます。

③ 水様便は消化酵素を含むため、肛門周囲の皮膚の炎症を起こしやすくなります。排便後は洗浄または肛門清拭剤をつけ清潔にします。便が皮膚と接触しないように皮膚保護剤を使用します。

④ 冷えによる腸の収縮をおさえるために身体を温めて自律神経を整えます。

⑤ 下痢を主症状とする感染症に罹患した場合、施設では集団感染が起こる危険性があります。すみやかな診断・治療により、食事療法、薬物療法を行い、**標準予防策（スタンダードプリコーション）** ❸ に準じた職員全員の対応で感染の拡大を防ぎます。

（4）便失禁

便失禁とは、無意識または自分の意思に反して肛門から便が漏れる症状のことをいいます（便失禁診療ガイドライン2017年版）。そのため、衣類や寝具を汚してしまいます。大別すると、①切迫性便失禁、②漏出性便失禁、③糞便栓塞、④機能性便失禁があります。なぜその現象が生じているかを分析し、適切に対応する必要があります（**表4-6**）。

❸標準予防策（スタンダードプリコーション）

感染症病原体の存在が疑われるかどうかにかかわらず、すべての人に分けへだてなく行う感染予防策。「すべての血液、体液、汗以外の分泌物、損傷のある皮膚・粘膜は伝染性の感染性病原体を含む可能性がある」という原則にもとづく。

第4章　自立に向けた排泄の介護

203

表4-6	便失禁の状態と対応	

種類	状態	対応
①切迫性便失禁	外肛門括約筋が障害されているために、急激に便意を感じて間にあわない。ほとんどが下痢をともなっている。	下痢を改善することが便失禁の改善につながる。
②漏出性便失禁	内肛門括約筋のはたらきの低下により、便意をともなわず気がつかないうちに便を漏らしてしまう。	野菜や海藻類など繊維質の多い食べ物を積極的にとったり、ヨーグルトなど乳酸菌と抗酸化物質のポリフェノールを含む食品をとるなど、食生活の改善をはかる。起床後に排便習慣をつけるように排便コントロールを行い、肛門の筋肉をきたえる骨盤体操をする。
③糞便栓塞	便が直腸内に充満しても便意をもよおさず便がかたくなり、そのまわりから液状の便が漏出する。	医師は直腸指診を行い、直腸に便の貯留を確認し、かたい便に触れた場合は、摘便をする。場合によっては、座薬や浣腸を行うこともある。
④機能性便失禁	認知機能低下がありトイレの場所がわからない、トイレに移動するまでに漏れるというように、排便動作に関する判断、動きができない。	排便サインを見つけてトイレ誘導をしたり、食後の決まった時間にトイレで排泄姿勢をとったりするように習慣化する。

8 その他の排泄に関するさまざまな介助

　ここまで説明してきた場面以外にも、自己導尿が必要な人、座薬・浣腸を必要とする人、ストーマ用具を用いる人など、多くのタイプの人がいます。ここでは、介護福祉職として行うことができる行為を紹介します。

1 自己導尿の介助

　膀胱に貯留した尿を自力では排泄できない尿閉を起こしている場合や、残尿が多い場合に、尿道口から膀胱内にカテーテル（管）を挿入して尿を排泄します。これを導尿といい、間欠的導尿と持続的導尿があります。間欠的導尿には、医療職がカテーテルを挿入する無菌間欠導尿と、利用者自身が行う清潔間欠導尿があります。

表4-7	自己導尿の利点

① 腎臓機能が維持できる。
② 膀胱機能の改善が期待できる。
③ 尿路感染症が予防できる。
④ 失禁や頻尿が改善する。
⑤ カテーテルを留置しないため、社会参加がしやすい。

膀胱に尿が貯留した状態が続くと、尿路感染症や溢流性尿失禁を起こす原因となり、さらに腎臓の機能低下にもつながります。自己導尿の利点として、**表4-7**のようなことがあげられます。

介護福祉職が行うことのできる行為は、カテーテルの準備や体位が不安定にならないように保持することです。また、排尿量、尿の色・性状を観察し、尿量の減少や尿の混濁、血尿などがあった場合は、医師または看護師に報告します。利用者が自己導尿を受け入れ、自己管理できるように、医師・看護師と連携しながら、精神的な援助を含め支援することが必要です。

2 座薬挿入、浣腸

（1）座薬と浣腸の理解

自然排便が困難なときの対応には、温あん法や腹部マッサージのほかに、座薬と浣腸があります。

座薬は、肛門から挿入したのち、体温で溶けて粘膜から吸収されます。

浣腸は、肛門から薬液を入れ、腸を刺激して排便をうながします。即効性で、使用後5～10分後には効果がみられます。ただし、頻繁に使用すると自然に排便できなくなる可能性があるため、注意が必要です。

介護福祉職が扱うことができるのは、市販のディスポーザブルグリセリン浣腸器（挿入部の長さが5～6cm程度以内、グリセリン濃度50％、成人用の場合で40g程度以下のもの、6歳から12歳未満の小児用の場合で、20g程度以下、1歳から6歳未満の幼児用の場合で10g程度以下の容量のもの）です。また、肛門からの座薬挿入も、原則として医行為ではないと考えられています。しかし、容態が安定していること、肛門からの出血がないこと等の条件を満たしていることが必要です（「医師法第17条、歯科医師法第17条及び保健師助産師看護師法第31条の解釈について」（平成17年7月26日医政発第0726005号）参照）。

（2）座薬の挿入の介助

＜必要物品＞

座薬、潤滑剤、使い捨てエプロン、使い捨て手袋、トイレットペーパー、ガーゼなど

介助手順	留意点と根拠
①座薬を挿入することを説明して同意をえます。気分・体調を確認します。排尿をすませていることを確認します。	①利用者の意向を確認し、自己決定を尊重します。これから行う介助の方法・手順を理解してもらいます。 介助内容を知ることで、利用者が安心・納得して行為を行うことにつながる。 ・排便を目的とする座薬以外の場合は、挿入前に排便をすませておくようにします。
②介助者は手洗いをし、必要な物品を整えます。	
③カーテンを閉めます。	③ プライバシーへの配慮を行う。
④バスタオルやタオルケットを使い露出を最小限にし、衣服を下げて肛門部を露出します。	
⑤利用者の体位は側臥位とし、軽く膝を曲げます。からだの力を抜くように、声をかけます。	⑤ 腹圧がかかって座薬が排出されないように、リラックスした姿勢がとれるようにする。
⑥手袋をつけます。座薬を取り出して、ガーゼやトイレットペーパーで持ち、先端に潤滑剤をつけます。	⑥ 潤滑剤をつけることで、座薬を挿入しやすくする。
⑦利用者に口で呼吸して、腹部の力を抜くよう声をかけます。親指と人差し指で肛門部を広げて、座薬を挿入します。	⑦挿入が浅いと自然に排出されてしまうため、できるだけ深く挿入します。

206

第 2 節　自立に向けた排泄の介護

> 口呼吸と腹部の力を抜くことで腹部の緊張をとり、座薬の挿入をしやすくする。

・挿入後は、ガーゼやトイレットペーパーの上から、1～2分押さえておきます。

⑧挿入方向に注意します。

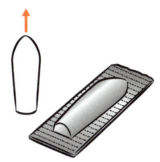

⑧座薬が完全に入り、出てこないことを確認して、手袋をはずします。

⑨終了したことを伝え、腹部に力を入れないように説明します。

⑨
> 腹部に力を入れると腹圧がかかり、座薬が排出されてしまう。

⑩腹痛や不快感などがないか確認します。

⑪衣服と掛け物を整え、カーテンを開けます。

⑫トイレに誘導し排便をうながします。

⑬記録します。

⑬状態や状況を記録します。

第4章　自立に向けた排泄の介護

（3）浣腸

＜必要物品＞

ディスポーザブルグリセリン浣腸器、潤滑剤、使い捨てエプロン、使い捨て手袋、トイレットペーパー、防水シーツ、ポータブルトイレや便器など

介助手順	留意点と根拠
①浣腸を行うことを説明し、同意をえます。気分・体調を確認します。排尿をすませていることを確認します。	①利用者の意向を確認し、自己決定を尊重します。これから行う介助の方法・手順を理解してもらいます。 介助内容を知ることで、利用者が安心・納得して行為を行うことにつながる。
②介助者は手洗いをし、必要な物品を整えます。浣腸器を40℃くらいの湯につけて温めておきます。	② 温度が直腸温（38℃程度）より低いと末梢血管が収縮して血圧が上昇したり寒気が起こったりする。また、温度が高すぎると、腸粘膜に炎症を起こす危険がある。
③カーテンを閉めます。	③ プライバシーへの配慮を行う。
④腸の走行にあわせ、利用者の体位は左側臥位とし、軽く膝を曲げるなど、安楽に配慮します。	④ この姿勢をとることにより、注入液が直腸からS状結腸に流入しやすい。立位で行うと、直腸前壁に浣腸器のチューブがあたり、直腸粘膜を傷つけ、直腸穿孔（直腸に穴が開いた状態）を引き起こすこともあるため、立位では行わない。麻痺がある場合は、患側が下にならないようにする。
⑤防水シーツを殿部の下に敷きます。	
⑥バスタオルやタオルケットを使い露出を最小限にし、衣服を下げて肛門部を露出します。	

第2節　自立に向けた排泄の介護

⑦手袋をつけ、浣腸器のチューブ先端に潤滑剤をつけます。浣腸器を軽く押して容器内の空気を抜きます。

⑦潤滑剤をつけることで、チューブの先端を挿入しやすくする。

⑧利用者に口で呼吸し、腹部の力を抜くように声をかけます。

⑧腹部の緊張をとり、浣腸液を流入しやすくする。

⑨浣腸器のチューブを肛門から挿入し、浣腸液をゆっくりと注入します。浣腸液の注入中は、不快感や腹痛、悪心、寒気などに注意し、症状があった場合は注入を中止して、医療職に報告します。

⑨挿入が浅いと液が外に漏れやすい。

⑩浣腸液を注入したら、ゆっくり引き抜き、トイレットペーパーで肛門部を押さえます。手袋をはずします。

⑪3～5分程度がまんするよう声をかけ、トイレまたはポータブルトイレに誘導します。移動がむずかしい場合は、便器かおむつで排泄してもらいます。

⑪浣腸液を注入してすぐに排便すると、液のみが出てしまう場合がある。

⑫便が出にくいときは左下腹部をマッサージして、排便をうながします。

⑫腸の蠕動運動を促進する。

⑬排便後、手袋をつけて肛門部と周囲をふきます。防水シーツをはずし、衣服や掛け物を整えます。カーテンを開けます。

⑭記録します。

⑭状態や状況を記録します。

第4章　自立に向けた排泄の介護

209

3 ストーマがある場合の介助

(1) ストーマとストーマ装具

ストーマとは、手術によって腹部につくられた排泄口のことをいい、尿路系ストーマと消化器系ストーマがあります。ストーマ装具は、排泄物を収集するパウチ（袋）とパウチをからだに固定する面板とからできています。面板とパウチが一体化しているワンピースタイプと、別々になっているツーピースタイプがあります（図4−10）。面板とパウチを接合する部分をフランジと呼びます。

利用者自身あるいは家族が排泄物の処理をすることができない場合、介護福祉職の支援が必要です。

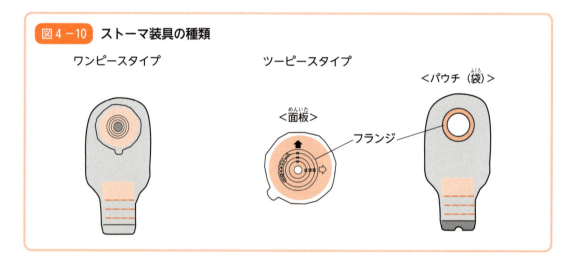

図4−10 ストーマ装具の種類

ワンピースタイプ　　ツーピースタイプ　　＜パウチ（袋）＞
＜面板＞
フランジ

(2) パウチ（袋）にたまった排泄物の除去

＜必要物品＞

トイレットペーパー、ウェットティッシュ、使い捨てエプロン、使い捨て手袋、タオル、新聞紙やビニール袋（居室で行う場合）、洗濯ばさみなど

介助手順	留意点と根拠
①排泄物を除去することを利用者に説明し同意をえて、介助が必要なことについて確認します。	①利用者の自立や羞恥心へ配慮します。 ・利用者の意向を確認し、自己決定を尊重します。これから行う介助の方法・手順を理解してもらいます。 介助内容を知ることで、利用者が安心・納得して行為を行うことにつながる。

第2節　自立に向けた排泄の介護

②利用者の気分や体調、排泄状況を確認します。必要な物品を整えます。

③トイレで行えない場合は、カーテンなどで空間を確保します。また、換気が行えるようにします。

③
プライバシーへの配慮を行う。

④介助者は手袋をして、パウチを開け、排泄物を捨てます。

④衣服が汚れないように、上着の裾が落ちてこないように洗濯ばさみなどでとめます。
・交換時はタオルをはさみ、下腹部が汚れないようにします。

⑤パウチやストーマ周辺に排泄物がついていないか確認し、ふきとります。パウチを閉じます。

⑤
排泄物がついていると、臭気の原因になる。

⑥衣服を整え、カーテンを開けます。

⑦排泄物の量や性状、ストーマの色や形、排泄物の漏れ、面板の固定状況などを観察し、異常があれば医師・看護師に報告します。

⑦排泄物の量や性状は、食事状況や水分摂取量などとあわせてアセスメントをします。

⑧記録します。

⑧状態や状況を記録します。

第4章　自立に向けた排泄の介護

第**3**節

排泄の介護における
多職種との連携

学習のポイント

■ 利用者のよりよい生活に向けて、排泄の介護における多職種連携の必要性について理解する

■ 排泄の介護に関する多職種との連携と、他職種の役割を学ぶ

関連項目　④ 『介護の基本Ⅱ』　　　　　▶ 第4章「協働する多職種の機能と役割」
　　　　　　⑪ 『こころとからだのしくみ』　▶ 第7章第3節「変化の気づきと対応」

1 排泄の介護における多職種連携の必要性

　排泄障害は、日常生活のさまざまな活動に影響を及ぼします。仕事、掃除・買い物などの家事、スポーツ、集会への参加、旅行など、社会参加を阻害することもあります。さらに、家庭内や友人との対人関係に支障をきたしたり、気分の落ちこみを引き起こしたりするなど、精神面への影響も少なくありません。

　健全な排泄には、排泄器官の構造と機能（解剖と生理）が正常であること、排泄に対する健全な意識・心理状態とそれにもとづいた適切な排泄環境が整えられていることが必要です。そのためには、トイレへの移動、衣類の着脱、便座への移乗動作と便座からの立ち上がり動作、座位姿勢の保持、排泄の後始末といった一連の動作のどこに阻害因子があるかの確認が必要です。それに加え、排泄用具や手すりなど環境を整えることによって利用者ができる機能を確認することも重要です。そして、利用者のこれまでの生活習慣、生活リズムなど個人の特性をふまえて、自立に向けた排泄を支援することが求められます。

　利用者の健康状態から、認知機能、運動機能、泌尿器機能、消化器機能へどのような影響があるかを関連させ、利用者の排泄に関するセルフケアに着目します。物的環境と人的環境とも関連させて、利用者の排泄

第3節　排泄の介護における多職種との連携

障害の原因・要因を探ります。そして、利用者のライフサイクルや生活習慣などに配慮し、利用者の尊厳と自立をめざした適切な支援をすることが介護福祉士に求められます。

このような一連の排泄行動は多岐にわたるため、医師、看護師、リハビリテーション専門職、管理栄養士、福祉住環境コーディネーター、介護支援専門員（ケアマネジャー）など、多職種によるチームアプローチによって、専門的な視点から多面的、総合的なアセスメントを行い対応する必要があります。

2 他職種の役割と介護福祉職との連携

利用者のよりよい生活に向けた排泄の介護をするにあたって、医師・看護師、理学療法士・作業療法士、管理栄養士、薬剤師、福祉用具専門相談員・福祉住環境コーディネーター、介護支援専門員など、さまざまな専門職種が個々の専門性をいかしてチームアプローチし、問題を解決していくことが重要です。以下で、排泄に関連する他の職種の役割について説明します。

（1）医師・看護師

排泄障害にかかわる病態を予測し医学的診断を導くためには、的確な情報をえることが必要となります。介護福祉職が利用者の訴える主要な症状を十分に聴き、そこからえた情報と排泄状況の記録や検査結果は、診断や治療につながる客観的なデータといえます。介護福祉職は、日々利用者の日常生活にかかわるため、利用者の排泄状況を観察し、必要な情報を医師・看護師に報告することによって早期発見・早期対応につなげます。そして、利用者の健康状態の悪化を防ぎ、症状が回復するように支援します。

（2）理学療法士・作業療法士

利用者が自分で排泄をするためには、利用者のできる機能・活動に着目した、運動機能の活用、運動能力の維持、自立を考慮した排泄環境になっていることが重要になります。安全で快適に排泄しているか動作分析を行い、訓練・評価時の能力を高め、日常生活における排泄活動を維

第4章　自立に向けた排泄の介護

持していくことが求められます。たとえば、排泄障害の治療にあるように、尿失禁のある高齢者に対しては、運動療法として骨盤底筋群への収縮訓練を行うことが効果的です。そのため、介護福祉職は理学療法士（PT：Physical Therapist）・作業療法士（OT：Occupational Therapist）と連携をはかり、ふだんの生活のなかで、訓練して「できる活動」を取り入れることが大切です。利用者の起居動作、移乗・移動動作、衣類の着脱動作等の訓練・評価内容をふまえ、実生活を送るうえでよりよい介護につなげていくことが大切です。

（3）管理栄養士・栄養士・調理師

　排泄障害の改善のためには、食事療法が重要になります。介護福祉職は、利用者の食に関する情報を、常に管理栄養士や調理師に伝えて、情報共有する必要があります。それによって、利用者の健康が維持され、よりよい排泄につなげることができます。

　たとえば、利用者に便秘症状がみられた場合は、介護福祉職は、管理栄養士・調理師に利用者の水分の摂取量や、水溶性食物繊維や海草類、乳酸菌などの食事内容、それぞれの摂取状況を伝え、適切な摂取量の提供につなげることが重要です。

　管理栄養士や調理師と連携をはかり、利用者の実生活を伝え、よりよい介護につなげていくことが求められています。

（4）薬剤師

　排尿・排便障害の改善には、薬物療法があります。たとえば排尿障害をともなう、脳卒中、パーキンソン病などの中枢神経疾患や、前立腺肥大症などの下部尿路閉塞性疾患などには、薬物治療が用いられます。便秘などの排便障害は、小腸、大腸の栄養・水分吸収、運動をコントロールすることによって、便性を変化させ、スムーズな排便につなげることができます。

　介護福祉職は、薬剤師と連携をはかり利用者の症状に対する観察力を高めることが重要です。薬剤師と連携することで、薬剤の適切な使用や効果の把握、排泄に影響する薬物に関する知識を高めることができます。また、薬剤師は介護福祉職から利用者の服薬管理の情報をえることで、薬剤の適切性を把握でき、治療につなげることができます。

（5）福祉用具専門相談員・福祉住環境コーディネーター

　利用者の自立に向けた排泄を介護するうえで、環境を整備することは重要です。たとえば、トイレまでの移動や移乗が困難になった場合、利用者や家族は、介護支援専門員に相談します。介護支援専門員は、多職種から状況を把握し、住宅改修に関して、福祉用具専門相談員、福祉住環境コーディネーター等と協議します。手すりの取りつけ、廊下からトイレまでの段差の解消、利用者に合った便器の取りかえ、床または通路面の材質の変更、扉の変更、照明など、利用者の動作・状態からどの位置が適切かなど必要な改修を介護支援専門員と協力しながら検討します（図4－11）。

　介護福祉職は、利用者の排泄に関する考え方や安全・安楽に排泄できる動作、居室からふだんどのように移動をしているか、その状況を介護支援専門員に伝えます。相互に情報提供しながら連携・協議し、排泄環境を整えることによって、利用者の能力や考えに合った排泄の自立を支援します。

　また、工事をともなわない手すり、ポータブルトイレ、補高便座、自動排泄処理装置、紙おむつなどの排泄に関する福祉用具が必要な場合は、利用者や家族とともに排泄状況を介護支援専門員や福祉用具専門相談員に伝え、連携します。

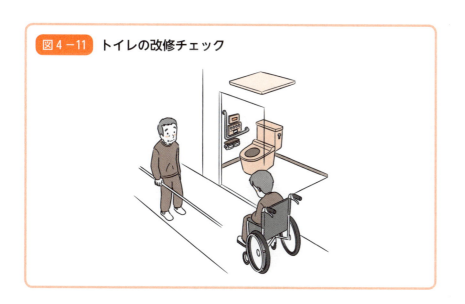

図4－11　トイレの改修チェック

（6）介護支援専門員

　介護支援専門員（ケアマネジャー）は、ケアプラン（居宅サービス計画や施設サービス計画）を立案します。個々の利用者の排泄に関するアセスメントを行い、利用者の意向に沿って心身の状態・状況に合わせた排泄課題を解決できるよう目標を設定します。各介護サービス事業所と連絡・調整を行い、実際に適切な介護サービスを受けられるようコーディネートします。また、サービス担当者会議を開催し、すべてのサービスにかかわる職種および利用者と目標を共有します。その際、住宅改修（手すり、段差解消など）、福祉用具購入（ポータブルトイレ、シャワーチェアなど）に関する相談・手続きなどを行うことも業務の１つとなっています。

　介護福祉職は介護支援専門員が立案したケアプランにそって、個別サービス計画を作成し、計画にそって実践していきます。介護福祉職は、利用者の思いや排泄状況の変化、日々の状態・暮らしの変化を介護支援専門員に報告して、利用者のQOL（Quality of Life：生活の質）を高めることを共通の目標とし、連携・協働をはかっていきます。

第 3 節　排泄の介護における多職種との連携

◆ 参考文献

- 介護・医療・予防研究会編『高齢者を知る事典──気づいてわかるケアの根拠』厚生科学研究所、2000年
- 川村佐和子・志自岐康子・松尾ミヨ子編『ナーシング・グラフィカ18 基礎看護学③ 基礎看護技術』メディカ出版、2004年
- 壬生尚美・佐分行子編著『新カリ対応 事例で学ぶ生活支援技術習得──自立支援と健康を守る技術がわかる』日総研出版、2008年
- 山永裕明監、野尻晋一『リハビリテーションからみた介護技術』中央法規出版、2006年
- 石井賢俊・西村かおる『らくらく排泄ケア──自立を促す排泄用具選びのヒント 改訂3版』メディカ出版、2008年
- 寺島彰監、コンデックス情報研究所編著『イラスト図解 介護職のための正しい介護術──負担が軽くなるボディメカニクスを活用！』成美堂出版、2006年
- 介護福祉士養成施設協会編、中村明美・岩井惠子・井上千津子編『介護福祉士養成テキスト3 コミュニケーション技術／生活支援技術Ⅰ・Ⅱ』法律文化社、2014年
- 柴田範子編『介護福祉士テキストブック7 生活支援技術Ⅱ』ミネルヴァ書房、2009年
- 菱沼典子ほか「熱布による腰背部温罨法が腸音に及ぼす影響」『日本看護科学会誌』第17巻第3号、1997年
- 米田由美子ほか「腹部マッサージが腸音と排便習慣に及ぼす効果」『日本看護研究学会誌』第17巻第3号、1997年
- 須藤紀子「高齢者の排尿・排便障害」『日本老年医学会雑誌』第49巻第5号、2012年
- 本間之夫「排泄機能の意味」穴澤貞夫・後藤百万・高尾良彦・本間之夫・前田耕太郎編『排泄リハビリテーション──理論と臨床』中山書店、2009年
- 日本大腸肛門病学会編『便失禁診療ガイドライン 2017年版』南江堂、2017年
- 三好春樹・高口光子・福野初夫・鳥海房枝『新しい介護学 生活づくりの排泄ケア』雲母書房、2008年
- 青木芳隆・横山修「高齢者夜間頻尿の病態と対処」『日本老年医学会雑誌』第50巻第4号、2013年
- 亀井智子編『根拠と事故防止からみた老年看護技術 第2版』医学書院、2016年
- 任和子・井川順子・秋山智弥編『根拠と事故防止からみた基礎・臨床看護技術 第2版』医学書院、2017年
- 東京商工会議所編『福祉住環境コーディネーター検定試験2級公式テキスト 改訂3版』東京商工会議所検定センター、2015年

演習4−1　おむつの吸水性

1 おむつ・パッドの種類（p.197）を参考に、おむつがどれくらいの水分を吸うのか、実験してみよう。

2 利用者の排泄状態から適切なおむつ・パッドについて考えてみよう。

演習4−2　おむつ体験

　ズボンの上からおむつをあてて、おむつ体験をし、話し合ってみよう。利用者の心理状態や配慮する面を考えよう。

第5章

第章

休息・睡眠の介護

第 1 節	休息・睡眠とは
第 2 節	休息・睡眠の介護
第 3 節	休息・睡眠の介護における多職種との連携

※本章のAR動画は『根拠に基づく生活支援技術の基本』（白井孝子、櫻井恵美＝監修／中央法規出版＝発行）の映像を使用しています。

第 **1** 節

休息・睡眠とは

学習のポイント

■ 人間にとって休息・睡眠がどのような意味をもつか理解する
■ 日常生活における休息・睡眠の重要性について理解する
■ 安眠をうながすための基本的な支援方法を理解する

関連項目 ⑪『こころとからだのしくみ』▶ 第8章「休息・睡眠に関連したこころと
からだのしくみ」

1 休息・睡眠とは

　休息・睡眠に何らかの問題があった場合、体調や生活意欲に大きな影響を及ぼします。1日中ぼんやりして物事に集中できない、イライラして頭痛がある、からだがだるい、疲れやすいなどの症状がみられ、活動は不活発になります。さらに、疲れがとれない、眠れないといった不安が新たな問題を引き起こすこともあります。

　逆に、夜ぐっすり眠れていて、朝の目覚めが快調であれば、心身ともに元気で日中の活動も活発になります。また、適度な休息をとることにより、健康的な生活を送ることができます。介護が必要な人でも、心地よい睡眠がとれ、その睡眠の質が高いと、生き生きと意欲的に生活することができます。休息・睡眠の形態は年齢やその人のライフスタイル、心身の状況によってさまざまですが、健康を維持できて充足感を感じることができれば、休息・睡眠の質は保たれているといえます。利用者のQOL（Quality of Life：生活の質）を高めるためにも、休息・睡眠への介護が必要となります。

1 休息とは

　休息とは、それまで行っていた活動を中止して、からだを休めること

第1節　休息・睡眠とは

です。日常生活のなかでは、本人が疲労を感じて、自分で休息をとる場合がほとんどです。しかし、休息が必要に応じてとれない状況が続くと、心身の疲労感や緊張感が蓄積して、健康を害することもあります。休息は睡眠と同様に、心身の疲労回復や緊張緩和につながり、新たな活力を養うために重要であり、人間が健康的に生活していくうえで欠かすことができません。

2 睡眠とは

睡眠とは、周囲の環境への反応や感覚刺激などに対して反応が鈍くなり、意識水準が低下する現象です。また、適度な刺激によって覚醒することが可能でもあります。睡眠の目的は、脳とからだの休息です。デリケートな脳を休息させるために、からだの活動をおさえて睡眠を取り入れています。しかし、脳のすべてが休息する訳ではありません。思考にかかわる大脳皮質は休息しますが、呼吸や体温調節、心拍などの生命維持にかかわる脳幹は、睡眠中もはたらいています。

睡眠には、浅い眠りと深い眠りがあります。睡眠中の脳波では、浅い眠りと深い眠りがおおむね90～120分周期で、一晩で数回くり返されます。浅い眠りのときをレム睡眠❶、深い眠りのときをノンレム睡眠❷といいます。

❶レム睡眠
からだは深く眠っている休息状態で、脳は覚醒に近い状態で活動している睡眠。急速眼球運動などがみられる。脳が活動しているため、夢を見る。

❷ノンレム睡眠
脳が寝ている状態の睡眠。深い眠りで、脳は休息状態となる。筋肉は完全に弛緩していないため寝返りを打つこともある。外界からの刺激ではなかなか目覚めず、目覚めても寝ぼけた様子になる。

2 休息・睡眠の効果

1 心身の休息

休息・睡眠によって疲れをいやし、からだの回復をはかります。筋肉を弛緩させることでからだを休ませ、疲労を取り除くことができます。睡眠の重要な目的は、脳の休息です。とくに大脳は睡眠によって休息し、正常に機能するように調整しています。単に受動的に休養するだけでなく、能動的に脳のメンテナンス作業と情報の整理をする役割があります。

❸成長ホルモン
下垂体が分泌するたんぱく質ホルモンで、動物の成長を促進する作用をもつ。

❹メラトニン
脳の松果体から分泌されるホルモン。成熟を抑制する。睡眠のリズムなどを調節していると考えられている。

❺胸腺
免疫系の主要器官で、Ｔリンパ球を成熟させる器官。胸骨の後面にある。

❻Ｔリンパ球
Ｔ細胞ともいう。胸腺由来の細胞で、抗原となる細胞の溶解などの機能をもつ。

2 ホルモンバランスの調整

　寝入りばなの数時間で**成長ホルモン❸**がたくさん分泌され、子どもの骨や筋肉の成長をうながします。成長ホルモンはアンチエイジング（抗加齢）ホルモンの代表格とされ、肌や筋肉、骨、内臓の傷んだ細胞を修復し新陳代謝をサポートし、免疫力や脳、視力のはたらきを強化します。また、コレステロール値の低下作用もあります。

3 免疫力の向上

　睡眠前から睡眠期前半にかけて多く分泌される**メラトニン❹**は**胸腺❺**にはたらきかけて、免疫の主要なはたらきをになう**Ｔリンパ球❻**を多くつくらせ、感染症を治癒に向かわせます。睡眠不足であれば、からだの免疫力も低下するため、抵抗力が弱まり病気になりやすいということになります。

3 快適な睡眠の一連の流れ

❼視交叉上核
左右の視神経が交差する視交叉の上部にある神経細胞の集まり。光の入力を受けて、約24時間周期のサーカディアンリズム（概日リズム）を生み出し、生物の体内時計を調整する役割を果たす。

　人間の生体内には、活動と休息を規則正しく行うことができる機能が備わっています。このように生体に備わっている生体時計を**サーカディアンリズム（概日リズム）**といいます。サーカディアンリズムはおよそ１日の周期をもっていますが、太陽の光を浴びることで生体時計を毎日リセットし、24時間の周期で活動・休息の生活をくり返しています。このはたらきに関係するのは、**視交叉上核❼**です。

　太陽の光を浴びてから14〜16時間後に、メラトニン（睡眠ホルモン）が分泌されます。そうすると、からだは睡眠に適した状態になります。朝になるとメラトニンの分泌が減少し、目が覚めます。その睡眠の一連の流れを**図５−１**で見てみましょう。

222

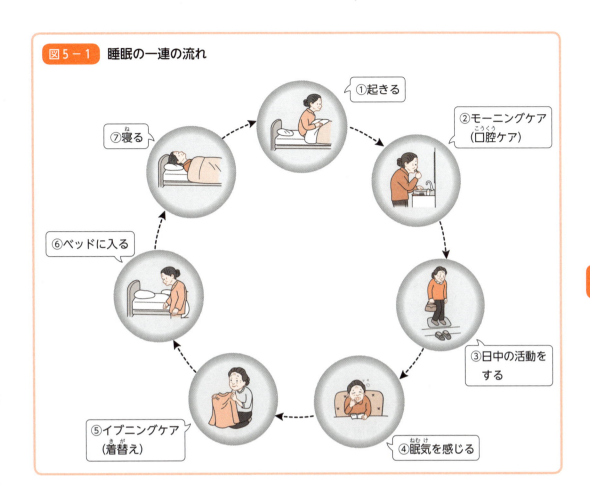

図5-1 睡眠の一連の流れ

4 安眠を阻害する要因

1 睡眠障害

　睡眠障害とは、睡眠の量・質が持続的に減少したり不安定な状態であり、その結果、心身の状態や社会生活に支障が出ている状態をいいます。睡眠障害国際分類[8]（International Classification of Sleep Disorders：ICSD）では64種類あげられています。代表的なものとして、不眠症や過眠症、周期性四肢運動障害、レストレスレッグス症候群（むずむず脚症候群）、睡眠時無呼吸症候群などがあります。詳しくは、『こころとからだのしくみ』（第11巻）第8章第2節で説明しています。

[8] 睡眠障害国際分類
アメリカ睡眠医学会がヨーロッパ睡眠医学会、日本睡眠学会、ラテンアメリカ睡眠学会の協力により策定した睡眠障害の分類である。2014年に第3版が刊行された。

2　心身の状況

（1）運動機能

　睡眠時は、長時間の同一姿勢により、からだの一部に負担をかけないよう、寝返りによって体圧を分散しています。骨格の変形、筋力の低下、麻痺、関節拘縮などによって、楽な姿勢がとれない、寝返りが困難になるなどといったことが睡眠に影響を及ぼします。

（2）感覚機能

　皮膚感覚としてかゆみ（掻痒感）があげられます。高齢者の場合、皮膚の乾燥により掻痒感が強くなります。とくに空気が乾燥しやすい冬季に起こります。また寝床の中が温まるとかゆみが増します。かくことで皮膚の状態が悪化し、さらにかゆみが増し睡眠を妨げることになります。

（3）食事との関係

　空腹でも満腹でも睡眠に影響を及ぼします。寝る直前に食事をとると、胃や腸が活発にはたらき、寝つきが悪くなってしまいます。また、睡眠中は胃腸がほとんど動かないので、胃の中に残った食べ物が朝まで消化されず胃腸に負担がかかります。その結果、眠りが浅くなり眠りの質を落とす原因にもなります。

　緑茶やコーヒー、紅茶はカフェインが多く含まれているため、就寝前に飲むと眠れなくなります。また少量のアルコールは寝つきがよくなりますが、利尿作用により夜間の排尿回数が増え、睡眠の途中で覚醒することがあります。さらに香辛料の摂取は毛細血管が拡張し、かゆみにつながることもあります。

（4）排泄との関係

　高齢者は、頻尿により眠りが分断されるため覚醒しやすいという特徴があり、質のよい睡眠がえにくくなります。排泄リズムを整えることが安眠につながります。

第1節　休息・睡眠とは

3　日中の活動など

　質のよい睡眠をえるためには、生活のリズムを調整し、日中の過ごし方に配慮することが重要です。起床や就寝の時刻、起床時に光を採り入れているか、日中活動の準備（身だしなみ）、食事の時間・摂取内容など、日中の活動と休息状態、外出、入浴時間や方法、**入眠儀式**❾などさまざまなことが、睡眠に影響を及ぼします。

4　環境

　適切な室温・湿度・換気、におい、明るさ、音などは、睡眠の質に大きく影響します。また、寝具類や人的な環境なども、睡眠に影響を及ぼします。

5　個人の状況

（1）年齢

　新生児では、1日の総睡眠時間は、16〜17時間ですが、ミルクを飲んだり排泄のために3〜4時間ごとに起きたり寝たりして、睡眠と覚醒を何度もくり返しています。幼児では、睡眠のリズムが確立し、日中の睡眠時間は減少、夜間の睡眠時間が増加します。成人では、昼間は起きて夜間に眠るようになります。

　高齢者では睡眠の周期が乱れ、浅い眠りになります。**中途覚醒**❿も増え睡眠の質に影響を与えます。そのため昼寝などの短い睡眠が必要になります。

（2）性別

　男性の場合、**睡眠時無呼吸症候群**⓫が、中高年に多くみられます。睡眠時無呼吸症候群では、睡眠が頻回に分断されて、眠りが浅くなります。そのため、日中に強い眠気が出てきます。

　女性の場合、妊娠や月経などのホルモン分泌により、睡眠が影響を受けます。生理が始まってから次の排卵までの卵胞期は、**エストロゲン**⓬の分泌が増え、眠りも安定します。しかし、排卵を境に次の生理が来るまでの黄体期は、**プロゲステロン**⓭の分泌が増え、その変動によって体

---

❾**入眠儀式**
就寝前に習慣とする行動のこと。読書、入浴、歯みがき、アロマセラピー、音楽を聴くことなどによって、眠りに入ることが容易になる。

❿**中途覚醒**
夜中に何度も目が覚めたり、夜中に目が覚め、そのあと眠れない状態。うつ病、睡眠時無呼吸症候群、脳変性疾患などでは多く発現する。

⓫**睡眠時無呼吸症候群**
睡眠中に、無呼吸（10秒以上呼吸が止まってしまうこと）が1時間に5回以上、または7時間の睡眠中に30回以上ある状態。

⓬**エストロゲン**
卵胞ホルモンの主要なもの。排卵を促進させる。更年期になると分泌が減少する。

⓭**プロゲステロン**
黄体ホルモンの主要なもの。黄体および胎盤から分泌され、妊娠を維持する作用をもつ。

第5章　休息・睡眠の介護

225

調は一時的に不安定になります。プロゲステロンには睡眠作用があり、黄体期や妊娠初期は眠くなりやすいといわれています。しかし、黄体期は基礎体温が高くなるため、夜になっても深部体温が低下せず、寝つきが悪くなり眠りの質が低下します。更年期になるとホルモンのバランスがくずれ、睡眠に大きく影響します。

5 休息・安眠をうながす介護をするために介護福祉職がすべきこと

1 生活リズムの調整

　活動と休息・睡眠がサーカディアンリズムにそって規則正しくとれるように調整します。人間の生体時計のリズムを整えるためには、太陽の光が重要となるため、覚醒時には太陽の光があたるようにします。また、寝室に十分な光が採りいれられるよう、窓の向きや大きさ、方角などをふまえ、寝床の位置を考えます。ただし、日あたりがよいといっても、1日中、日光があたるようであれば、脱水症や熱中症の危険性につながるため、カーテンなどで調節する必要があります。

　モーニングケア⑭やイブニングケア⑮を行い、覚醒と睡眠の区切りを明確にすることも必要です。1日の生活に一定のリズムをもたせ、活動と休息を取り入れるように調整しましょう。とくに、食事や入浴後、レクリエーション後や屋外から帰ってきたときなど、いすに腰かける、ソファーやベッドで横たわるといった方法で、適宜休息をとるようにしましょう。さらに、四季の移り変わりを感じることができるように努め、生活にメリハリがつくように工夫することが必要です。

⑭モーニングケア
利用者が起床した際に行う一連のケアのことで、1日のリズムをつくることを目的とする。「朝ですよ」の声かけから始まり、排泄ケア、着替え、洗顔、口腔ケアなど多岐にわたる。

⑮イブニングケア
利用者が就寝する前に行う一連のケアのことで、快適な睡眠ができる環境を整えることを目的とする。口腔ケア、着替え、排泄ケアなどを行い寝床に誘導する。毎日なるべく同じ順番で同じように介護を行うことが大切である。

2 心身の緊張をとく

（1）からだを清潔にして温める

　入浴はからだを清潔にするだけでなく、温熱作用によって皮膚や筋肉の血液循環をよくし、疲労物質を取り除きます。湯温が高いと交感神経が刺激されて緊張が高まるため、入浴後に覚醒し入眠にくくなる場合

もあります。入浴時は38〜41℃程度のぬるま湯にゆっくり入ることにより、副交感神経を有意に高めることができます。

足浴も入浴と同じ効果がえられます。

また、**湯たんぽ**[16]などで足部を温めることによって、筋肉が弛緩し心地よさがえられます。利用者の状況に応じて適切な方法を選びましょう。

[16]湯たんぽ
中に湯を入れ、寝床などに入れて身体を温めるのに用いる道具。

（2）苦痛を取り除く

心配ごとやストレスがあると、神経が高ぶって眠れないことがあります。そばに寄り添い受けとめる、話を聴くなどの姿勢は、介護をするうえで基本的なことです。これらの積み重ねが、利用者に安心感を与え、心地よい睡眠をうながすことにつながります。また、痛みやかゆみのために眠れないこともあるため、原因を取り除くことが大切です。

（3）心身のリラックスをはかる

心身のリラックスをはかるために、心地よい寝衣を身につけ、全身の緊張をとり、楽な姿勢や体位を保つことが大切です。

（4）入眠をうながすもの

睡眠にはカルシウム、たんぱく質、脂質が大きなはたらきをするといわれています。就寝前に1杯の温かいスープや牛乳を飲むことは、からだを温め心地よい入眠につながります。また空腹で眠れないときは、消化のよいものをほんの少しとるようにします。カフェインは不眠の原因となるのでひかえましょう。

3 睡眠習慣への配慮

就寝前の習慣は**入眠儀式**と呼ばれます。年齢によっても変化しますが、人によってもさまざまです。たとえば、トイレに行く、歯をみがく、入浴する、音楽を聴く、本を読むなどです。とくに在宅から施設に入所した場合など、利用者の入眠儀式を大切にして、心地よい入眠をうながす支援が必要です。

4 高齢者の睡眠の特徴への理解

⑰中途覚醒
p.225参照

　成人以降では、就寝時間はほとんど変化がありません。しかし加齢とともに深い眠りが減少し、浅い眠りと**中途覚醒**⑰が増加します。中途覚醒があると睡眠効率（臥床している時間に対する睡眠時間の割合）は低下します。高齢者は、深い眠りが減少することで、夜中に何度も目が覚めるようになり、日中に居眠りがみられるようになります。

　また、加齢にともない日中の活動量が低下することによって、眠気が起こりにくくなります。日中に外に出かけるなど活動をうながし、明るい日の光にあたるようにします。そうすることで、体内時計の乱れを防ぐことができます。

第 **2** 節

休息・睡眠の介護

学習のポイント

- 休息・睡眠環境を整える方法（ベッドメイキング等）を理解し、根拠を説明できる力を身につける
- 睡眠障害とその支援方法について理解する

関連項目 ⑪『こころとからだのしくみ』▶第8章「休息・睡眠に関連したこころとからだのしくみ」

1 室内環境の調整

1 プライバシーの確保

　ゆっくりと休息・睡眠するためには、プライバシーが確保されていることが不可欠です。個室でない場合にはカーテンや仕切りを使いましょう。また、ドアやカーテンを開ける前には必ず利用者に声をかけましょう。

2 適切な室温・湿度・換気

　暖房は部屋全体を暖めるようにし、冷房は直接からだにあたらないように注意します。また、空気が乾燥している場合には、加湿器などの使用も考慮します。不快なにおいなども入眠をさまたげるため、換気にも十分注意します。

　快適な眠りをうながすため、寝具や寝衣なども保温性、吸湿性、着心地のよいものにする必要があります。

3 明るさ

安眠できるためには、部屋の明るさも重要です。夜間、部屋は暗いほうがよいという利用者もいますが、部屋の中の様子がぼんやりと確認できる明るさが望ましいといえます。夜間トイレに行く場合や転倒の危険性がある場合は、フットライトを活用するのもよいでしょう。

4 音

人の声やテレビの音、騒音やいびきなどが休息や眠りをさまたげる場合があります。介助者の会話、介護にともなう音、靴音にも注意が必要です。ドアやカーテンを閉めるだけでも音をさえぎる効果があります。

5 適切な寝具の調整

（1）寝具の選択

寝具は、利用者の身体機能や生活のスタイル、好みによって異なります。ベッドまたは布団の選択は、利用者の生活機能に照らし合わせて、検討することが重要です（表5－1）。マットレス、マットレスパッドまたは敷き布団、掛け布団、毛布、タオルケット、枕、シーツ類などが必要です。

枕は、大きさや素材の種類が豊富にあります。本人の好みも重要ですが、呼吸状態にも大きく影響するため、適切な枕を選択することが大切です。枕の高さは、15度くらい首の角度が上がるものが、頸部の緊張を取り、寝返りに影響しないといわれています。

（2）快適な寝具

人間は寝ている間にコップ1～2杯の汗をかき、体熱を放出して体温を下げています。したがって、清潔で乾燥した寝具は、快適な睡眠に欠かすことができません。マットレスや敷き布団はかたすぎずやわらかすぎず、筋肉の緊張を取り除き、寝心地がよく、体位を保持でき寝返りしやすいものが適しています。

掛け布団は季節にあわせて選ぶことが大切です。秋冬の寒い時期にはたっぷりと中綿が入って厚みがあり、保温性に優れているものが適して

第2節 休息・睡眠の介護

表5-1	ベッドと布団の長所と短所	
	長所	短所
ベッド	・床との空間があるため、湿気がこもらない。 ・音や振動が直接伝わらない。 ・ほこりなどが直接顔にかかりにくい。 ・起き上がりや立ち上がりの動作がしやすい。 ・車いすやポータブルトイレへの移乗が行いやすい。 ・体位変換を行いやすい。	・ベッドの置き場所が必要であり、部屋がせまくなる。 ・床から高さがあるため、転落の危険性や、不安がある。 ・布団に慣れている人にとって、不安感や恐怖感がある。
布団	・折りたたんで収納できるため、部屋を広く使用できる。 ・転落の危険性や不安がない。	・床との空間がないため、湿気がこもりやすい。 ・音や振動が直接伝わる。 ・ほこりなどが直接顔にかかりやすい。 ・起き上がり動作や立ち上がり動作に負担が大きい。 ・介助者は低い位置での介助になり、負担が大きく、腰痛などを起こしやすい。

います。また、寝ている間のからだに負担をかけないものを選択します。中綿の素材は、綿（コットン）、化繊（ポリエステル）、羽毛（フェザー、ダウン）などさまざまですが、十分に空気を含んで保温できるよう、つぶれにくい素材が適しています。また、寝具がからだにそい、隙間ができないようにすることも大切です。

毛布は適度な保温性があり、からだにそうものを選びます。素材は毛（ウール）、化繊（アクリル、ポリエステル）などさまざまです。ほかの寝具と重ねて使うことも多いので、静電気が起こりにくい綿（コットン）も適しています。

6 におい

本人の好むにおい、好まないにおいがあり、個人差が大きいといえま

す。においが気になると、休息や睡眠に影響を与えます。においの発生源を取り除くため、換気にも注意します。

2 休息・睡眠環境を整える（ベッドメイキング）

利用者の安眠をうながす技術の1つに、ベッドメイキングがあります。ベッドは利用者にとって、休息・睡眠の場であるとともに、さまざまな生活行為が営まれる場でもあります。したがって寝具やベッドまわりの清潔に配慮し、心地よい環境を整備する必要があります。

> **ベッドメイキングのポイント**
> ① ベッドメイキングの際には十分に換気し、ほこりなどの飛散防止に努める
> ② シーツや毛布類は常に清潔なものを使用する
> ③ 介助者の損傷や腰痛防止にも配慮する
> ④ しわがなく、利用者の習慣に配慮した寝心地のよい寝床をつくる

<必要物品>
マットレスパッド、シーツ、防水シーツ、枕カバー、枕、タオルケット、必要に応じて粘着式ほこり取りローラーなど

1 1人で行う場合

手順	留意点と根拠
①使用する物品を順番に用意します。 	①リネン類は使用する順番にそろえておくと、枚数も数えやすく、また、無駄のない動作でベッドをつくることができます。リネン類は清潔に取り扱います。

第 2 節　休息・睡眠の介護

②窓を開けて換気を行い、ベッド周囲に作業しやすいスペースを確保します。

②感染の防止とほこりがこもらないようにするため、換気をよくします。また介助者の動線をできるだけ短くするために、ベッドまわりの移動空間を確保します。

③ベッドのストッパーがかかっていることを確認します。

③作業中にベッドが動かないように、またキャスターに足を引っかけてけがをしないように注意します。

④ベッドを介助者の負担の少ない高さに調整します。

④ベッドの高さは、介助者の身長に合わせます。

> ベッドの高さを調整することで、介助者の腰にかかる負担が減り、力を入れやすくなる。

⑤ベッドの中心を確認します。

⑤ベッドの中心を確認することは、介助者の移動を最小限にし、効率的に作業することにつながります。

> リネン類は中央線をあわせることで、左右の長さを均等にすることができる。
> 不適切な位置にシーツを置くと、ベッドサイドを何度もあちこち移動することになる。さらにシーツを何度もずらすことは、室内にほこりが立つ原因にもなる。

⑥マットレスパッドを広げます。

⑥ベッドの中心とマットレスパッドの中心をあわせて広げます。

> 中心線をあわせることで左右の長さを均等にすることができる。

第 5 章　休息・睡眠の介護

233

⑦シーツの中心とベッドの中心をあわせ、シーツの片側を広げ、下に垂らします。

⑧シーツの頭側を、しっかりとマットレスの下に敷きこみます。

⑨頭側に三角コーナーをつくります。
【三角コーナーのつくり方 p.241参照】

⑩足もとのコーナーも同じようにつくります。

⑪側面に垂れたシーツをマットレスの下に入れます。

⑫防水シーツを広げ、片側をマットレスの下に敷きこみます（以上で片側が完成）。

⑦シーツの中心とベッドの中心をあわせ、シーツにしわやたるみがないようにベッドにそわせて伸ばします。また、衛生面から手のひらでしわを伸ばしたりすることは避けます。

シーツを持ち上げると空気が入り、しわができやすく、ほこりも立ちやすくなるため。

⑧マットレスの下に敷きこむシーツもしわやたるみがないように伸ばして敷きこみます。

⑨三角にすることで、布目の縦、横、斜めに力が分散してシーツがくずれにくく、また、外観的にもきれいに仕上がります。

⑩⑨と同じです。あるいは四角にします。
【コラム p.243参照】

⑪シーツにしわをつくらないために、マットレスの下に静かにシーツを入れます。手のひらを下にしてマットレスの下に敷きこみます。

手の甲は手のひらに比べて皮膚が薄く、また関節の隆起部があるため、ベッドのフレーム等でけがをすることを予防する。また、手の甲は手のひらに比べて汗腺が少ないため、手を引き抜くときに一度敷きこんだシーツをくずれにくくする。

⑫中心線をあわせることで左右の長さを均等にすることができます。
・防水シーツはシーツの汚染が想定される場合に用い、汚れの多いところに使用します。

⑬反対側に移動し、同じようにつくります。

⑭枕カバーに枕を入れます。

⑮タオルケットをかけます（上から足もとに広げていきます）。

⑯足もとにゆるみをつくります。

⑰タオルケットを足もとに三つ折りにします。

⑬手順⑧⑨⑩⑪⑫と同じです。とくに側面に垂れたシーツをマットレスの下に入れる際は、しわができないように、しっかりと伸ばして敷きこみます。

⑭枕カバーのラベルや縫い目、折り返しの部分は中に入れます。縫い目が利用者の頸部にあたらないように、枕の向きを配慮します。

⑮枕もとから15〜20cm下がったところから、足もとに広げていきます。

⑯足もとは上向きに10cm弱のダーツをとってゆるみをつくります。ダーツの位置は利用者の身長にあわせて決めます。

> ベッドに入ったときに、足もとがきつくならないようにするため。また、寝たきりの利用者等の場合、尖足を予防するため。

第5章　休息・睡眠の介護

⑱ベッドの周囲の安全を確認して終了します。	⑱ストッパーは内側になるようにします。ベッドの高さ、サイドレール等、移動したものをもとの位置に戻し、窓を閉めます。

2　2人で行う場合

手順	留意点と根拠
①汚れたシーツをはずします。感染予防のため、静かにはずします。 `AR`	①ほこりを舞い上げないように、汚れた面を内側に一定方向（足もと）に丸めながらはずし、洗濯かごに入れます。

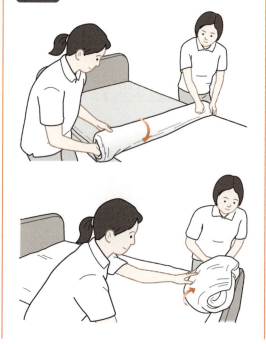

第 2 節 休息・睡眠の介護

②順序は1人で行う場合と同じように行いますが、1人がリードします。

③交互に三角コーナーをつくります。
【三角コーナーのつくり方 p.241参照】

③2人で行う場合は、下図の1・3と2・4に分かれ、頭側からコーナーをつくります。
・型くずれやしわをつくらないためには、シーツの角を対角線上に伸ばします。

> 同時に行うとシーツが浮き上がり、しわができやすいため交互に行う。

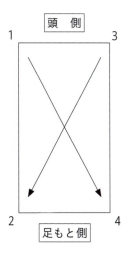

④しわを確認しながら交互にシーツを敷きこみます。

④手のひらを下にしてマットレスの下に敷きこみます。

⑤しわを確認しながら防水シーツを敷きこみます。

⑤中心線をあわせることで左右の長さを均等にすることができます。

第5章 休息・睡眠の介護

3 敷シーツの交換──ベッドに臥床している人がいる場合

シーツ交換時は必要物品をそろえ、不足している物がないことの確認が大切です。とくにベッドに臥床している人がいる場合、短時間で効率よくベッドを整えます。

手順	留意点と根拠
①利用者にシーツを交換することを説明し同意をえます。気分や体調を確認します。	①利用者の意向を確認し、自己決定を尊重します。これから行う介助の方法・手順を理解してもらいます。 介助内容を知ることで、利用者が安心・納得して行為を行うことにつながる。
②窓を開けて換気を行い、ベッド周囲に作業しやすいスペースを確保します。	②感染の防止とほこりがこもらないようにするため、換気をよくします。また介助者の動線をできるだけ短くするために、ベッドまわりの移動空間を確保します。
③ベッドのストッパーがかかっていることを確認します。	③作業中にベッドが動かないように、またキャスターに足を引っかけてけがをしないように注意します。
④ベッドを介助者の負担の少ない高さに調整します。	④ベッドの高さは、介助者の身長に合わせます。 ベッドの高さを調整することで、介助者の腰にかかる負担が減り、力を入れやすくなる。
⑤利用者はサイドレールをつかみ側臥位になります。介助者は手前のシーツをマットレスから引き出して、汚れた面を内側にし、利用者のからだの下に差しこみます。	⑤安全のため、利用者にサイドレールを持ってもらいます。またシーツは内側に丸めるようにすると、シーツの汚れが広がりません。 ・動作ごとに利用者に声をかけ、不安を与えないようにします。 ・通常は保温の観点から、利用者にタオルケットなどをかけて行います。

238

第 2 節　休息・睡眠の介護

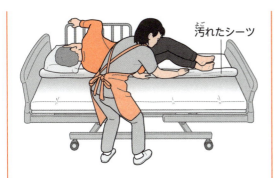

汚れたシーツ

⑥シーツをはがしたマットレスパッド上のごみを取り除きます。その上に新しいシーツを置きます。

⑥ベッドの中心とシーツの中心を確認して、新しいシーツを置きます。

> このように置くことによって、まずシーツを上下に広げ、次に横に広げればよいことになる。

汚れたシーツ

新しいシーツ

⑦シーツの中心線とマットレスパッドの中心線をあわせて、シーツを下に垂らし、残り半分は汚れたシーツの下に差しこみます。

⑦汚れたシーツの下に入れることにより、新しいシーツが汚れることを防ぎます。

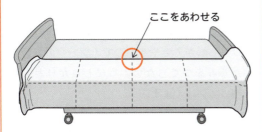

ここをあわせる

⑧ベッド側面のシーツは、頭側、足もとの順にコーナーをつくり、真ん中の垂れているシーツをマットレスの下に入れこみます。

⑧ベッドメイキングを1人で行う場合の手順⑧⑨⑩⑪⑫と同じです。

第 5 章　休息・睡眠の介護

239

⑨介助者は、自分が立っていた側にサイドレールを差しこみ、利用者は反対側に側臥位(そくがい)になります。

⑨安全のため、利用者にサイドレールを持ってもらいます。

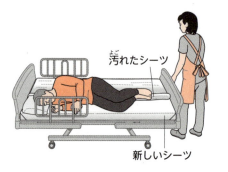

⑩介助者はベッドの足もとから反対側に回ります。

⑪介助者はサイドレールをはずして、汚(よご)れたシーツを引き出します。

⑪シーツは内側に丸めるようにすると、シーツの汚(よご)れが広がりません。

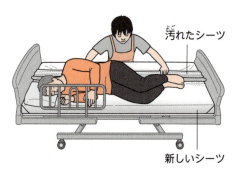

⑫新しいシーツを引き出して、手順⑧と同様に整えます。

⑫利用者のからだが接(せっ)しているシーツの部分は、しわができやすいので、シーツのしわやたるみをつくらないようにしっかりと引っ張(ぱ)って伸(の)ばします。

> シーツのしわは、寝心地(ねごこち)が悪くなるだけでなく、褥瘡(じょくそう)の発生要因(よういん)にもなる。

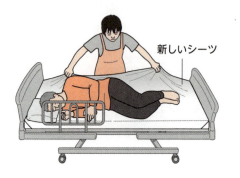

| ⑬利用者が楽な姿勢に整え、ベッドの高さを戻し、窓を閉め、片づけをします。 | ⑬ストッパーは内側になるようにします。ベッドの高さ、サイドレール等、移動したものをもとの位置に戻し、窓を閉めます。 |
| ⑭記録します。 | ⑭状態や状況を記録します。 |

4 三角コーナーのつくり方

　ベッドメイキングの基本は、①しわをつくらない、②寝返りをしても型くずれしないようにつくることです。そのためにベッドの角は三角や四角のコーナーをつくります。

手順	留意点と根拠
①角の余った部分で、大きな三角形をつくります。下側の垂れている部分はマットレスの下に敷きこみます。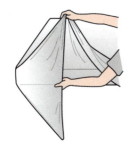	①しわやたるみをつくらないために、手のひらを下にして、しっかりとマットレスの下に敷きこみます。
②上側のシーツをマットレスに対して垂直方向に引っ張ります。①で敷きいれたシーツがくずれないようにマットレスの側面を、もう片方の手で押さえます。	②三角にすることで、布目の縦、横、斜めに力が分散してシーツがくずれにくく、また、外観的にもきれいに仕上がります。

③上側のシーツを下ろします。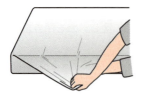 ④垂れているシーツをマットレスの下に敷きこみます。	④しわやたるみをつくらないために、手のひらを下にして、しっかりとマットレスの下に敷きこみます。

5　四角コーナーのつくり方

手順	留意点と根拠
手順①②③までは、三角コーナーのつくり方と同じです。 ④一方の手をマットレスの側面のシーツの中に入れ、マットレスの稜線にそってまっすぐ下ろします。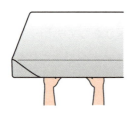	▶敷シーツの足もとを四角コーナーにする場合もあります。現在は「頭側、足側とも三角コーナーをつくる」としている文献やテキストが多く見受けられます。

⑤垂れているシーツをマットレスの下に敷きこみます。

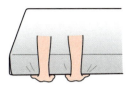

⑤しわやたるみをつくらないために、手のひらを下にして、しっかりとマットレスの下に敷きこみます。

コラム　ベッドメイキングにおける敷シーツの角のくずれにくさ

「三角コーナー」は、「四角コーナー」に比べてくずれにくいことが実証されています。

また、くずれにくい敷シーツを作成するポイントは、①接触面積が大きいこと、②接触面に隙間がないこと、③シーツの織り目が重なり合うこと、④シーツを引くときは弾性変形の性質を利用してバイアス方向に強く、織り目方向には軽く整える程度にするとよいと報告されています[1]。

バイアス方向とは、斜めの方向を意味します。布は、斜め（バイアス）の方向がいちばん伸びやすく、布目に対して45度の角度を「正バイアス」といいます。

織り目方向とは、縦方向、横方向を意味します。縦糸と横糸を織ってできた布（シーツ）などは、縦方向は伸びづらく、横方向は伸びやすい性質があります。

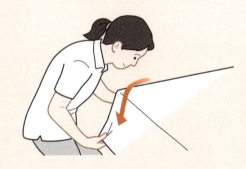

一方で、毛布や上シーツの足もとを四角コーナーにすることがあります。これは、四角につくることでゆるみやすくなり、圧迫や摩擦刺激が軽くなるため、体重移動や足もとの動きがスムーズになるからです。角のくずれにくさ、くずれやすさをふまえたうえで、利用者に心地よいベッドを整えましょう。

6 寝具のたたみ方など

リネン類は、たたみ方を統一しておくと効率よく作業できます。

（1）シーツのたたみ方

①シーツは縫い代の広いほうが頭側、せまいほうが足もと側になります。2人で頭側、足もと側を持ちます。

②表を内側にして、中央で縦半分にたたみます。このとき、シーツの輪になった部分が中心線となります。中心線がマットレスの中央にくるように意識しながら、もう1回縦半分にたたみます。

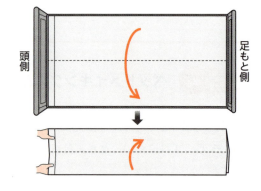

③足もと側を持った人が頭側の人に近寄り、2回たたみます。

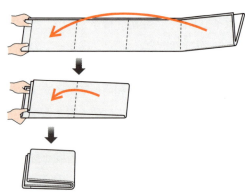

（2）毛布のたたみ方

①毛布を足もと側から頭側に、2つ折りにします。

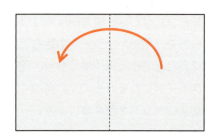

②さらにもう1回2つ折りにします。

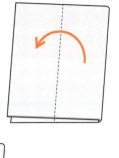

③端から中央に向かって4等分に折ります。

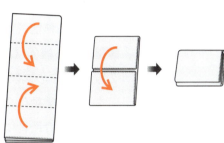

（3）包布（掛け布団カバー）のかけ方

　包布をかけるときは、四隅をそろえてかけます。またほこりが立たないように静かに行います。

①ベッド上にカバーを広げ、中に入れる寝具は内側に折りたたんで中心付近に置きます。

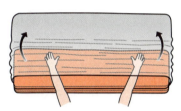

②四隅を広げ、包布の角を寝具の角にあわせます。

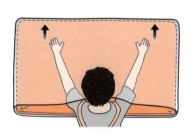

③包布と寝具の四隅をいっしょに持って、外側から引っ張ります。

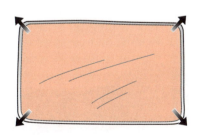

3 特殊寝台と付属用具

(1) 特殊寝台（ギャッチベッド）

特殊な機能を備えた寝台の総称で、通常ギャッチベッドや電動ベッドとも呼ばれています。原則として利用者の背部または脚部の傾斜角度が調整できる機能（背上げ機能・脚上げ機能）や、床板の高さが無段階に調整できる機能（高さ機能）をもつものと定められています（図5－2）。これらの機能により、起き上がり、ベッドからの立ち上がりや車いすへの移乗動作を補助し利用者の自立を促進することが可能になります。また、介助者にとっても無理な姿勢や腰痛など、からだを痛める危険性を防止することにつながります。

(2) マットレス

マットレスは、寝た状態のときに体重によりかかる圧を吸収・分散してからだの負担を軽減する効果があります。仰臥位の場合、肩から腰にかけて体圧が集中します。そのため、マットレスのかたさにより血行が悪くなる場合があり、人は無意識のうちに寝返りをうっています。寝返りの回数が多いと睡眠の妨げになるため、利用者にあったマットレスの選択が大切です。

(3) サイドレール

サイドレールとは、ベッドの側面に取りつける手すりのことです（図

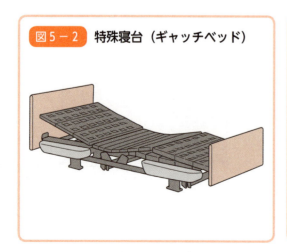

図5－2 特殊寝台（ギャッチベッド）

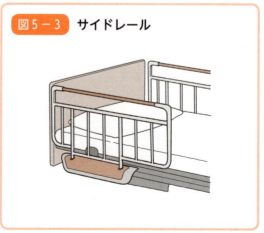

図5－3 サイドレール

第2節　休息・睡眠の介護

5－3）。利用者自身が手すりを持って、寝返り、起き上がり、座位の保持、立ち上がりに活用します。また、ベッドからの転落を防止する役目を果たします。

4 睡眠障害とその支援

1 睡眠障害

睡眠障害とは寝るべき時間に眠れない、日中にも眠い状態が続く、睡眠中に意識のないまま起きてしまうなど、睡眠に関するさまざまな症状の総称です。すなわち、睡眠の量・質が持続的に減少したり不安定な状態であり、その結果、心身の状態や社会生活に支障が出ていると判断される場合のことをいいます。睡眠障害と一口にいっても、いくつかの種類があり、それぞれ原因も症状も異なります。

睡眠障害のなかで、よく眠れないといった状態は不眠症にあたり、おもに入眠障害、熟眠障害、中途覚醒、早朝覚醒の4つのタイプに分類されます（詳しくは『こころとからだのしくみ』（第11巻）第8章第2節を参照してください）。1つの症状だけが出ることもあれば、複数の症状が重なることもあります。

2 睡眠障害への支援

睡眠障害のある利用者を観察するときは、睡眠状態の異常と睡眠障害から起こる日中の眠気、倦怠感や集中力の低下、意欲や食欲の低下などの身体症状の有無を確認することが重要です。また、利用者の状態や訴えを、医療職に報告する必要があり、その結果、医師から睡眠薬が処方されることもあります。

3 睡眠と薬

睡眠障害が続くことで健康を害したり、うつ症状がひどくなった場合など、医師から睡眠薬が処方されることがあります。高齢者は睡眠薬を

第5章　休息・睡眠の介護

服用していることが多いため、介護福祉職は薬のことを理解しておくことが大切です（詳しくは『こころとからだのしくみ』（第11巻）第8章第3節を参照してください）。

　睡眠薬の種類は、大きく**睡眠導入薬**と**睡眠持続薬**に分けられます。

　睡眠導入薬は、入眠障害の人に使用されます。薬剤の吸収や代謝が早いため、効果が早くあらわれます。しかし、入眠を促進する薬であるため、効果の持続時間が短いことが特徴です。

　睡眠持続薬は、熟眠障害、中途覚醒、早朝覚醒の人に使用されます。吸収や代謝が遅く効果があらわれるのも遅いですが、効果の持続時間が長いことが特徴です。

　2005（平成17）年に厚生労働省が発表した通知によって、介護福祉職の医行為に、ある指針が示されました（「医師法第17条、歯科医師法第17条及び保健師助産師看護師法第31条の解釈について」（平成17年7月26日医政発第0726005号））。厚生労働省の見解によると、皮膚への軟膏の塗布（褥瘡の処置を除く）・湿布の貼付、一包化された内用薬の内服、座薬挿入、点眼等に関しては、原則として医行為に当たらないとされています。

　ただし、次の3点を満たしていることを医師、歯科医師または看護職が確認し、介護福祉職が介助できることを本人または家族に伝えます。事前の本人または家族の具体的な依頼にもとづき、医師の処方および薬剤師の服薬指導を受けることが条件となります。

① 患者が入院・入所して治療する必要がなく、容態が安定していること。

② 副作用の危険性や投薬量の調整等のため、医師または看護職員による連続的な容態の経過観察が必要である場合ではないこと。

③ 内服薬については誤嚥の可能性、座薬については肛門からの出血の可能性など、当該医薬品の使用の方法そのものについて専門的な配慮が必要な場合ではないこと。

第2節　休息・睡眠の介護

睡眠薬の服用などについては、次の点の注意が必要です。

> **服用時の留意点**
> ・服用時間を変更しない　　　　　・勝手に量を調節しない
> ・飲んだら30分以内に床につく　　・水かぬるま湯で服用する
> ・アルコールといっしょに服用しない

> **睡眠薬の副作用**
> ・寝起きが悪くなる　　　・頭重感
> ・食欲不振　　　　　　　・不安や不眠
> ・脱力感や倦怠感　　　　・せん妄や幻覚
> ・ふらつき　　　　　　　・呼吸抑制　　　　　　など

　副作用が起きていないか、日常生活を観察します。そのため、介護福祉職は、薬の作用も理解しておくことが大切です。また転倒、転落などの予防に努めることが重要です。

　気になる症状がみられた場合は、医師、看護師、薬剤師に相談します。

第5章　休息・睡眠の介護

249

第3節

休息・睡眠の介護における
多職種との連携

学習のポイント

■ 利用者のよりよい生活に向けて、休息・睡眠の介護における多職種連携の必要性について理解し、役割を学ぶ。

関連項目
④『介護の基本Ⅱ』 ▶ 第4章「協働する多職種の機能と役割」
⑪『こころとからだのしくみ』▶ 第8章第3節「変化に気づくためのポイント」

1 休息・睡眠における多職種連携の必要性

　　休息や睡眠の問題は、利用者の生活環境や生活スタイル、障害や疾病などと関係があります。介護福祉職は利用者の日常生活に深いかかわりがあるため、生活の変化に気づきやすいといえます。利用者の不眠の訴えに対してさまざまな情報から不眠の要因を探り、それを取り除き、安眠への支援を行います。利用者の生活の様子をよく観察し、変化がある場合、気になることがある場合など、利用者にかかわる他の職種と情報共有することが大切です。

2 他職種の役割と介護福祉職との連携

（1）医療職との連携

　　不眠に対して病院を受診する場合、担当医やかかりつけ医に相談する場合には、利用者の生活の様子や訴え、休息や睡眠の状況を医師に伝えるようにします。睡眠薬などが処方された場合は、薬剤名、副作用、服薬方法、注意点などについて確認しておきます。服薬中は、体調や休息・睡眠状況について、看護師と連携しながら医師に報告します。朝方

まで睡眠薬の影響がある場合は、転倒の危険性があります。朝の目覚めの状況や表情、応答、ふらつきやめまいなどの身体状況を確認し、詳しく報告することが大切です。

看護師は、介護福祉職のもっとも身近にいる医療職です。施設などで看護師がいる場合は、利用者の休息や睡眠状況について報告します。報告内容はできるだけ具体的に状況を説明します。たとえば、「いつもよく寝ている利用者が、鼻づまりのため途中で何回も覚醒していた」「昨夜のいびきはとても大きく、1時間くらい続いた」「頻回に寝返りをしていた」など、眠れない利用者の情報を共有して適切な介護につなげることが大切です。

薬剤師は、医師から処方された薬を調剤します。また、居宅療養管理指導のなかで利用者の自宅を訪問し、処方薬の管理方法や服薬指導、副作用の説明などを行うことができます。

介護福祉職は、利用者が薬を飲んだときの様子や医師の指示のとおりに服薬できているかを観察します。そして、薬の飲み忘れや飲み方が守られていないときには、サービス提供責任者や介護支援専門員（ケアマネジャー）、施設の看護師を通して医師や薬剤師に報告し、処方について検討してもらいます。利用者の様子がいつもと違うときには、変化についてもあわせて報告し、記録します。

（2）管理栄養士・栄養士

快適な睡眠をえるためには、適切な食事内容、食事量、食事時間への配慮が必要です。介護福祉職は利用者の食事摂取の状況をよく観察し、必要があれば調理方法や食事形態の工夫について管理栄養士や栄養士に相談しましょう。とくに夕食は、消化のよい食品を選択し提供するようにします。

（3）介護支援専門員

日中活動が不足することにより不眠になる場合があります。介護支援専門員（ケアマネジャー）と連携して、地域の公民館や集会所で開催される介護予防事業や体操教室などへの参加をうながしたり、情報提供することも重要です。介護支援専門員と通所介護（デイサービス）や通所リハビリテーション（デイケア）の参加を検討することも必要です。

（4）理学療法士・作業療法士など

　利用者の趣味や興味のあること、在宅生活の様子などについて、理学療法士（PT：Physical Therapist）や作業療法士（OT：Occupational Therapist）、レクリエーション担当者に情報提供し、利用者が日中活動に積極的に参加できるよう支援します。日中活動による、ほどよい疲れが心地よい入眠をうながします。

◆ **引用文献**

1）須賀京子・長野きよみ・百合純子・宇佐美千鶴代・小黒由美子「ベッドメーキングにおけるシーツの角の崩れにくさ——シーツの角の処理方法による違いとその要因」『愛知きわみ看護短期大学紀要』第3巻、pp.39-45、2007年

◆ **参考文献**

● 川村佐知子・後藤真澄・中川英子・山崎イチ子・山谷里希子編著『介護福祉士養成テキスト11 生活支援技術Ⅳ——自立に向けた食事・調理・睡眠・排泄の支援と終末期の支援』建帛社、2009年

● 川井太加子編『最新介護福祉全書6 生活支援技術2』メヂカルフレンド社、2014年

● 日本介護福祉士養成施設協会編『介護福祉士養成テキスト3 コミュニケーション技術／生活支援技術Ⅰ・Ⅱ』法律文化社、2014年

● 北川公子ほか『系統看護学講座 専門分野Ⅱ 老年看護学第9版』医学書院、2018年

● 大熊輝雄『睡眠の臨床』医学書院、1977年

● 井上昌治郎『ブレインサイエンス・シリーズ7 脳と睡眠——人はなぜ眠るか』共立出版、1989年

● 内山真『睡眠のはなし——快眠のためのヒント』中央公論新社、2014年

● 堀忠雄『快適睡眠のすすめ』岩波新書、2000年

● 櫻井武『睡眠の科学——なぜ眠るのかなぜ目覚めるのか 改訂新版』ブルーバックス、2017年

● 古賀良彦『睡眠と脳の科学』祥伝社、2014年

演習5−1　入眠儀式

　夜、寝る前に必ずしていることをあげてみよう。周りの人はどのようなことをしているのか、話し合ってみよう。

 演習5−2　睡眠環境

　睡眠をさまたげる要因についてあげてみよう。そして、寝るために大事にしている環境があるか、いろいろな人に聞いてみよう（お気に入りの枕、布団など）。

第 **6** 章

人生の最終段階における介護

第 1 節　**人生の最終段階の意義と介護の役割**

第 2 節　**人生の最終段階における介護**

第 3 節　**人生の最終段階の介護における多職種との連携**

第 1 節

人生の最終段階の意義と介護の役割

学習のポイント

- 人生の最終段階のとらえ方を学び、人生の最終段階の介護の考え方と介護福祉職の役割を学ぶ
- 人生の最終段階における意思決定のあり方を学ぶ
- 人生の最終段階におけるアセスメントの視点を学ぶ

関連項目
③ 『介護の基本Ⅰ』 ▶ 第3章第1節「介護福祉士の倫理」
⑪ 『こころとからだのしくみ』 ▶ 第9章「人生の最終段階のケアに関連したこころとからだのしくみ」

　この章では、利用者の人生の最終段階における介護のために必要な知識や考え方を説明します。

　厚生労働省が示す「人生の最終段階における医療の決定プロセスに関するガイドライン」が2018（平成30）年3月に改訂され、「人生の最終段階における医療・ケアの決定プロセスに関するガイドライン」に変わりました。この改訂は、ガイドラインを在宅医療や介護の現場でも活用できるようにするために行われました。そして、医療・ケアチームのなかに介護従事者が含まれることが明確に示されています。

　このことから、介護福祉職にも、利用者の人生の最終段階における意思決定へのかかわりが求められていることがわかります。医療・ケアチームの一員としての自覚と責任、そして高い倫理観をもって、利用者の人生の最終段階にかかわれるよう、基本的な考え方から学んでいきましょう。

第 1 節　人生の最終段階の意義と介護の役割

1 人生の最終段階におけるケアの意味

1 人生の最終段階における意思決定のあり方

これまで「終末期医療」と表記していたものを「人生の最終段階における医療」と表記すること、これは、最期まで尊厳を尊重した人間の生き方に着目した医療をめざすことが重要であるとの考えによるものです。

これまでの終末期の定義について確認しておきます。

表6－1のように、これまで使われていた「終末期」は、病状による医学的判断によって決められていました。

終末期ケアとターミナルケアの対象となる時期が、医学的判断によるのに対し、エンドオブライフ・ケアでは、身体的状況による医学的判断だけでなく、本人の選択によっても左右されます（表6－2）。これは、同じような病状であっても本人の治療法の選択によっては、その後も人生が続くこともあれば、死が差しせまったものにもなるということを意味しています。たとえば、筋萎縮性側索硬化症❶（ALS：amyotrophic lateral sclerosis）の人の人工呼吸器の装着、高齢になって口から食べられなくなった場合の経管栄養法❷などの選択がこれにあたります。これらの治療を行う場合は、死は身近なものとはなりませんが、行わないことを選択した場合は、死は差しせまったものとなり、エンドオブライ

❶筋萎縮性側索硬化症
運動神経が障害され、手足・喉・舌の筋肉や呼吸に必要な筋肉がだんだんやせて力がなくなっていく病気。人工呼吸器を装着するかどうかの重大な選択をせまられる。

❷経管栄養法
チューブを使って、胃や腸に直接栄養剤を注入する栄養療法。

表6－1	「終末期」の定義
厚生労働省	どのような状態が終末期かは、患者の状態をふまえて、医療・ケアチームの適切かつ妥当な判断によるべき。
日本学術会議	悪性腫瘍などに代表される消耗性疾患により、生命予後に関する予測がおおむね6か月以内。
日本老年医学会	病状が不可逆的かつ進行性で、その時代に可能な限りの治療によっても病状の好転や進行の阻止が期待できなくなり、近い将来の死が不可避となった状態。 高齢者の「終末期」の経過はきわめて多様であり、臨死期にいたるまで余命の予測は困難であるため具体的な期間の定義は設けていない。

表6-2 ケアの対象となる時期の考え方

終末期ケア、ターミナルケア	進行すると死にいたる病気の終末期で、医学的知見にもとづき避けられない死が明確に予測できる時期。おもにがん患者を対象とし、余命はおおむね6か月。
エンドオブライフ・ケア	身体的状況による医学的判断だけでなく、本人がどのような治療法を選択するのかにもよる。

フ・ケアの対象となります。

　厚生労働省による「人生の最終段階における医療・ケアの決定プロセスに関するガイドライン」は、人生の最終段階をむかえた患者や家族と、医師をはじめとする医療職が、患者にとって最善となる医療とケアをつくりあげるためのプロセス（図6-1）を示すガイドラインです。介護福祉職も人生の最終段階にある人と、その人の意思決定にかかわることを十分に認識し、介護福祉職としての自身の立ち位置、役割、そしてその責任を自覚して日々の介護を実践する必要があります。

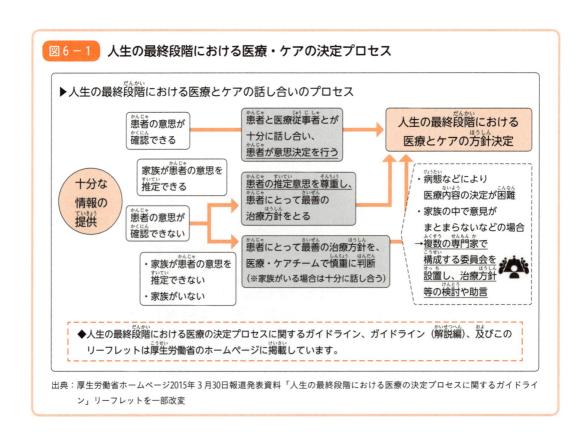

図6-1 人生の最終段階における医療・ケアの決定プロセス

出典：厚生労働省ホームページ2015年3月30日報道発表資料「人生の最終段階における医療の決定プロセスに関するガイドライン」リーフレットを一部改変

第 1 節　人生の最終段階の意義と介護の役割

　人生の最終段階における医療やケアの選択は、本人と家族にとって、重大な問題です。そしてそのことにかかわる医療・ケア従事者にとっても、責任の重い業務です。また、生死にかかわることであり倫理的な問題もひそんでいます。このようなことから介護福祉職にも、意思決定にかかわる専門職としての倫理観が求められます。

2　アドバンス・ケア・プランニング

　もしものときのために、みずからが望む人生の最終段階における医療・ケアについて、前もって考え、医療・ケアチーム等とくり返し話し合い共有する取り組みをアドバンス・ケア・プランニング（ACP：advance care planning）といいます。本人の意思を尊重した医療およびケアを提供し、最期までその人らしく、尊厳ある生き方を実現することがACPの目的とされています。ACPでは、本人の状況、本人が大切にしたいこと、医療およびケアについての希望、診断と治療の選択肢、予後の情報を、本人と家族等の重要他者、医療・ケアスタッフとが共有し、本人の医療やケアについて話し合い、文書にまとめておきます。ACPの主体は、あくまでも本人です。本人の意思は変化する可能性があるので、一度話し合ったら終わりとするのではなく、くり返し話し合うことが重要です。

　厚生労働省は、2018（平成30）年にACPを国民全体に普及するためにリーフレットを作成しています。介護福祉職も、人生の最終段階にかかわる専門職として、ACPの進め方を理解しておきましょう。

3　事前指示

　判断能力のある人が、意思決定能力を失った際に、自分に行われる医療行為に関する意向を前もって示すことを事前指示（アドバンス・ディレクティブ、AD：advance directive）といいます。

事前指示の内容

・医療行為に関する希望を示す

・自分が意思決定できなくなった場合に決定を行う代理人を指名し

> ておく

このうち医療行為に関する医療職への指示を文書で示したものが**リビングウィル**（living will）です。そして、「（余命が限られていて）蘇生の可能性がもともと低いので、蘇生を試みることを差しひかえてください」という意思表示を**DNAR**（Do not attempt resuscitation）**指示**といいます。これにより傷病により不治かつ末期の患者が心肺停止におちいった際に、この意思にもとづいて心肺蘇生法は行われません。このDNAR指示は、医師から患者への十分な説明をもとに患者が判断します。そしてこの患者の指示は、主治医が診療録に記載し、患者の同意書を作成します。

2 人生の最終段階におけるアセスメントの視点

1 人生の最終段階におけるケアがめざすもの

厚生労働省が示す「人生の最終段階における医療・ケアの決定プロセスに関するガイドライン 解説編」（2018（平成30）年3月）では、人生の最終段階における医療・ケアにおいては、できる限り早期から身体的な苦痛等を緩和することが重要であるとしています。この身体的な苦痛には、疼痛ばかりでなく、その他の不快な症状も含まれています。さらに、本人ばかりでなく家族の精神的・社会的な援助も含めた総合的な医療・ケアを行うことも必要とされています。また、本人のこれまでの人生観や価値観、どのような生き方を望むのかについて、できる限り把握することが必要であるとしています。

このようなことから、人生の最終段階におけるケアの目標は、以下のようにまとめることができます。

> **人生の最終段階におけるケアの目標**
> ① 人生の残りの時間を自分らしく、快適に過ごし、できるだけ充実した時間として過ごせるようにする
> ② 尊厳をもって死にいたる

③　早期から苦痛を緩和する

④　家族の精神的・社会的な支援

　そして、この目標に向かってケアを提供するためには、介護福祉職は、本人と家族の望みを把握する必要があります。

本人とその家族の望みを把握するために心がけること

・日常会話を大切にする
・日ごろから利用者の人生観や価値観、望んでいることに興味・関心をもつ
・それらを知ることの重要性を認識する
・それらを知る努力をする

　人生の最終段階におけるケアでは、尊厳を尊重し、最期までその人らしく、そして限りある生がより輝かしいものとなるようなケアが求められているのです。

　介護をするうえで、今この状況で利用者の尊厳が保持されているのか否かを考えることは大変重要なことです。人生の最終段階における医療やケアを選択する場面において、何が本人の人生を豊かにすることにつな

表6－3　**人生の最終段階におけるアセスメント項目と視点**

項目	視点
尊厳	利用者がおかれている状況が、尊厳を保持できているといえるのか。
物語られるいのち	今までどのような人生を送ってきたのか。 これから、どのような人生を歩みたいのか。
本人と家族の思い	現状をどのようにとらえて、何を考えて、何を思って、どのような判断をしたのか。
苦痛	身体的、精神的、社会的、スピリチュアルに関する苦痛の内容と程度
死の受容	死の受容段階
痛み	痛みの程度と日常生活への影響 処方されている薬とその作用・副作用

がるのか、という視点をもって考えることが大切なのです。

人生の最終段階におけるアセスメント項目と視点を**表6-3**に示します。

2 本人の意思

人生の最終段階におけるケアにおいて何より大事なことは、本人の意思です。

これまで生きてきた人生についての語りは、あらたまって質問してもなかなか語ってはもらえないものです。だからこそ、日常生活のなかで、本人の語りを引き出し、本人や家族が語った自身の価値観や人生観、好きなこと、嫌いなこと、願い等に耳を傾けることが大切です。とくに要介護高齢者の場合、突発的な出来事によって、突然意思の疎通がはかれない状況になることも考えられます。高齢者にとって一番身近な存在となる介護福祉職は、このことを十分に理解する必要があります。そして、本人が語った言葉を正しく記録に残すことも、本人の意思決定を支援するうえでの大切な役割の1つです。

人生の最終段階における意思決定プロセスのあり方として、重要なポイントに、「皆でいっしょに決めましょう」という考え方があります。これは、**情報共有―合意モデル**として清水哲郎[1]が提唱した意思決定の考え方です。医療・ケアチームと本人・家族が共有する情報は次のとおりです。

表6-4	本人と家族の意思
本人の意思	・現状をどのようにとらえているか ・現状をどのように思っているか ・何を希望するのか ・なぜそれを希望するのか
家族の意思	・本人のおかれている現状を家族としてどのようにとらえているか ・本人は現状をどう感じていると思うか ・家族として何を希望するのか ・なぜそれを希望するのか

第1節　人生の最終段階の意義と介護の役割

① 医療・ケアチームが本人・家族に説明すること

・本人の身体状態や病状

・考えられる治療法とそれぞれのメリット、デメリット

・今後の見通し

・一般的な価値観や医学的知識にもとづく最善の判断

② 本人・家族から医療・ケアチームに説明すること

・これまでの生き方（今までどのような生き方をしてきたのか）

・価値観（何を大事にするのか）

・個々のさまざまな事情

・今後の人生に望むこと（これからどのように生きていきたいのか）

こうして双方からの情報をお互いが共有し、これからどうすることが本人にとって最善なのかを話し合います。このプロセスを経て関係者の意見の一致をめざします。つまり、関係者の合意をめざし、その合意にもとづいて決定するというプロセスです。ここで重要なのは、あくまでも「本人が決める」ということです。「皆がそう言うのだから、本当はいやだけど……」や「医師が言うのだから……」ではなく、本人の意思が尊重されなければなりません。ここでいう「皆で決める」は「本人の意思決定を支える」ということです。また、「全部自分で考えなさい」と本人にすべて丸投げすることでもありません。双方が情報を共有したう

表6-5　本人の意思確認ができるときとできないとき
(A) 本人の意思確認ができる時
① 本人を中心に話し合って、合意を目指す。
② 家族の当事者性の程度に応じて、家族にも参加していただく。また、近い将来本人の意思確認ができなくなる事態が予想される場合にはとくに、意思確認ができるうちから家族も参加していただき、本人の意思確認ができなくなった時のバトンタッチがスムースにできるようにする。
(B) 本人の意思確認ができない時
③ 家族と共に、本人の意思と最善について検討し、家族の事情も考え併せながら、合意を目指す。
④ 本人の意思確認ができなくなっても、本人の対応する力に応じて、本人と話し合い、またその気持ちを大事にする。

出典：日本老年医学会「高齢者ケアの意思決定プロセスに関するガイドライン——人工的水分・栄養補給の導入を中心として」2012年

第6章　人生の最終段階における介護

263

えで、関係者が皆で考えて、本人にとって最善となるような本人の意思決定を支えることが大切です。

意識レベルの低下や、重度の認知症などにより、本人の意思確認がむずかしい場合については、**表6-5**のような指針があります。

本人がどのような状態であっても、本人の思いを大切にするために、家族を含めた関係者は「本人はどう思っているのか」という視点で、いっしょに話し合います。そして家族も周囲の関係者も納得できる選択をすることが望まれます。

この医療・ケアチームのなかに、介護福祉職も入っていることを忘れてはいけません。

3 全人的苦痛（トータルペイン）

全人的苦痛の概念は、シシリー・ソンダース（Saunders, C.）によって提唱されました。これは、病者が経験する苦痛は、単に身体的なものだけではなく、その人の存在すべてにかかわるものであるという概念です。そしてこの全人的苦痛には、身体的、精神的、社会的、そして霊的

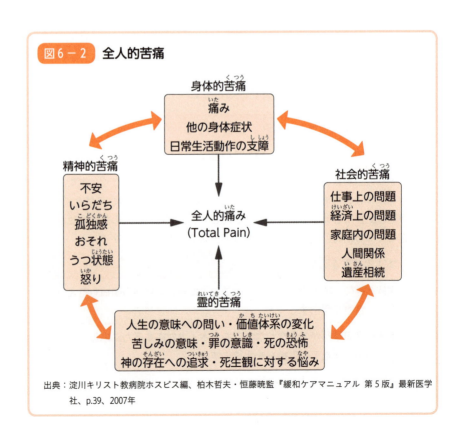

図6-2 全人的苦痛

出典：淀川キリスト教病院ホスピス編、柏木哲夫・恒藤暁監『緩和ケアマニュアル 第5版』最新医学社、p.39、2007年

（スピリチュアル）の４つの要素があるといわれています（**図6－2**）。

　これらの４つの要素によるそれぞれの苦痛をとらえ、利用者とその家族のQOL（Quality of Life：生活の質）を高めるようなかかわりが求められます（苦痛へのケアは、本章第２節p.272を参照してください）。

4　死の受容過程

　アメリカの精神分析医キューブラー-ロス（Kübler-Ross, E.）は、人間が死を受容するこころの動きを５段階で説明しています。以下は、彼女の著書『死ぬ瞬間』から、５段階それぞれをまとめたものです。

第１段階：否認

　「いや、私のことじゃない。そんなことがあるはずがない」「他の人と間違えているのだ」等という、自分が死ぬという現実を認めない、認めたくない段階です。これは、不快で苦痛に満ちた状況に対する健康的な対処法になります。予期しないショッキングな知らせを受けたときにその衝撃をやわらげるものとして、この否認という機能があるとしています。

第２段階：怒り

　第１段階の否認のあと「間違いではなく自分のことだ」と理解すると、新しい反応を示します。「どうして私なのか」「なぜ私が死ななければならないのか」という怒りの感情がわき起こる段階です。この段階では、このような問いや怒りの矛先が家族や医療職・介護福祉職など周囲の人に向けられることもあります。

第３段階：取引

　何とかいのちを長らえようと取引を試みる段階です。「よい行いをするから、もう少し長く生かしてほしい」「苦しいこともがまんするから」など、人や神との取引を考えます。これは、避けられない死を少しでも先延ばししたいという願望のあらわれでもあります。また、「息子の結婚式に出られたら、そこまで延命がかなったらそれ以上は望まない」など自分で「期限」を設定することもあります。しかし、自身で設定した期限がきたら、延命を望まなくなるわけではないことも理解しておきましょう。

第４段階：抑うつ

　病状の進行などにより、生へのかすかな希望も消え、死は避けら

れないと知り、さまざまな喪失感を抱く段階です。本人は、人や物事を含めすべてを喪失する悲しみを感じています。

　この抑うつのタイプは2つに分けられます。1つ目は、病気やその治療などによって失った物事への反応的な抑うつです。もう1つは、もうすぐ愛する者たちと別れなければならない等、これから失うことへの準備的な抑うつとされています。両者の性質はまったく異なるため、対応も異なります。反応的な抑うつに対しては、失った状況のなかであっても、本人が安心できる状況を伝えることで安堵することもあります。しかし、準備的な抑うつの場合は、はげましたり元気づけたりしてもさほど意味はなく、かえってこころを乱すとされています。むしろ、黙っていっしょにいるだけで十分なこともあり、本人の深い悲しみに寄り添うことが必要であるとしています。

第5段階：受容

　死を前向きに受けいれる段階です。死に対して恐怖も怒りも覚えず、死を受容して静かにそのときを待つようになります。ただし、受容は幸福な段階と誤認してはならないとしています。受容とは、感情がほとんど欠落した状態で、あたかも痛みが消え、苦悶が終わり、「長い旅路の前の最後の休息」のときが訪れたかのように感じられるとしています。そしてこの時期は、周囲への関心も薄れ静かに時を過ごすことを望むようになります。このときに必要なコミュニケーションは、ただ手をにぎり黙ってそばにいることで、「最期までそばにいる」と伝えることであるとしています。

　この5段階は、第1段階から順に順序よく進むわけではなく、それぞれの段階を行ったり来たりをくり返して経過していきます。また、だれもが死を受容して死にいたる訳ではないことも理解しておく必要があります。同時に、死を受容しなければならないということでもありません。介護福祉職は、死を宣告されてからの人間のこころの動きには、このような段階があるということを理解したうえで、利用者のこころに寄り添うことが求められます。

5 痛み

痛みは、主観的な訴えであり、痛みの程度を正確に測定することはできません。客観的にあらわすことができないということを前提としたうえで、痛みをあらわす補助的なツールとして**痛みのスケール（ペインスケール）**（図6-3）があります。これらの痛みのスケールは、本人の痛みの程度の表現です。たとえば、「昨日は痛みが4だったけれど、今日は2くらいで昨日よりはだいぶ楽に感じます」「今日は、痛みが4でとってもつらい」などと表現されます。このように、痛みを表現できるコミュニケーションツールとして使用することが望まれます。この痛みのスケールは、あくまでも本人が感じている本人の痛みの比較であるので、他者と比較することはできないということを忘れてはいけません。

人生の最終段階において、痛みや呼吸困難、倦怠感などの身体的な苦痛の軽減は積極的に行います。とくにがん患者などの**緩和ケア**❸では、疼痛のコントロールが重要となります。現在は**モルヒネ**❹の安全な使用方法が確立されており、患者個々の痛みの程度にあわせて、疼痛が強ければ痛み止めをモルヒネに切り替えています。

がん患者に対する疼痛治療の目標は世界保健機関（WHO：World Health Organization）で次のように示されています。

「患者にとって許容可能な生活の質を維持できるレベルまで痛みを軽減する」

❸ 緩和ケア
からだの痛みだけでなく、こころの痛み、社会で生活するうえで困難に感じていることなどのあらゆる痛みをやわらげながら、本人と家族が自分（達）らしく生きていくためのケアのすべて。

❹ モルヒネ
がんの疼痛を緩和するために使用する医療用麻薬の1つ。内服薬、注射薬、座薬がある。医療用麻薬をオピオイドという。

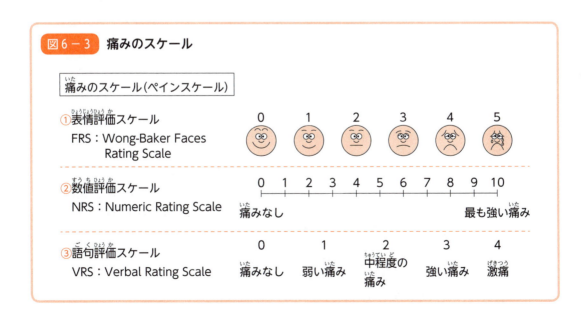

図6-3　痛みのスケール

| 表6－6 | モルヒネの副作用 |

副作用	注意点
便秘	ほとんどの患者が便秘となり、モルヒネ使用中は続く。下剤が処方されるため、正しく使用し便通を整える。
吐き気	モルヒネ開始初期や増量時にみられることがあるが1～2週間で消失する。しかし、悪心嘔吐がひどいとモルヒネを継続することが困難となるため、悪心嘔吐をおさえる薬剤が処方される。改善がみられないときは、薬を変更する。
眠気	モルヒネ開始時や増量時に起こる。この眠気が本人にとって苦痛でなければよいが、不快である場合は、モルヒネの減量などが考慮される。

　痛みを多くともなうがん患者にはこうした目標をもとに対応していくことが大切です。

　モルヒネなどのオピオイドの使用は、指示された用法、用量、時間を守ることが大切です。また、薬剤の特徴や副作用を理解しておくことも必要です。モルヒネの副作用は、**表6－6**のとおりです。副作用が出現していないかをしっかり観察し、副作用がみられたときは、医師または看護師に報告します。また、痛みが強くなって薬が効かなくなった場合は、すぐに医師または看護師に報告します。

　人生の最終段階における痛みは、身体的な苦痛ばかりではありません。利用者が感じている痛みを理解して、適切な対応がとれるようにします。

◆引用文献

1）清水哲郎・会田薫子編『医療・介護のための死生学入門』東京大学出版会、p.54、2017年

◆参考文献

● 清水哲郎・会田薫子編『医療・介護のための死生学入門』東京大学出版会、2017年
● 東京大学高齢社会総合研究機構編著『東大がつくった高齢社会の教科書——長寿時代の人生設計と社会創造』東京大学出版会、2017年
● 桑田美代子・湯浅美千代編『高齢者のエンドオブライフ・ケア実践ガイドブック　第2巻　死を見据えたケア管理技術』中央法規出版、2016年
● E.キューブラー-ロス、鈴木晶訳『死ぬ瞬間——死とその過程について　完全新訳改訂版』読売新聞社、1998年

第2節

人生の最終段階における介護

学習のポイント

■ 死をむかえる人の支援方法を学ぶ
■ 死をむかえた人とその家族への介護を学ぶ

関連項目　⑪『こころとからだのしくみ』▶ 第9章「人生の最終段階のケアに関連したこころとからだのしくみ」

　人生の最終段階におけるケアで介護福祉職は、利用者が最期まで尊厳をもってその人らしく過ごせるように支援します。利用者の生理的欲求・安全欲求を満たす食事・清潔保持・排泄の支援、同時に苦痛を取り除き安らかに過ごせるような支援が必要です。また、利用者が自身の人生を満足いくものであったと感じられるような支援も求められます。

1 死をむかえる人の介護

　死が近づいてくると、日常生活には**表6−7**のような変化がみられるようになります。

表6−7	死が近づいたときの日常生活の変化
活動	活気がなくなり、活動量が低下する。 日中も傾眠傾向となる。
食事	食欲が低下し、食事・水分摂取量が減る。 咀嚼・嚥下機能が低下し、口に入れても飲みこみにくくなる。
排泄	トイレまでの移動が困難になる。 失禁がみられるようになる。

1 活動量の低下と傾眠

　死が近づくと、活動量は低下ししだいに傾眠傾向となり、日中でもウトウトしていることが多くなります。介護福祉職は、安楽に過ごせるように環境を整えます。ウトウトしているからといって、声かけをしないでケアを行うようなことはせず、必ず声かけをしてケアを行います。利用者がさびしさや孤独感を感じないような配慮も必要です。また活動量の低下にともない、臥床して過ごすことも多くなるので、褥瘡にならないように体位変換を行い安楽な姿勢を整えます。

　活動が可能なときは、利用者の好きなことややりたいことを優先し、それを行えるように支援します。散歩など気分転換をはかることも大切です。散歩は、環境も変わりコミュニケーションをとるよい機会にもなります。このとき利用者の発する言葉だけでなく、表情やしぐさ、行動から利用者の思いをくみとる感性が必要とされます。

2 食事

　食事を行うときは、まずしっかり覚醒しているかを確認します。また、誤嚥を防ぐために体位を整えます。ベッドの角度は、利用者の身体状況や嚥下の状態に応じ、上半身を30～60度起こした半座位とし（図6－4）、頭部は枕を使用し、顎を引いた状態にします（図6－5）。こうすると咽頭と気管に角度がついて誤嚥しにくくなります。そして利用者が食べたいものを、無理のない範囲で摂取してもらいます。この時期の余分な栄養や水分補給は、心臓に負担をかけたり、痰の増加や浮腫につながります。口渇があるときには、少量の水や小さな氷を口に含むことで改善します。

3 排泄

　排泄は、幼児期に自立しプライベートな行為として当然のように行われます。そのため、排泄に人の手を借りなければならないことは、利用者にとって自尊心にかかわる大きな問題であることを認識しなければなりません。

　死が近づいてくると全身の機能低下にともない、トイレまでの移動が

第 2 節　人生の最終段階における介護

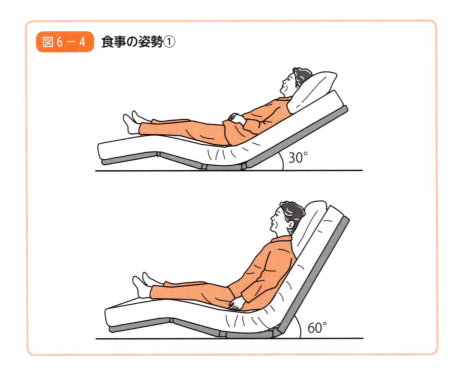

図6-4　食事の姿勢①

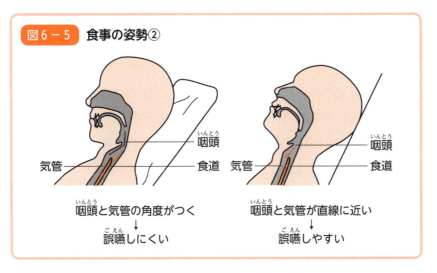

図6-5　食事の姿勢②

困難になったり、失禁がみられるようになります。利用者の排泄状況にあわせて、適切な支援を行う必要があります。利用者のなかには、「最期まで排泄だけは自分で行いたい」と強く思う人もいます。本人の思いを尊重し、適切な方法を選びます。おむつを着用した場合は、尊厳を傷つけることのないように声かけなどにも注意が必要です。また、排泄のサインを見逃さず、排泄があったらすぐに交換し、清潔で快適に過ごせるようにします。

人生の最終段階において、避けることのできない排泄行為により、利用者が不快な思いをすることのないように、また排泄に関して遠慮や気兼ねをすることのないように配慮しましょう。

尿の性状や量の変化は、異変を示すサインでもあるので、しっかり観察し、必ず医師や看護師に報告します。

4 清潔保持

からだの清潔を保つことは、気分のリフレッシュ、爽快感をえる、感染症予防、褥瘡予防などの意義があります。利用者の苦痛がなく、バイタルサインも安定していれば入浴を行います。倦怠感などの理由により入浴が困難な場合は、利用者の状態にあわせて全身清拭や部分清拭、ベッド上での洗髪を行います。これらのケアは一度にすべてを行うのではなく、状態にあわせて日替わりで行うことも必要です。また、手足が冷えているような場合は、手浴や足浴が効果的です。

5 苦痛の緩和

死をむかえる人の苦痛については、前述したように身体的苦痛ばかりでなく、社会的苦痛、精神的苦痛、霊的苦痛があるといわれています（図6-2参照）。利用者の「痛い」という訴えの背景には、これらの4つの要素があることを理解しておく必要があります。そして、これらの苦痛について利用者がどのように感じているのか、どうしたらやわらげることができるのかを考えてケアを行います。

（1）身体的苦痛
疾患等にともなう耐えがたい苦痛や呼吸困難などの身体的症状は、十分に緩和することが必要です。介護福祉職は、利用者の症状の訴えを把握し、医療職に伝えます。また、ケアによる苦痛緩和には、表6-8のような方法があります。

（2）社会的苦痛
社会的苦痛とは、仕事や経済上、家庭内、人間関係、遺産相続などに関することの不安や苦痛です。医療費の問題や療養場所の問題などもあ

表6－8	身体的苦痛を緩和する方法

痛み	・痛みのある部位を上にする。 ・好みに応じて冷あん法・温あん法を使用する。 ・腹式呼吸でゆっくり呼吸する。 ・痛みに集中しないように、気分転換をはかる（好きな音楽を聞くなど）。
呼吸困難	・呼吸を楽にするため半座位がよい。 ・仰臥位であれば、気道が確保されるように、顎を上げて頭部を後屈させる。
倦怠感	・手足のマッサージを行う。 ・冷感がある場合は、湯たんぽを使用する。 ・下肢を少し高くする。
口渇・口唇の渇き	・水で濡らしたガーゼで口腔内を湿らせる。 ・可能であれば、水や小さな氷を口に含ませる。 ・口唇の渇きには、リップクリームをつけて保護する。

ります。ソーシャルワーカー等と連携して、解決に向けた支援を行います。

（3）精神的苦痛

精神的苦痛は、死に対する不安やいらだち、孤独感などがあります。利用者が自身の苦痛を表出できるように、共感的な姿勢で傾聴します。時には本人の沈黙に対し、黙って寄り添うことも必要です。

（4）霊的苦痛（スピリチュアルペイン）

死を前にして自身の人生の意味への問いや死の恐怖、人生においてやり残したことへの無念等がこれにあたります。利用者の語りに耳を傾け、思いに寄り添うことが求められます。そして、利用者が自身の人生を肯定的にとらえられるように、無念が少しでも軽減されるように、家族等の重要他者とも連携することが重要です。

6 コミュニケーション

死をむかえる人の全人的苦痛を感じとり、苦痛をやわらげるために利用者の訴えに耳を傾け、共感的な姿勢でコミュニケーションをとることが求められます。また、利用者は自身の思いを言葉として十分に表出できないことも考えられます。日常の生活支援のなかで垣間見える利用者の表情や態度からも思いをくみとることが必要です。同様に介護福祉職は、**言語的コミュニケーション**[1]で利用者に声かけするばかりでなく、「あなたのことに関心を寄せている」「あなたのそばにいる」ということを**非言語的コミュニケーション**[2]として、態度や表情、ふるまいからもメッセージを送ることが必要です。

❶言語的コミュニケーション

話し言葉や書き言葉など、言語を介するもの。

❷非言語的コミュニケーション

身ぶりや手ぶり、表情や声の調子、服装、髪型など、言語を介さないもの。

7 家族支援

死をむかえる段階では、家族も支援の対象となります。家族も、今まで人生をともに歩んだかけがえのない人を失うという深い悲しみや苦悩を感じています。利用者とのこれまでのかかわりをふり返り、感謝の念や後悔の念などさまざまな感情もわき起こります。また予期していない状況で死をむかえることになった場合は、状況を受けいれられない感情やそのことが怒りとなって表現されることもあります。介護福祉職は、家族のおかれた状況とそれにともなう感情を理解し、常に寄り添い共感する姿勢が求められます。家族の訴えを傾聴し、思いをくみとることが大切です。

施設入所などで離れて暮らしていた家族には、利用者に関する施設でのエピソードや、利用者が語った家族に対する思いなどを伝えることもよいでしょう。ただし、利用者と家族との関係は、さまざまであることを忘れてはいけません。家族が利用者に対して否定的な感情をもっていたとしても、それを一方的に非難することはできません。本人と家族との関係は、ここまでにいたるさまざまな出来事があってのことです。そのことを理解し、家族の思いにも寄り添うことが必要です。いずれの場合にせよ、死別後に家族が後悔や罪悪感を抱くことのないように、死別のプロセスにおいて、家族が納得できるようなかかわりができるように支援することが重要です。

死をむかえるまでの経過には個人差があり、その期間を明確に予測す

ることはできません。状態に変化がみられたときは、そのつど家族に伝えます。そして今後死に向かうような状態の変化が急激に起こる可能性もあることを伝えておくことも必要です。また家族が、必要に応じて休息がとれるような配慮も必要です。

　家族がいないときに急な状態の変化等があった場合に備えて、家族の連絡先や、連絡方法について把握しておきます。

> **家族に連絡するために確認しておくこと**
> ・連絡する人（できれば2～3人）
> ・日中・夜間の連絡先
> ・本人のいる場所に来るための交通手段
> ・本人のいる場所に到着するまでにかかる時間

8 チームケア

　とくに人生の最終段階におけるケアでは、多職種によるチームとして協働でケアを提供します。ここで行われるケアは、厚生労働省の示す「人生の最終段階における医療・ケアの決定プロセス」を経て決定された方針にもとづいて行います。チームケアでは、多職種連携の基本である情報の共有、報告・連絡・相談を密に行うことが重要です。また、本人や家族等の気持ちの変化があった場合には、そのことを多職種で共有し、すみやかに話し合う場を設定して再度話し合いを行います。チームとしてすみやかで柔軟な姿勢が求められます。

　医師が常駐していない施設では、今後の状態の変化等に備えて、早めに医師と調整することが必要です。医師が不在の場合は、どのように対応をしたらよいのかを取り決めておきます。また医師との連絡方法についても確認しておきます。

9 死が近づいたときの身体症状への対応

　死が近づいたときの身体の変化を、表6-9に示します。

（1）口渇・口唇の乾燥

　水を含ませたガーゼで口腔内を湿らせます。意識があるときは、小さ

な氷のかけらを口に含ませるのもよいでしょう。口唇の乾燥が強いときは、リップクリームを塗布します。

（2）末梢の冷感や倦怠感

末梢の冷感に対しては、湯たんぽなどを使用して保温します。湯たんぽが直接皮膚に当たらないように注意し、布団全体を温めるという意識で使用します。靴下や衣服のゴムはきつくないものを選びます。

倦怠感に対しては、マッサージをするのもよいでしょう。

（3）呼吸苦

呼吸を楽にするために半座位など上体を起こした体位とします。

（4）体位の工夫

同一体位での局所の圧迫を最小限にするため、適宜、体位変換を行い

表6-9	死が近づいたときの身体の変化
項目	**状態の変化**
意識	意識レベルが低下し、ウトウトしている時間が長くなる。
呼吸	リズムや深さが乱れてくる。 下咽頭に分泌物がたまり、喘鳴が聞かれる。 チェーンストークス呼吸[1]、肩呼吸[2]、下顎呼吸[3]がみられる。
体温	低下することが多い。
脈拍	リズムが乱れ微弱となる。 橈骨動脈は、触れにくくなる。
血圧	徐々に低下する。
皮膚	四肢末梢が冷たくなる。 チアノーゼ[4]が出現する。 背部や四肢に浮腫が生じる。
尿・便	尿や便の量が減る。 肛門や尿道の括約筋の低下により失禁がみられる。

※1：浅い呼吸から深い呼吸となっていったん呼吸が止まる（10～20秒程度の無呼吸）。この周期をくり返す呼吸。
※2：呼吸をするときに肩が上下に動く呼吸。
※3：下顎を動かして、口をパクパクさせるような呼吸。死が時間単位でせまっていることを示す。
※4：口唇や爪、皮膚が青紫色になること。呼吸状態の悪化を示す。

第2節　人生の最終段階における介護

ます。このとき、振動を与えないように静かに行います。また、除圧機能のあるマットレスやエアマットの使用も考慮します。

（5）活動減少への配慮

活動は徐々に減少し、傾眠傾向も強くなりますが、利用者が残された時間を充実して安楽に過ごせるように配慮します。また、これまでの離床時間や移動・移乗の方法も見直し、苦痛のない方法で行うようにします。

（6）からだの清潔保持

状態を考慮し、全身清拭・部分清拭・口腔ケア・陰部洗浄、手浴、足浴等を行い、からだを清潔に保ちます。可能であれば、洗髪も行います。

（7）環境整備

居室内で過ごすことも多くなるので、快適に過ごせるように環境を整えます。個室の場合、利用者に孤独感を感じさせないような配慮も必要です。利用者が好きな音楽を流すのもよいでしょう。また、残された時間を家族とともに気兼ねなく過ごせるように配慮します。

10　死が近づいたときの家族への支援

死が差しせまったと予測した場合は、早めに家族に伝えます。そして会わせておきたい家族・親戚・知人に連絡をして会ってもらうように伝えます。このとき、施設の面会時間などの制限については、柔軟な対応が望まれます。また、最期のときに着せたい衣服があれば用意してもらい預かることができることも伝えます。家族が利用者の死について、心残りがないように個別性を重視したかかわりが求められます。

臨終の場面では、家族が利用者と気兼ねなく過ごせるように配慮します。また、聴覚と触覚は最期まで残るといわれていることを伝え、声かけや、手をにぎるなどの刺激は、本人に届いていると伝えるとよいでしょう。

2 死をむかえた人の介護

臨終にあたっては、必要な各所に連絡をしなければなりません。そのときにすみやかに行動できるように連絡先や連絡内容をあらかじめ準備しておくようにします。家族がつきそっている場合は、職員に気兼ねすることなく悲しみ、お別れができるように配慮します。

1 死亡診断

医師が死を診断した時点で死亡となります。医師は、「自らの診療管理下にある患者が、生前に診療していた傷病に関連して死亡したと認める場合」には死亡診断書を、それ以外の場合は死体検案書を交付します。死亡診断書が交付されるのは、原則として医師が死亡に立ち会い、かつ死亡原因が明らかな場合です。ただし、診療中の患者が24時間以内に受診していた場合など、医師の立ち会いがなくても死亡診断書を交付できる場合もあります（医師法第20条）。また、いずれの場合も、死亡に関して異状が認められる場合は、異状死体として24時間以内に所轄警察署への届出が必要になります（医師法第21条）。

2 死後のからだを整える（死後のケア）

死後のケアは、エンゼルケアともいわれ、利用者に対する最後のケアとなります。利用者の尊厳を守り、真摯な態度でこころを込めて行います。

> 死後にからだを整える目的
> ・清潔にする
> ・外見上の変化を目立たなくする
> ・生前のよい表情になるよう整える

死後のケアは、医師の死亡確認のあと、家族がお別れをしてから、**死後硬直❸**が始まる前に行います。死後硬直は気温の影響を受けますが、通常死後２～４時間で始まります。

❸死後硬直
死亡後に、遺体の筋肉がかたくなる現象。

278

第2節　人生の最終段階における介護

3　エンゼルケアの手順

（1）必要物品の準備

　死後のケアに必要な物品はエンゼルケアキットとして市販されています。何度も部屋を出入りすることのないように、必要なものを整えてから始めます。

（2）家族に希望を確認する

　家族に、これからからだを整えることを伝え、希望があれば、家族の希望にそうように行います。たとえば、以下のようなことを確認します。
・宗教や習慣による希望があるか
・清拭などをいっしょに行うか
・衣服を選んでもらう　など

（3）状態に応じた必要な処置を行う

　おもに看護師が体内の内容物を排出します。口腔や肛門等に綿花などをつめ、体液の流出を防ぎます。耳や鼻は、特別な理由がなければ綿花などをつめる必要はありません。義歯（入れ歯）を使用していた場合は、義歯を装着します。

（4）清拭

　さかさ水❹を使用して、遺体の清拭を行います。汚れが強いときや臭気があるときは、石けんを使用します。清拭の順序は、通常の全身清拭に準じて行い、からだと陰部・殿部のタオルは使い分けます。清拭後は、新しいおむつやパッドをあてます。

（5）創部などの保護

　傷や褥瘡、胃ろう等の創部には、ガーゼや絆創膏をあてます。創部からの滲出液が多いときは、看護師に相談し、対応します。

（6）衣服を着替える

　着物の場合は、左前にあわせて、帯ひもは縦結びにします。背部のしわを伸ばし、襟、肩、裾の合わせ、袖が整っているか確認します（図6－6）。着替えたあとは、前胸部で手を組ませ足もとを整えます。

❹さかさ水
遺体を清めるためのぬるま湯で、水に湯を注いでつくる。通常、ぬるま湯をつくるときは、湯に水をまぜてつくるが、あの世とこの世は逆であるという考えから、水に湯を注いでつくる。

279

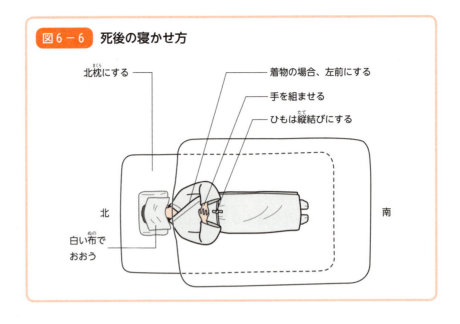

図6-6 死後の寝かせ方

（7）顔を整える

　本人や家族の希望を確認しておき、ひげをそったり、化粧をしたりします。皮膚の乾燥がみられるときは乳液やクリームを塗ります。男性の場合も顔色が悪いときは、薄く化粧をすると表情がおだやかに見えます。口が閉じない場合は、顎の下にタオルなどを入れます。

（8）顔に白い布をかける

　終了したら一礼し、顔に白い布をかけます。

（9）寝床周辺を片づける

　物品を片づけ、寝床周辺を整え、家族に終了したことを伝えます。

3 亡くなったあとの介護・グリーフケア

 残された家族へのケア

　人生において、それまでかかわりがあった人との死別は、悲嘆や喪失感、孤独感をもたらします。この感情は、故人との関係性、人生のどの時期に死をむかえたかなど、事情や背景によってもさまざまです。とく

第 2 節　人生の最終段階における介護

に配偶者など大切な人との死別は、もっともストレスフルな出来事であり、死別後は、うつ病の発症率と自殺率が高くなるといわれています。このようなことから、大切な人との死別では、その前後の支援が重要となります。家族など近しい人を亡くした人が、死別にともなう深い悲しみや喪失感、環境の変化などを受けいれ、乗りこえられるように支援することを**グリーフケア**といいます。家族は、故人に対して自責の念や後悔、罪悪感を抱いていることもあります。また今後の生活に関するさまざまな問題から、絶望感におちいることもあります。個々の事情や背景を理解し、家族に寄り添うことが求められます。

死別後の残された家族（以下、遺族）に対し、元気を出すよううながしたり、はげますことは逆効果となることもあります。むしろ遺族には、深い悲しみのなかに入り、悲しみと向き合い、それを表現すること

表6 −10	グリーフケアの一例
弔問	死後1〜3か月の落ち着いたころ訪問する
カードや手紙を送る	故人を偲び、家族の労をねぎらう内容とする
遺族の語らいの場を設ける	遺族が悲しみを遠慮なく語れる場とする
遺族が訪ねてくる場合	故人とかかわりのあった職員が対応し、故人との思い出を語る

表6 −11　注意を要する遺族の状態

① 「死にたい」という気持ちが強い。
② 感情の表出がほとんどなく、感情が麻痺している。
③ 罪悪感が強い。
④ 不眠が続く。
⑤ 焦燥感が続く。
⑥ 悲嘆の時期が過ぎても、社会生活に支障がある。
　 通常は悲嘆から回復後は社会生活に支障はない。
⑦ 悲嘆が長期化する。
　 通常の悲嘆期間は、おおむね6か月〜1年。

注：死別からの期間に限らず、これら①〜⑥の状態がみられたら、精神科受診をすすめる。

が必要です。介護福祉職は、遺族が感情を表現できるように接し、寄り添い、傾聴することが何よりも重要です。**表6－10**は、グリーフケアの一例です。

　大切な人と死別した遺族の悲嘆は正常な反応です。しかし、なかには専門的な支援を必要とするような悲嘆におちいることもあります。**表6－11**に注意を要する遺族の状態を示します。とくに残された高齢の配偶者や幼い子どもを失った母親、死別後独居となってしまった遺族には、心身の変化や言動に細心の注意を払い、必要であれば精神科につなぐことが必要です。

② 職員へのケア

　デスカンファレンスとは、かかわった利用者の死後にそのケースをふり返り、経験を次にいかしてケアの向上をはかることです。デスカンファレンスには、介護福祉職だけでなく、利用者とその家族にかかわった他職種にも参加を呼びかけます。そしてケースをふり返り、自由に意見を出し合える雰囲気を大切にします。デスカンファレンスは、反省の場や責任を追及する場ではないことを共通理解しておくことも大切です。デスカンファレンスを行う前に、参加者1人ひとりが以下の点について整理しておくと、スムーズに進めることができます。

> デスカンファレンスの前に、整理しておくこと
> ・よかったと感じること
> ・十分できなかったと感じること
> ・利用者とその家族とのかかわりのなかでわき起こった感情
> ・次にいかしたいと思ったこと

　デスカンファレンスは、ケースから学び今後のケアの向上をはかることを目的としますが、もう1つ、職員に対するグリーフケアとしての意味もあります。利用者を長期にわたり介護してきた職員のなかには、家族と同じような悲嘆感情を抱く人もいます。また、看取りの経験のない人にとっては、初めての死別体験ということもあります。このような職員には、グリーフケアが必要となります。職員それぞれが利用者を思い出し、感情を言葉に出して、悲嘆感情を受けいれ乗りこえていく機会になるとよいでしょう。

> **デスカンファレンス参加者の心得**
> ・反省の場や責任を追及する場ではないことを理解する
> ・他者の意見は、好意的に聴き尊重する
> ・次につなげるという前向きな姿勢でのぞむ

　これまでケアを提供してきた利用者が亡くなることは、職員にとってもつらく、悲しいことです。とくに施設で予期せぬときに亡くなる場面に遭遇することは、だれにとっても衝撃的なことです。そしてその後の一連の対応などにより、無力感や自責の念を抱くことも予測されます。職員の体験や感情を共有し、お互いに支え合う姿勢が求められます。

◆ **参考文献**
- 清水哲郎・会田薫子編『医療・介護のための死生学入門』東京大学出版会、2017年
- 東京大学高齢社会総合研究機構編著『東大がつくった高齢社会の教科書——長寿時代の人生設計と社会創造』東京大学出版会、2017年
- 桑田美代子・湯浅美千代編『高齢者のエンドオブライフ・ケア実践ガイドブック 第2巻 死を見据えたケア管理技術』中央法規出版、2016年
- E.キューブラー-ロス、鈴木晶訳『死ぬ瞬間——死とその過程について 完全新訳改訂版』読売新聞社、1998年

第3節 人生の最終段階の介護における多職種との連携

学習のポイント
- 人生の最終段階における他職種の役割を知り、かかわり方を学ぶ
- 人生の最終段階における家族とのかかわりを理解する
- グリーフケアについて理解する

関連項目
- ④『介護の基本Ⅱ』　▶第4章「協働する多職種の機能と役割」
- ⑪『こころとからだのしくみ』　▶第9章第4節「終末期における医療職との連携」

1 人生の最終段階における多職種連携の必要性

1 多職種連携・協働を考える

「連携」という言葉の意味を考えましょう。
- 連携：同じ目的をもつ者が互いに連絡をとり、協力し合って物事を行うこと。

「きょうどう」とは何でしょう。漢字がたくさんあります。
- 共同：2人以上の者が力を合わせること。同じ条件・資格で結合したり関係すること。
- 協同：ともに心と力を合わせ、助け合って仕事をすること。
- 協働：協力して働くこと。

これらを踏まえて、次のことを考えていきましょう。

2 人生の最終段階における連携・協働

人生の最終段階（看取り期）における介護は、医療との連携・協働が

不可欠です。医療職にはどのようなものがあるでしょうか。

① 主治医（かかりつけ医）

② 看護師（病棟・外来・訪問）

③ 理学療法士・作業療法士・言語聴覚士

④ 管理栄養士

⑤ 薬剤師

　このように医療職といってもさまざまな職種があります。ほかにも、臨床心理士や、在宅酸素や点滴の持続注入などの提供企業など、医療を支える専門職もたくさんあります。

　利用者とその家族を取り巻く人的サービスの把握は、介護支援専門員（ケアマネジャー）だけの仕事ではありません。ケアを実践していくと、こういった人とのつながりがこの利用者のQOL（Quality of Life：生活の質）を高めていると感じることになります。こうしてつながりによってえられた情報は関係機関として、介護福祉職としてぜひ共有してください。専門職からえられた情報で利用者の理解が進めば、より利用者との信頼関係も築けます。連携・協働を実施すればするほど、信頼関係の重要性に気づくでしょう。自分、あるいは自分の事業所だけが信頼されていても、利用者は安心してケアを他者にゆだねられません。チームが1つになり、信頼をえることは、利用者への安寧を生み出します。そのための連携・協働です。

　人生の最終段階は、からだが思うように動かないことがほとんどです。介護福祉職として、からだの清潔や衣服の着脱をていねいに実施しても、ベッドの環境が適切でなければすぐに褥瘡が生じます。体重が減少し、筋肉が落ちてきてしまったことに最初に気づくのは、清拭や衣服の着脱を実践している介護福祉職です。体調の変化に気づいたら、すぐに事業所の管理者や介護支援専門員に伝えて、早期に対応策をいっしょに考えましょう。

　さらに、介護福祉職だからこそえられる情報があることを大切にしてください。利用者は、より生活にそった内容のケアを提供する介護福祉職には、医療職には伝えない事柄を発信することも多いです。また、利用者に対しての「あれっ？」と思う感性を大切にし、それを、根拠に照らしあわせて評価し、必要時に情報として発信できるよう準備をしましょう。これは連携の一歩で、利用者のQOLを低下させない工夫を積み上げていくことが、協働になると考えます。

2 他職種の役割と介護福祉職との連携

次にもう少し、具体的に他職種との連携・協働を考えてみましょう。

（1）在宅主治医と訪問看護師との連携・協働

看取りを前提として在宅で過ごす場合、退院時より訪問看護が調整されて、導入される場合が多くあります。入院中は必ず病棟に看護師や医師が存在し、ナースコールを押せば来てくれる環境にあったため、在宅でも利用者、家族が身近に医療職がいることを望む場合が多いのです。訪問看護では、在宅でのニーズを利用者や家族と共有しますが、利用者や家族に力があり、在宅生活の課題をみずからクリアできる場合は、訪問看護を中止または保留とすることもあります。そのときの病状および家族の介護力などのアセスメント結果を、医師や看護師と介護福祉職、介護支援専門員または相談支援専門員は共有しなければなりません。それが、連携・協働となります。

生活の延長線上である在宅での看取りに、医療機器が持ちこまれたり、疼痛の緩和のための麻薬などの薬が使用されることで、それが利用者の疼痛緩和になったとしても、利用者と家族は不安が募るだけということもあります。利用者や家族は医療職には本音を伝えないことも多いので、介護福祉職はもっとも身近な相談者として聞きとった情報を、訪問看護師に伝えましょう。このような情報交換がスムーズに進むと、よりよい課題解決の道が見えてくるでしょう。

また、何かあったときにどうしたらよいのか、利用者と家族は常に不安に思っています。その解決策の1つが、緊急コールの確保です。緊急時の対応方法や相談のルートなどは、早々に確認してください。

在宅での人生の最終段階では、医療体制について次のような項目を確認しておくことが必要です。

・緊急時訪問看護加算／24時間対応体制加算の体制をとる訪問看護ステーションかどうか

・上記加算をとっていなくても、早朝・夜間・深夜の訪問に対応し、ケアプラン上必要な場合、吸引などにあたってくれるのかどうか。また電話対応だけでも実施してくれるのか

・在宅主治医は24時間体制かどうか

第 **3** 節　人生の最終段階の介護における多職種との連携

　介護福祉職としてサービス提供責任者等を通じて確認することで本人や家族が安心するサービスを提供することにつながります。
　この緊急体制が整わず、往診が望めない病院の医師のみが主治医である場合等には、亡くなった際に死亡診断書を書いてもらえずに検死となり、つらい思いをすることもあるので注意が必要です。

事例 1 　自宅で最期を過ごしたいＡさん

　Ａさんは90歳女性で92歳の夫と２人暮らしです。食が細くなってきたのは年齢のせいと思って受診もしませんでしたが、少し離れたところに住む長女が久しぶりに帰省すると、びっくりするほどやせていました。あわてて受診したところ、胃がんの末期で全身のいたるところに転移し、手術などはむずかしい状況でした。夫婦は日ごろ、何かあっても延命治療はせず自宅で最期をむかえたいと話していたので、それを夫婦から病院主治医に話すと、在宅での緩和ケアの説明があり、Ａさんにも告知され入院から在宅へ移行しました。
　退院にあたって、訪問看護師と在宅診療医の紹介があり、退院当日、自宅で今後の方向性についてＡさんを交えて家族と話し合いました。介護福祉職などとも連携してかかわってきましたが、日を追うごとに食事の摂取量が減り、排泄もベッド上になり、痛みが生じてきました。痛みの程度を訪問看護師は在宅主治医に伝え、痛み止めの薬の量の指示を受け、家族にも薬の内容や量について説明しました。
　看取りの時期が近づいてきたところで、まず在宅主治医がその時期の説明をし、訪問看護師がさらにていねいに今後起こる症状や連絡方法などについて伝えました。その後、息をしていないと家族より訪問看護ステーションに連絡が入り、すぐに訪問看護師が状態を確認しに訪問しました。結果、生命反応がないため在宅主治医に連絡し、ほどなく往診した在宅主治医により死亡が確認されました。

　このように、人生の最終段階においては、痛みの緩和や、死亡時期のことなどの大きな方向性は在宅主治医より伝えてもらい、関係医療者が同じ方向を向いて、家族のケアの支援に入れるよう連携をとります。

（2）医療職以外との連携・協働

　利用者や家族はさまざまな思いを抱えながら看取りの時期をむかえます。それまでの家族の関係性、今後に対する**予期的悲嘆❶**などは、家族

---

❶**予期的悲嘆**
患者の死が訪れる前に、家族が患者の死に喪失感を抱き、心理的反応を示すこと。

の感情を大きくゆさぶります。利用者や家族の思いを聴き支えていくには、医療職とのかかわりだけでは不十分であることは明白です。多職種の連携は大きな支えとなっていきます。多職種との連携をはかるために、利用者・家族を中心にしたチームづくりをすることが非常に大切になります。介護支援専門員や相談支援専門員、地域包括支援センターに一存するのではなく、職務として、みずから率先して実施することが望ましいです。介護福祉職は、サービス提供責任者や管理者になりうる可能性が高い資格です。チームづくりができていない場合はその理由を明確にし、利用者や家族が安心して在宅での日々が過ごせるよう、はたらきかける必要があります。

事例 2　Bさんの意向に向けた、医療職以外の連携・協働

Bさんは80歳女性で要介護1です。夫が3年前に他界し、生活保護の受給を受け、地域活動にも参加しながら1人暮らしをしていました。親族はBさんの姉の長女が隣の県に在住し、年に数回会う程度です。この1年でBさんは腰部脊柱管狭窄症が悪化し、日常生活がままならなくなり、訪問介護（ホームヘルプサービス）を利用していました。ある日、急な腹痛で受診したところ、膵臓がんの末期でかなり進行しており余命は3か月程度であることが、本人に告げられました。

Bさんは、積極的治療は望まず、大好きな夫と過ごした自宅で最期をむかえたいと病院主治医に告げたため、疼痛緩和の目的でいったん入院し、在宅生活に戻れるように医療ソーシャルワーカー（MSW：Medical Social Worker）が介護支援専門員に連絡をとりました。介護支援専門員は、在宅主治医や訪問看護ステーションを探し、生活保護ケースワーカー、地域包括支援センター、訪問介護事業所に連絡し、退院前カンファレンスが開催できるよう準備しました。カンファレンスではBさんと姪も参加し、今後のことを話し合いました。

数日後、疼痛緩和がはかれたので退院となりました。退院日当日には介護支援専門員が中心となりサービス担当者会議が開催され、姪、在宅主治医、訪問看護ステーション、サービス提供責任者、福祉用具事業所などが今後のことを決めるため身体状況の確認や環境調整に入りました。訪問介護員（ホームヘルパー）は、翌日より朝夕の家事支援を中心に安否確認を実施しました。2週間ほどするとほとんど自力で動くことができなくなり、訪問介護員も身体介護（清拭・更衣・排泄介助など）の時間を増やし、できるだけ快適な生活が送れるよう支

援しました。その後、意識が混とんとし始めたため、介護支援専門員などと検討し、訪問介護員が朝昼晩と回数を増やし生活全般の支援に入り、姪も泊まって介護に参加しました。Bさんは数日後眠るように亡くなりました。

（3）他の社会資源の活用

　フォーマルなサービスだけでは、利用者・家族の支援がむずかしいこともあります。今後、増える1人暮らしの人の看取りの支援では、少しの時間でも見守りをしてくれる人が必要です。最期までQOLを高めるためにも、さまざまなインフォーマルなサポートやサービスの活用を提案する必要があります。一番身近で支援を実施している介護福祉職だからこそ、最期まで生ききる利用者の身近な存在になり、情報を知る機会も多いはずです。その情報を介護支援専門員や医療職などに提供し、利用者のQOLの維持向上につながらないかを検討してもらい、利用者の安心感への一歩を踏みだしましょう。

（4）家族も連携・協働の1つ

　最後に、家族への対応を考えましょう。利用者が人生の最終段階に入ると、咀嚼・嚥下がむずかしくなり、食事が喉を通らなくなる、食欲がなくなる、ウトウトする、ぼーっとする時間が増える、呼吸が変化する……などいろいろな変化が訪れます。これらの変化を家族にもこまめに伝えましょう。亡くなることはわかっていても、亡くなるときにからだがどう変化していくかを見たという経験をもちあわせている家族は、昨今の核家族下においてはあまりいません。だからこそ、こまめに体調変化を伝え、いっしょにケアに参加してもらいましょう。

　利用者が亡くなったあとに活用できる社会資源の1つに**遺族会**があります。利用者が亡くなると、生前の支援者によるかかわりは、原則終了となります。筆者の経験でも、「あれほどたくさんの人たちが行き来してくれていたのに、ぱたっと来なくなってしまって、とてもさびしかった」と話してくれた家族がいました。核家族化が進み、近所で悲嘆を分かち合うこともむずかしくなってきています。乗り越えなければならない悲しみにどのように対処するのか。このようなグループでのケアができる場を伝えることは、グリーフケアの一環であり、新しい連携先の提

案ともいえるでしょう。

　最後に、看取ることを希望されたら、利用者・家族を含む関係者全員で看取りの方向性を確認することが重要です。最初に決めたからそれでよいということではなく、何回も確認し、修正することを積極的に実施することが大切です。介護支援専門員や訪問看護師だけでなく、一番身近にいる介護福祉職が随時情報を提供し、よりよい看取り支援をチームの一員として構成していきましょう。

◆ 参考文献

● 髙木慶子編著『グリーフケア入門──悲嘆のさなかにある人を支える』勁草書房、2012年
● 川上嘉明『もっと介護力！シリーズ はじめてでも怖くない 自然死の看取りケア──穏やかで自然な最期を施設の介護力で支えよう』メディカ出版、2014年
● 諏訪免典子『もしあなたが「看取りケア」をすることになったら──本人の意思をかなえる平穏な最期を迎えるお手伝い』ぱる出版、2017年
● 自分らしい「生き」「死に」を考える会編『アドバンス・ケア・プランニングのすすめ 自分らしい「生き」「死に」を考える──「私の生き方連絡ノート」を活用して』EDITEX、2016年
● 荒井千明『高齢者ケアのキーノート いつもと違う高齢者をみたら──在宅・介護施設での判断と対応 第2版』医歯薬出版、2018年
● 佐藤禮子監、浅野美知恵編『絵でみるターミナルケア──人生の最期を生き抜く人へのかぎりない援助 改訂版』学研メディカル秀潤社、2015年
● NPO法人神奈川県介護支援専門員協会編『介護支援専門員実践テキスト 専門研修Ⅰ対応版』中央法規出版、2016年
● NPO法人神奈川県介護支援専門員協会編『介護支援専門員実践テキスト 専門研修Ⅱ・更新研修対応版』中央法規出版、2016年
● 日本グリーフケア協会ホームページ

演習6-1　死が近づいたときの日常生活の変化

死が近づいたとき、人のからだにはどのような変化があらわれるか考えてみよう。

演習6-2　自己決定の支援

自己決定の支援を考えるにあたり、次の項目について自分の考えをまとめ、話し合ってみよう。

1 最期に過ごしたい場所（暮らしたい場所）

2 最期にいっしょに過ごしたい人

3 病気になったときに望むケア、してほしくないこと

4 自分の代わりに判断してほしいこと

演習6-3　地域ごとの埋葬慣習

地域ごとの埋葬の慣習を調べてみよう。

索引

欧文

ACP	259
AD	259
DNAR指示	260
ICSD	223
Tリンパ球	222

あ

アイスマッサージ	97
アドバンス・ケア・プランニング	259
アドバンス・ディレクティブ	259
安楽尿器	185
医師	68、101、152、213、250、286
移乗台	150
遺族会	289
痛みのスケール	267
溢流性尿失禁	200
糸ようじ	47
衣服	48
…の衛生管理	49
…の種類	48
…の着脱	48
衣服着脱の介助	52、60
イブニングケア	226
胃ろう	120
陰部洗浄	135、136、193
インプラント	38
ウォーターピック	47
うがい	32
上着	48
…の着脱の介助	52、55
栄養士	104、214、251
柄が長いブラシ	17
エストロゲン	225
嚥下	77
…の流れ	77
嚥下体操	95、96

エンゼルケア	278
…の手順	279
エンドオブライフ・ケア	257、258
オイルシャンプー	145
おむつ	167
…の種類	197
おむつ交換	191
おむつでの排泄の介助	191

か

ガーグルベースン	47
…のあて方	45
介護支援専門員	71、104、216、251
概日リズム	222
顔のふき方	12
下顎呼吸	276
掛け布団カバーのかけ方	245
架工義歯	36
肩呼吸	276
看護師	69、102、153、213、251、286
浣腸	205、208
陥入爪	24
管理栄養士	104、214、251
緩和ケア	267
機械浴	121
気管切開	120
義歯	36
…の種類	36
…の清掃	38
…の保管	38
義肢装具士	70
器質性便秘	201
機能性尿失禁	200
機能性便失禁	204
ギャッチベッド	246
休息	220
…の効果	221

キューブラー-ロス, E.	265
胸腺	222
局部床義歯	36
…の着脱方法	37
靴	49
苦痛の緩和	272
靴下	49
クラスプ	36
グリーフケア	280
ケアマネジャー	71、104、216、251
頸部後屈姿勢	91
頸部前屈姿勢	91
けいれん性便秘	201
化粧	28
化粧療法	28
下痢	202
ケリーパッド	145、147
言語聴覚士	104
言語的コミュニケーション	274
口腔ケア	28、99
…の種類	29
口腔清拭用ウェットティッシュ	34
口腔洗浄器	47
口腔粘膜の清拭法	33
口腔の清拭法	33
誤嚥性肺炎	75
誤嚥の予防	95
個浴	115

さ

サーカディアンリズム	222
サービス担当者会議	105
サイドレール	246
さかさ水	279
作業療法士	70、104、153、213、252
差しこみ便器での排泄の介助	186

293

差しこみ便器の種類 ………… 190
座薬 ……………………………… 205
…の挿入の介助 ……………… 206
三角コーナー ……………… 241、243
シーツ交換 …………………… 238
シーツのたたみ方 …………… 244
歯科医師 …………………… 69、101
歯科インプラント ……………… 38
歯科衛生士 ………………… 69、101
四角コーナー ……………… 242、243
弛緩性便秘 …………………… 201
歯間ブラシ …………………… 47
敷シーツの交換 ……………… 238
耳垢 ……………………………… 27
視交叉上核 …………………… 222
耳垢塞栓 ………………………… 27
死後硬直 ……………………… 278
自己導尿 ……………………… 204
死後のケア …………………… 278
死後の寝かせ方 ……………… 280
自己放任 ……………………… 152
自助具（食事）………………… 82
シシリー・ソンダース ……… 264
事前指示 ……………………… 259
死体検案書 …………………… 278
下着 ……………………………… 48
舌の清拭法 …………………… 33
舌ブラシ ……………………… 47
自動排泄処理装置 …………… 185
死の受容過程 ………………… 265
死亡診断 ……………………… 278
死亡診断書 …………………… 278
社会的苦痛 ………………… 264、272
社会福祉士 …………………… 153
シャワーキャリー …………… 149
シャワーチェア ……………… 149
シャワー浴 …………………… 127
終末期 ………………………… 257
…の定義 ……………………… 257
終末期医療 …………………… 257
終末期ケア …………………… 258
熟眠障害 ……………………… 247
手浴 …………………………… 139
准看護師 ……………………… 153
食事 ………………………… 74、270

…の介護 ……………………… 79
…の介助 ……………………… 86
…の介助（ベッド上）……… 90
…の姿勢 …………………… 86、271
褥瘡ポケット ………………… 158
寝衣 …………………………… 48
寝具 …………………………… 230
…の選択 ……………………… 230
…のたたみ方 ………………… 244
寝食分離 ……………………… 85
人生の最終段階における医療
………………………………… 257
人生の最終段階における医療・ケ
アの決定プロセスに関するガイ
ドライン ………………… 256、258
身体的苦痛 ………………… 264、272
睡眠 …………………………… 221
…の効果 ……………………… 221
睡眠効率 ……………………… 228
睡眠持続薬 …………………… 248
睡眠時無呼吸症候群 ………… 225
睡眠障害 …………………… 223、247
睡眠障害国際分類 …………… 223
睡眠導入薬 …………………… 248
睡眠ホルモン ………………… 222
睡眠薬 ………………………… 247
スクエアオフ ……………… 23、24
スクラビング法 ……………… 32
スクリーニングテスト ……… 103
スタンダードプリコーション
………………………………… 203
ストーマ …………………… 121、210
…がある場合の介助 ………… 210
ストーマ装具 ………………… 210
ストッキングエイド ………… 66
スピリチュアルペイン ……… 273
スプーンの入れ方 …………… 93
すべりどめマット …………… 150
スポンジブラシ …………… 33、47
ズボンの着脱の介助 ………… 57
清潔保持 …………………… 108、272
…の介護 ……………………… 112
…の介助 ……………………… 128
…の効果 ……………………… 111
…の方法 ……………………… 112

清拭 …………………………… 128
…の効果 ……………………… 128
清拭法（顔）………………… 11
…（口腔粘膜）……………… 33
…（舌）……………………… 33
精神的苦痛 ………………… 264、273
静水圧作用 …………………… 151
清掃法（義歯）……………… 38
成長ホルモン ………………… 222
整髪 …………………………… 14
…の介助 ……………………… 15
…の介助（ベッド上）……… 16
摂食 …………………………… 77
…の流れ ……………………… 77
切迫性尿失禁 ………………… 200
切迫性便失禁 ………………… 204
背抜き ………………………… 91
セルフネグレクト …………… 152
洗顔 …………………………… 8
…の介助 ……………………… 9
…の介助（ベッド上）……… 11
全身清拭 ……………………… 128
全人的苦痛 …………………… 264
洗髪 …………………………… 145
…（浴室以外）……………… 145
全部床義歯 …………………… 36
…の着脱方法 ………………… 36
総入れ歯 ……………………… 36
…の着脱方法 ………………… 36
総義歯 ………………………… 36
…の着脱方法 ………………… 36
早朝覚醒 ……………………… 247
爪肥厚 ………………………… 24
足浴 …………………………… 141
ソックスエイド ……………… 66
ソンダース, C. ……………… 264

た

ターミナルケア ……………… 258
唾液腺マッサージ …………… 97
タオルの巻き方 ……………… 13
脱健着患 ……………………… 51
チアノーゼ …………………… 276
チェーンストークス呼吸 …… 276
窒息 …………………………… 98

索引

着衣エイド……………………… 66
中途覚醒………… 225、228、247
調理師………………………… 214
腸ろうカテーテル……………… 120
直腸性便秘……………………… 201
爪切りの種類…………………… 26
爪の異常………………………… 24
爪の切り方………………… 23、24
爪の手入れ……………………… 23
…の介助………………………… 25
爪白癬……………………… 23、24
デスカンファレンス…………… 282
電気かみそりの使い方………… 20
デンタルフロス………………… 47
転倒……………………………… 157
電動昇降便座…………………… 174
電動歯ブラシ…………………… 34
転落……………………………… 157
トイレ…………………………… 166
…での排泄の介助……………… 168
疼痛治療………………………… 267
導尿……………… 167、199、204
トータルペイン………………… 264
特殊寝台………………………… 246
特殊浴槽………………………… 121
ドライシャンプー……………… 145
とろみ…………………………… 81

な

入眠儀式………………… 225、227
入眠障害………………………… 247
入浴……………………………… 108
…の介護………………………… 112
…の介助………………… 114、115
…の介助（シャワー浴）……… 127
…の介助（特殊浴槽）………… 121
…の介助（リフト浴）………… 124
…の可否………………………… 112
…の準備………………………… 114
入浴時の変化…………………… 156
入浴時のリスク………………… 111
尿器……………………… 167、185
…での排泄の介助……………… 182
…の種類………………………… 185
尿失禁…………………………… 199

尿取りパッド…………………… 196
尿排出障害……………………… 199
尿閉……………………………… 199
布おむつ………………………… 196
脳貧血…………………………… 156
のぼせ…………………………… 157
ノンレム睡眠…………………… 221

は

バイアス切り……………… 23、24
排泄……………………… 162、270
排泄障害………………………… 200
…の介護………………………… 166
…の介助（おむつ）…………… 191
…の介助（差しこみ便器）…… 186
…の介助（トイレ）…………… 168
…の介助（尿器）……………… 182
…の介助（ポータブルトイレ）
……………………………… 174
排泄方法………………………… 166
配膳……………………………… 88
排尿障害………………………… 198
パウチ…………………………… 210
バス法…………………………… 32
バスボード……………………… 150
パッド交換の介助……………… 179
パッドの種類…………………… 197
歯のみがき方…………………… 32
歯ブラシ………………………… 47
…の選び方……………………… 30
…の保管…………………… 30、43
…の持ち方……………………… 30
歯みがき………………………… 32
…の介助………………………… 40
…の介助（ベッド上）………… 44
歯みがき剤……………………… 31
パラタルバー…………………… 36
ヒートショック………………… 111
ひげそり………………………… 18
…の介助………………………… 19
…の介助（ベッド上）………… 21
ひげの手入れ…………………… 18
非言語的コミュニケーション
……………………………… 274
美容師…………………………… 71

標準予防策……………………… 203
頻尿……………………………… 199
深爪………………………… 23、24
腹圧性尿失禁…………………… 200
福祉住環境コーディネーター
………………… 71、155、215
福祉用具（衣服着脱）………… 66
…（食事）……………………… 82
…（入浴・清潔保持）………… 149
福祉用具専門相談員…… 155、215
フットケア……………………… 24
布団……………………………… 231
部分入れ歯……………………… 36
…の着脱方法…………………… 37
部分床義歯……………………… 36
…の着脱方法…………………… 37
部分清拭………………………… 136
不眠症…………………………… 247
ブリストル便形状スケール… 201
ブリッジ………………………… 36
プロゲステロン………………… 225
糞便栓塞………………………… 204
ペインスケール………………… 267
ベッド…………………………… 231
ベッド上での姿勢……………… 35
ベッドメイキング……………… 232
便器……………………………… 167
…での排泄の介助……………… 186
便失禁…………………………… 203
便秘……………………………… 201
膀胱留置カテーテル…………… 120
包布のかけ方…………………… 245
ポータブルトイレ……………… 167
…での排泄の介助……………… 174
…の種類………………………… 179
…の特徴………………………… 179
ポケット………………………… 158
保健師…………………………… 153
補高便座………………………… 174
補助具（入浴）………… 149、150
ボタンエイド…………………… 66

ま

巻き爪…………………………… 24
マットレス……………………… 246

295

身じたく …………………………… 2

…の介護 …………………………… 6

…の介助 …………………………… 8

耳の清潔の介助 ………………… 27

メラトニン ……………………… 222

毛布のたたみ方 ………………… 244

モーニングケア ………………… 226

モルヒネ ………………………… 267

…の副作用 ……………………… 268

や

夜間頻尿 ………………………… 199

薬剤師 …………… 103、214、251

やけど …………………………… 157

ゆかたの着脱 …………………… 65

湯たんぽ ………………………… 227

予期的悲嘆 ……………………… 287

浴槽台 …………………………… 150

浴槽用簡易手すり ……………… 149

ら

理学療法士
……… 70、103、153、213、252

リビングウィル ………………… 260

リフト浴 ………………………… 124

理容師 …………………………… 71

リンガルバー …………………… 36

臨床検査技師 …………………… 103

霊的苦痛 ………………… 264、273

レム睡眠 ………………………… 221

漏出性便失禁 …………………… 204

わ

和式寝衣の着脱 ………………… 65

『最新 介護福祉士養成講座』編集代表（五十音順）

秋山 昌江（あきやま まさえ）
聖カタリナ大学人間健康福祉学部教授

上原 千寿子（うえはら ちずこ）
元・広島国際大学教授

川井 太加子（かわい たかこ）
桃山学院大学社会学部教授

白井 孝子（しらい たかこ）
東京福祉専門学校副学校長

「7 生活支援技術Ⅱ（第2版）」編集委員・執筆者一覧

編集委員（五十音順）

櫻井 恵美（さくらい えみ）
東京福祉大学社会福祉学部講師

柴山 志穂美（しばやま しおみ）
神奈川県立保健福祉大学保健福祉学部准教授

白井 孝子（しらい たかこ）
東京福祉専門学校副学校長

竹田 幸司（たけだ こうじ）
田園調布学園大学人間福祉学部准教授

壬生 尚美（みぶ なおみ）
日本社会事業大学社会福祉学部教授

執筆者（五十音順）

秋山 昌江（あきやま まさえ）…………………………………………………… 第5章
聖カタリナ大学人間健康福祉学部教授

櫻井 恵美（さくらい えみ）……………………………………………… 第2章第2節
東京福祉大学社会福祉学部講師

白井 孝子（しらい たかこ）…………………………………………………… 第1章
東京福祉専門学校副学校長

竹田 幸司（たけだ こうじ）……………………………………… 第2章第1節・第3節
田園調布学園大学人間福祉学部准教授

三橋 由佳（みつはし ゆか）‥‥‥‥‥‥‥‥‥‥‥‥‥‥‥‥‥‥‥‥‥‥‥‥‥‥‥‥ 第6章第3節
のぞみ医療株式会社のぞみ訪問看護リハビリテーションチーム登戸管理者

壬生 尚美（みぶ なおみ）‥‥‥‥‥‥‥‥‥‥‥‥‥‥‥‥‥‥‥‥‥‥‥‥‥‥‥‥‥‥ 第4章
日本社会事業大学社会福祉学部教授

森 千佐子（もり ちさこ）‥‥‥‥‥‥‥‥‥‥‥‥‥‥‥‥‥‥‥‥‥‥‥‥‥‥‥‥‥‥ 第4章
日本社会事業大学社会福祉学部教授

山下 喜代美（やました きよみ）‥‥‥‥‥‥‥‥‥‥‥‥‥‥‥‥‥‥‥ 第6章第1節・第2節
東京福祉大学社会福祉学部准教授

山谷 里希子（やまや りきこ）‥‥‥‥‥‥‥‥‥‥‥‥‥‥‥‥‥‥‥‥‥‥‥‥‥‥‥‥ 第3章
さっぽろ高齢者福祉生活協同組合福祉生協イリス参与

最新 介護福祉士養成講座 7

生活支援技術Ⅱ　第2版

2019年 3 月31日	初　版　発　行
2022年 2 月 1 日	第 2 版 発 行
2023年 2 月 1 日	第 2 版第 2 刷発行

編　　集	介護福祉士養成講座編集委員会
発 行 者	荘村　明彦
発 行 所	中央法規出版株式会社
	〒110-0016　東京都台東区台東3-29-1　中央法規ビル
	TEL 03-6387-3196
	https://www.chuohoki.co.jp/
印刷・製本	サンメッセ株式会社

装幀・本文デザイン	澤田かおり（トシキ・ファーブル）
カバーイラスト	のだよしこ
本文イラスト	小牧良次・ひらのんさ・藤田侑巳
口絵デザイン	株式会社ジャパンマテリアル

定価はカバーに表示してあります。
ISBN978-4-8058-8396-9

本書のコピー、スキャン、デジタル化等の無断複製は、著作権法上での例外を除き禁じられています。また、本書を代行業者等の第三者に依頼してコピー、スキャン、デジタル化することは、たとえ個人や家庭内での利用であっても著作権法違反です。
落丁本・乱丁本はお取り替えいたします。

本書の内容に関するご質問については、下記URLから「お問い合わせフォーム」にご入力いただきますようお願いいたします。
https://www.chuohoki.co.jp/contact/

MEMO

MEMO

MEMO